D1341148

LE KRACH DE 1979

PAUL E. ERDMAN

LE KRACH DE 1979

traduit de l'américain par Michel Ganstel

OLIVIER ORBAN

CHAPITRE 1

SONOMA, CALIFORNIE
DECEMBRE, 1984

Je me suis enfin décidé à écrire un récit complet de ce qui s'est vraiment passé en 1979. De ces événements qui ont bouleversé – pour ne pas dire détruit – notre monde tel que nous le connaissions.

Je ne me fais guère d'illusions : cela n'intéressera sans doute personne. Sûrement pas les gens qui m'entourent, en tout cas : en Californie, ils n'ont pas de soucis à se faire pour les nécessités de la vie. Ils ont de quoi manger, il fait beau. Ils ont des chevaux, des vignes, et préfèrent aller à la pêche que de penser au sort de l'humanité. Ailleurs, c'est une tout autre histoire. Ici, au moins, ils veulent et peuvent oublier.

Je ne songe même pas à le leur reprocher. Mais moi, je ne peux pas oublier. Je l'aimais, ce bon vieux temps si proche, celui de la télévision, des avions, des voitures, de l'alcool dans les bars et de la pornographie sur les écrans. Et je l'avoue bien haut, sans honte. Le monde est maintenant rempli de bons apôtres, trop heureux d'aller brailler partout que ce sont les hédonistes inconscients, dans mon genre, qui sont les vrais responsables de la catastrophe. Que c'est nous – et « nous » voulant dire le monde occidental en général et l'Amérique en particulier – qui avons provoqué la fureur de Dieu, à cause de notre appétit diabolique pour l'argent et les plaisirs.

Foutaises ! Dieu n'a rien eu à voir dans tout ça. Ce n'est pas lui, ce sont les hommes qui ont tout fait. Et encore, pas plus d'une poignée d'entre eux : le Shah d'Iran et le Prince Abdullah d'Arabie Saoudite, pour n'en citer que deux parmi les principaux responsables. Il faut aussi reconnaître que ces deux potentats orientaux n'auraient jamais pu provoquer une pagaille aussi monumentale s'il n'y avait pas eu, depuis toujours, la duplicité des banquiers internationaux, l'égoïsme et la stupidité aveugle des Européens, la trahison des Russes (nos nouveaux « amis »...), la cupidité des Suisses, et l'incommensurable incompétence des trois derniers occupants de la Maison-Blanche, et je pense en particulier à l'imbécile qui a porté le coup de grâce à notre pays en présidant littéralement au déroulement de la crise.

N'allez surtout pas tirer de ce qui précède des conclusions erronées. Je ne suis pas plus athée que le premier venu. Mais n'allons pas mêler Dieu à des affaires où il n'a rien à voir. Il ne sert à rien de propager des mythes sécurisants pour expliquer et justifier nos fautes. Je suis sincèrement convaincu que nous avons le devoir, au contraire, de dire la vérité, toute la vérité à nos enfants et à nos petits-enfants. Et la vérité est que nous, ceux de ma génération, avons brillamment réussi à ruiner si totalement notre monde que nous n'avons à laisser à nos héritiers, en guise de patrimoine, que l'anarchie et la misère.

C'est donc pour eux que j'écris ces lignes, pour qu'ils apprennent à ne pas refaire nos erreurs. Et non – comme on voudrait me le reprocher – pour me disculper de la part que j'y ai prise.

Je viens de passer deux ans à rechercher et rassembler des documents sur les événements de ces années-là. J'ai rencontré et fait parler la plupart de ceux qui y avaient été activement mêlés, en Amérique et ailleurs. Je me suis aussi, et surtout, basé sur mes propres souvenirs. Car pourquoi ne pas le dire : j'y étais moi aussi. J'étais même tout au sommet de la pyramide.

Par quoi, par qui commencer ? Pourquoi pas par l'automne de 1978. C'est à ce moment-là, en effet, que je suis passé au service du gouvernement.

Pas de celui des Etats-Unis, non. Du gouvernement de l'Arabie Saoudite.

CHAPITRE 2

J'aurais mauvaise grâce à ne pas admettre que ma nomination en tant que conseiller financier du Royaume d'Arabie Saoudite souleva, quand elle fut connue, des mouvements de surprise chez bon nombre d'observateurs. Non pas parce que j'étais américain · à Ryad, en 1978, il y avait davantage d'Américains que de chameaux. C'était plus simplement parce que j'avais été absent de la scène financière internationale depuis assez longtemps pour qu'on m'y oublie presque.

Ma retraite avait été volontaire. Dès 1976, j'avais acquis la conviction que les choses ne pouvaient plus durer comme ça et que tout allait s'écrouler. Pour ne pas me trouver pris sous les décombres, j'avais donc vendu mes banques – celle des Etats-Unis et celles de l'étranger – et démissionné de tous mes conseils d'administration, pour aller m'installer dans le nord de la Californie où je me mis en mesure de ne strictement rien faire A quarante-quatre ans, j'étais enfin un homme libre.

On m'avait alors traité d'excentrique, pour ne pas dire de fou. Un banquier de sa valeur, disait-on, et qui promettait ! Dommage, dommage qu'il se soit mis à croire à ces théories farfelues de fin du monde. Que tous ces braves gens avaient donc tort ! Maintenant que je repense à tout cela, je m'en veux de n'avoir précisément pas assez cru à mes théories soi-disant alarmistes. Elles n'étaient que réalistes.

Ce devait être un vieil ami qui allait, comme c'est trop souvent le cas, me faire revenir sur mes sages résolutions. Lui non plus, le pauvre, je ne peux rien lui reprocher. Il croyait bien faire, et me rendre service autant qu'aux Arabes. J'avais fait la connaissance de Reggie il y avait longtemps, très longtemps, au début des années 50, avant même que je ne pense devenir banquier. A l'époque, nous étions tous deux dans un de ces « réservoirs à cerveaux » de Menlo Park, dans le bas de la péninsule de San Francisco. J'étais spécialisé en économie internationale, Reggie était dans l'énergie. Quelques années plus tard, j'en suis parti et Reggie y est resté. Mais nous sommes toujours restés bons amis, peut-être parce que nous sommes devenus, chacun dans notre spécialité, des hommes plus ou moins réputés et que nous n'avions donc pas de raisons de nous jalouser. Et puis, nos champs d'action étaient différents. Je ne savais que gagner de l'argent. Reggie ne pensait qu'au pétrole.

Ce qui nous ramène directement à notre sujet : les Arabes. Quand ils commencèrent, vers 1970, à nationaliser systématiquement les compagnies pétrolières internationales, ils n'y connaissaient pas encore grand-chose. Ils avaient donc besoin de se faire aider mais, pour des raisons évidentes, n'avaient pas la moindre envie de demander leur concours aux braves gens de la Standard Oil. Leurs campagnes de recrutement furent donc tout naturellement orientées vers les instituts de recherche, et particulièrement vers ceux installés en Californie. Pourquoi les instituts de recherche ? Parce qu'on y trouvait ce qui se faisait de mieux en matière de spécialistes dans tous les domaines, et qu'ils étaient tous à vendre au plus offrant. Et pourquoi la Californie ? Parce que les Arabes, et les Saoudiens en particulier, s'y retrouvaient comme chez eux. Presque toute la jeune élite saoudienne avait fait ses études supérieures dans les universités de la côte ouest : Stanford, UCLA, Berkeley... On a même cité le cas d'un des innombrables petits-fils de Fayçal qui avait réussi à rater ses examens à Whittaker College – pourtant bien loin d'être un des temples de l'éducation supérieure – et qui était retourné à Ryad se morfondre dans la vente des voitures d'occasion en nourrissant des ambitions politiques inavouables.

En 1973, les Saoudiens avaient déjà mis la main sur Reggie. Sa spécialité les intéressait au premier chef : il était expert en calcul d'élasticité des prix et du niveau de la demande pour les sources d'énergie primaire. En langage clair, cela voulait dire que Reggie savait calculer de combien on pouvait augmenter le prix du pétrole brut et de certains de ses dérivés, comme l'essence, sans détruire fondamentalement le marché du pétrole, tout en tenant compte de certains paramètres tels que le prix de revient des sources d'énergie de remplacement. En 1973, Reggie avait dit aux Saoudiens qu'ils pouvaient quadrupler le prix du brut du Golfe Persique sans risquer de perdre un seul client.

C'est ce qu'ils firent, et les calculs de Reggie obtinrent la preuve éclatante de leur justesse. Il continua donc de faire profiter les Saoudiens de son expérience et, à l'automne de 1978, le brut se vendait à seize dollars le baril. Les producteurs n'avaient toujours pas perdu leur clientèle.

C'était à Reggie, dans un sens, qu'ils devaient leur fortune, et les Arabes le savaient fort bien. C'est pourquoi, quand ils se mirent à la recherche de quelqu'un qui serait en mesure de conserver la fortune que Reggie leur avait fait acquérir, ils lui demandèrent tout naturellement conseil. Et Reggie leur donna mon nom.

Quand il m'appela pour m'en faire part, j'en fus flatté. Il s'agissait, après tout, de la réalisation d'un rêve auquel aucun banquier ne pourrait jamais résister : pouvoir mettre la main sur la plus énorme réserve d'argent jamais accumulée depuis les débuts de l'histoire de l'humanité. Il faut bien dire aussi que je commençais à m'ennuyer dans l'inaction. Je lui donnais donc mon accord pour qu'il me fasse rencontrer ses amis ou, comme il me le dit tout de suite, un de ses amis arabes. On pouvait au moins en discuter, cela ne coûterait rien à personne.

L'ami en question devait être le Prince Abdul Aziz Al-Kuraishi lui-même, qui portait en plus le titre de président du Fonds Monétaire d'Arabie Saoudite, autrement dit de sa banque centrale. J'avais suggéré que notre rencontre se passe au Bohemian Club, l'un de mes abreuvoirs préférés. J'espérais surtout secrètement y faire sensation en m'y produisant avec un prince arabe drapé de tous ses voiles, et le cimeterre à la ceinture. J'allais être déçu : quand ils arrivèrent au rendez-vous, c'était Reggie qui avait l'air le plus arabe des deux. Le Prince Al-Kuraishi était vêtu d'un complet de Savile Row, parlait avec un strict accent d'Oxford à peine teinté d'une pointe de Stanford, et portait une petite moustache taillée à la Sandhurst. Il faisait autant d'effet qu'un diplomate anglais. A San Francisco, autant dire qu'il passa totalement inaperçu.

Quand je lui proposai un apéritif, le prince non seulement accepta, mais insista pour avoir un Martini-dry à base de gin Tanqueray bien frappé. Je ne pus m'empêcher de lui dire mon appréciation et allais sceller notre nouvelle amitié en l'appelant

Al, quand Reggie me fit un clin d'œil courroucé : l'homme avait beau être arabe, il n'en était pas moins prince de sang. Je me le tins pour dit, et embrayai sur les banalités habituelles à tous les fervents de San Francisco, à savoir qu'il n'y avait nulle part au monde de ville aussi accueillante et civilisée. Avec un soupir de soulagement, Reggie me suivit sur ce terrain inoffensif.

Mais le prince ne me laissa pas dominer la conversation, comme mon ex-femme me le reprochait si souvent. En trois phrases, il nous éloigna des lieux communs pour aborder des sujets plus dignes de lui. Du chaos économique de l'Italie, nous passâmes au miracle de l'effondrement perpétuel de la livre sterling, pour évoquer ensuite les véritables intentions des Russes en Irak. Au passage, nous échangions nos vues sur quelques-unes de nos relations communes : le Chancelier de l'Echiquier – un imbécile – le président de l'Union de Banques Suisses – un paysan – le Shah d'Iran – un fou dangereux – et quelques autres. Du moins le prince me faisait-il l'honneur de hocher la tête pour me marquer son accord sur mes jugements péremptoires.

J'avais dû malgré tout réussir à lui donner une impression favorable, car nous n'étions pas au milieu du déjeuner que le prince fit abruptement dévier la conversation, pour la faire passer de moi-même et de mes opinions à l'Arabie Saoudite et ses problèmes. D'après lui, ceux-ci procédaient tous de la même conception viciée à la base : à savoir que les Saoudiens n'étaient rien de plus qu'une bande de nomades demeurés qui avaient eu une veine insolente. L'on en déduisait alors, le plus logiquement du monde, qu'on devait les traiter comme des enfants retardés qu'il fallait protéger d'eux-mêmes et de leur manque de maturité. Et que, par conséquent, seuls les sages de l'Occident sauraient assumer cette responsabilité.

Cette attitude, disait Al-Kuraishi, était la même partout : à Washington, à Bonn, à Londres, à Tokyo même... partout ! Et il devenait urgent que cela cesse. Non seulement parce que c'était une insulte à l'Arabie, mais parce que cela lui coûtait des revenus incalculables. Ainsi, Washington ne payait toujours qu'un intérêt de huit pour cent sur les Bons du Trésor vendus à Ryad, sans même vouloir prendre en considération le fait que l'Arabie Saoudite lui avait déjà avancé plus de cinquante milliards de dollars. En fait, l'Arabie Saoudite était devenue le second fournisseur de liquidités du gouvernement fédéral, non loin derrière les contribuables américains. Dans ces conditions, ne serait-il pas plus raisonnable d'espérer un intérêt d'au moins dix pour cent ?

A mon tour, je hochai la tête.

Et s'il n'y avait que les gouvernements ! poursuivit Al-Kuraishi. Dans le monde entier, les banques publiques et privées comptaient sur l'Arabie pour leur prêter de l'argent à des taux d'intérêt inférieurs de deux points, parfois trois, à ce qui se pratiquait sur le marché international des capitaux. Pourquoi ? Parce que, prétendaient les banquiers, les Saoudiens avaient plus besoin d'eux qu'ils n'avaient besoin de l'argent des Saoudiens. Il y avait pire encore : depuis des années, le pays était littéralement envahi de hordes d'escrocs à la petite semaine, venus des quatre coins du globe pour proposer, imposer parfois, des projets d'investissements plus invraisemblables les uns que les autres, allant de l'exploitation des mines d'or du Danemark à la création d'une équipe internationale de hockey sur glace dans l'Arizona.

Mais il n'y avait pas que les Américains ou les Européens pour s'amuser aux dépens des Arabes. Les pires, disait le prince, étaient les délégations venues de tous les pays nécessiteux d'Afrique, d'Asie, et même d'Amérique Latine. Ils ne s'embarrassaient même pas de faux-semblants ni d'une ombre de pudeur, et exposaient leurs demandes de but en blanc : nous avons besoin d'argent, disaient-ils. Vous autres, Arabes, en avez de trop Résolvez donc d'un coup nos problèmes à tous en nous donnant vos surplus. Un ou deux milliards de dollars feront l'affaire au début. Pour rembourser... on verra plus tard.

Pourquoi avaient-ils supporté tout cela depuis si longtemps ? Par décision du roi Khaled lui-même. En montant sur le trône, il avait voulu prouver au monde que, en dépit de l'assassinat de son prédécesseur, l'Arabie Saoudite n'allait pas changer brutalement d'attitude ni de politique. Elle continuerait d'être ce qu'elle avait toujours été, la patrie d'une nation patiente, tolérante, conservatrice, religieuse et consciente de ses responsabilités. Mais la tolérance avait assez duré. Il fallait que ça change.

Le prince aborda alors le véritable objet de notre rencontre.

Les Saoudiens avaient non seulement décidé de se débarrasser des importuns, ils avaient résolu de passer à l'attaque dans le champ clos de la finance. Pour les y aider, il leur fallait un professionnel, un expert des questions monétaires internationales et qui en connaisse toutes les ficelles. Une sorte de Docteur No, me dit le prince avec un de ses rares sourires. Sur la suggestion de mon ami Reggie, ils avaient fait une enquête sur mon compte, et je leur convenais. Ils comprenaient, bien sûr, que je ne cherchais pas un emploi et que je tenais à mon indépendance si nouvellement acquise. Mais ils étaient sûrs que je serais sensible à l'aspect passionnant d'une telle entreprise, et que je saurais m'y consacrer avec la largeur de vue indispensable.

Il procéda ensuite à l'énumération des détails de ma nouvelle position, celle de chef conseiller financier du Royaume d'Arabie Saoudite, avec une rémunération annuelle de cinq cent mille dollars. Je dépendrais directement du Conseil Suprême du Royaume, présidé par le roi Khaled envers qui je serais responsable par le seul intermédiaire du prince Al-Kuraishi. En d'autres termes, j'aurais les pleins pouvoirs pour gérer la totalité des fonds du royaume, sous réserve du veto du roi lui-même et en fonction des directives générales déterminées par le Conseil. Le Fonds Monétaire d'Arabie Saoudite comptait disposer d'environ deux cent cinquante milliards de dollars au cours des douze prochains mois.

J'acceptais la proposition.

C'est ainsi que, douze jours plus tard, je prenais le vol Pan-Am pour Beyrouth, d'où, après une bonne nuit de sommeil, j'embarquais sur le premier avion pour Ryad.

CHAPITRE 3

Pour décrire Ryad, il ne faut que trois mots : plat, chaud et sec. Mais la limousine qui m'attendait à l'aéroport était climatisée, comme l'était mon appartement au Hilton. Et comme l'était le palais royal.

Mon premier devoir était apparemment de me présenter au roi Khaled, ce que fit le prince Al-Kuraishi. Le cadre de cette présentation à la cour était fort loin des splendeurs de l'Arabie des légendes : je vis le roi dans son bureau. Il y était assis dans un fauteuil, et non sur un trône. C'était la première fois que je rencontrais Khaled. Il y avait déjà assez longtemps, j'avais rencontré son frère Fahad, devenu prince héritier. Ce fut la première chose à laquelle le roi fit allusion, et je déduisis de ses propos que ce que Fahad lui avait dit sur mon compte ne devait pas être défavorable à mon égard. Le roi me fit l'impression d'être un homme solide, plutôt dur, et dénué d'humour. De son aspect physique, ce furent ses yeux qui m'impressionnèrent le plus. Il avait un regard sombre et perçant , malgré ce qu'une telle description peut avoir de conventionnel, c'est néanmoins la seule qui paraisse convenir. Je n'oublierai jamais le sentiment de malaise que j'éprouvai quand ses yeux se fixèrent sur moi, pendant que son interprète parlait. L'audience ne dura pas plus de cinq minutes, et nul n'y proféra de paroles tirant à quelque conséquence que ce soit.

Alors que je sortais du palais, quelqu'un s'approcha de moi, sans doute un des fils de Fayçal à en juger d'après la forme de son nez et la hauteur de son maintien. Il se présenta sous le nom de Prince Abdullah, et me dit qu'il était ministre de la Dessalination. Il avait entendu dire que j'arrivais à Ryad et voulait simplement me souhaiter la bienvenue. Il avait, en effet, fait ses études à Menlo Park dans les années 50, et nous avions sûrement des relations communes. Cela lui ferait grand plaisir de m'avoir à dîner, un soir où je serais libre. Nous échangeâmes une cinquantaine de mots polis, il me donna une poignée de main molle et disparut dans un couloir. Pour des raisons que je ne pouvais m'expliquer, cette brève rencontre m'avait mis mal à l'aise.

Al-Kuraishi était resté à l'écart pendant que le prince me parlait, et n'y fit pas la moindre allusion pendant que nous nous rendions au siège du Fonds Monétaire d'Arabie Saoudite. Bien que je n'y prêtasse pas outre mesure attention sur le moment, cela me parut toutefois assez curieux.

Même quand on démarre tout en haut de l'échelle, il est toujours difficile de passer par les embûches du premier jour d'un nouvel emploi. Il faut serrer des mains, se faire présenter des douzaines de gens dont vous oubliez le nom avant même de l'avoir entendu, faire une visite des lieux, ce qui, dans toutes banques du monde, se termine invariablement par la chambre forte. A midi, j'avais enfin terminé le plus dur. Je me retrouvais seul dans mon bureau, une pièce immense au dernier étage du bâtiment. On avait déjà mis mon nom sur la porte, en anglais et en arabe.

Dans le doute, téléphonez. Tel est un de mes principes. Je feuilletais l'annuaire intérieur, décrochais le téléphone et tombais sur un homme qui savait qui j'étais. Je lui demandais de m'apporter les bordereaux de position journalière où figuraient les dépôts à l'étranger, leurs conditions et leurs dates d'échéance. Il me les apporta moins de cinq minutes plus tard.

Après avoir consacré un petit quart d'heure à parcourir des yeux les liasses IBM pliées en accordéon, j'avais acquis deux certitudes : les montants en cause étaient astronomiques, et le royaume d'Arabie se faisait royalement entuber, comme Al-Kuraishi l'avait dit. On ne pouvait pas revenir sur ce qui était fait, mais il n'y avait pas de raison que cela dure, ne serait-ce qu'une heure de plus. L'Arabie Saoudite était devenue le plus gros fournisseur de liquidités de l'ensemble du système bancaire occidental. Elle pouvait donc exiger d'y être traitée décemment. J'appelais Al-Kuraishi, l'informais de ce que je voulais faire, et il me dit que je pouvais y aller.

Je me reportais au bordereau et y relevais le nom de la Bank of London & Manchester. Ils possédaient un dépôt de deux cent cinquante millions de livres sterling de fonds saoudiens, à quatre-vingt-dix jours renouvelables. La livre sterling étant devenue l'une des devises les plus instables du monde, les dépôts faits dans les banques anglaises offraient donc l'un des taux d'intérêt les plus élevés du marché international. A l'époque, ce taux était de l'ordre de seize pour cent. Les Saoudiens n'en touchaient que quatorze. Et la date d'échéance de ce dépôt était le 2 novembre 1978, c'est-à-dire le lendemain.

Après des explications laborieuses avec le standard, je parvins à laisser des instructions pour qu'on me passe directement l'appel qui n'allait pas manquer de venir de Londres. Là-bas il n'était encore que neuf heures et demie — à peine l'aube pour les gens de la City — mais il faudrait bien qu'ils appellent pour demander le renouvellement. La conscience tranquille, je me replongeais dans les bordereaux.

Moins d'une heure plus tard, le téléphone sonna.

— Qui est-ce ? aboyais-je d'un ton rogue.

— Bank of London & Manchester, service international.

— Je sais bien, dis-je. Comment vous appelez-vous ?

— Ross.

— Passez-moi Gates.

— Je ne pense pas que nous ayons un M. Gates dans notre service, Monsieur...

— George Gates. Votre patron. Passez-le moi

— J'ai bien peur que M. Gates ne soit pas disponible pour le moment, Monsieur. Je ne faisais qu'appeler pour le renouvelement d'un dépôt qui vient à échéance demain. Simple procédure de routine...

— Il n'y a plus de routine, Ross. Cessez de me faire perdre mon temps et faites-moi passer Gates. Dites-lui que Bill Hitchcock veut lui parler.

— Je vais faire mon possible, Monsieur, dit Ross d'un ton dubitatif.

J'entendis une série de déclics. Une minute plus tard, une voix forte fit vibrer l'écouteur :

— Hitchcock ! C'est bien vous ?

— Moi-même, George.

— Félicitations, mon cher. J'ai appris votre nomination Cela me ferait plaisir que nous déjeunions ensemble la prochaine fois que vous passerez par Londres.

— Moi aussi, George. Mais ce n'est pas pour cela que je voulais vous parler. Nous avons quelques dépôts chez vous. Des sommes importantes.

— En effet.

— Il y en a un qui vient à échéance demain, deux cent cinquante millions de livres. Vos gens voudraient bien le renouveler, je crois.

— Vous savez bien, Bill, que je ne m'occupe pas de ce genre de détails...

— Désolé, George, mais il va falloir que vous vous en occupiez cette fois-ci. Sinon, il n'y aura pas de renouvellement. Ni sur celui-ci, ni sur les autres.

— Qu'est-ce que vous voulez dire, Hitchcock ? demanda-t-il d'un ton soudain plus britannique que nature.

— Très exactement ceci. Vos gens ont assez joué au plus malin avec les Saoudiens. Enfin, voyons ! Quatorze pour cent pour des dépôts en sterling à quatre-vingt dix jours, ce n'est pas sérieux...

— Hitchcock, interrompit Gates, nous pratiquons les tarifs normaux. Vous n'êtes plus dans le coup, mon vieux.

— Arrêtez de me dire des conneries, Gates !

— Bill, reprit-il soudain adouci, laissez-moi vous expliquer les nouvelles règles du jeu. Si les Saoudiens veulent déposer leur argent sur la place de Londres, il faut qu'ils acceptent de le faire à nos conditions. Ils peuvent peut-être nous faire du chantage avec le pétrole. Mais pas avec de l'argent.

— Vous maintenez donc vos quatorze pour cent ?

— Exactement.

— Désolé, George. Faites virer les deux cent cinquante millions de livres demain matin à notre compte de la Chase Manhattan.

Et je raccrochai.

Dans l'heure suivante, la Barclays, la Westminster, la Bank of Hong Kong et quelques autres appelèrent à leur tour. Ils appelaient tous pour confirmer — procédure de routine, n'est-ce pas — le renouvellement de leurs dépôts venant à échéance. A tous, je le leur refusais. Finalement, sur quatre ou cinq coups de téléphone, j'avais vidé le système bancaire britannique de près d'un milliard de livres.

Il était treize heures trente. Je demandai qu'on me fasse porter un sandwich et un verre de lait, et me replongeai dans les bordereaux.

Deux heures plus tard, environ, Al-Kuraishi m'appelait à son tour. Il avait en ligne le sous-gouverneur de la Banque d'Angleterre.

– Le cher homme a un problème ? demandai-je.

– On dirait. Il me reproche de vouloir causer une crise de la livre, et a l'air furieux. Je vous serais très reconnaissant de vous occuper de lui. Je vous le fais passer.

Une nouvelle succession de déclics, et je me retrouvais en train de parler à Londres.

– Sir Robert ! entamai-je de mon ton le plus aimable. Quelle joie de vous entendre.

Nous nous étions peut-être parlé trois fois en dix ans.

– Docteur Hitchcock, dit-il permettez-moi de vous féliciter pour votre nomination.

– Merci, Sir Robert.

– Comme je disais, il y a un instant, à M. Al-Kuraishi, on a rapporté à la Banque d'Angleterre que, selon vos instructions, l'Arabie Saoudite entend faire des retraits importants sur des dépôts en sterling. On nous a mentionné un total de neuf cents millions de livres.

– Environ, oui.

– Nous vous serions très reconnaissants si vous vouliez bien reconsidérer votre décision. Comme vous le comprenez sans doute, un tel mouvement de fonds pourrait, à tort, être interprété comme une opération spéculative sur la livre. Le gouvernement de Sa Majesté en serait vivement contrarié.

– Je comprends fort bien, Sir Robert. Mais nous n'aurions jamais pris une telle décision si vos banques payaient des taux d'intérêts normaux. Si elles le font, nous y maintiendrons nos capitaux. Sinon, nous les transférerons en dollars.

– Je vois. Que suggérez-vous, alors ?

– Simplement de nous faire payer le taux normal de seize pour cent.

– Bien. Laissez-moi une heure, Hitchcock. Je pense que l'on peut régler ce petit problème. La prochaine fois que vous serez à Londres, cela me ferait plaisir que nous puissions déjeuner ensemble.

– Avec plaisir, Sir Robert.

Décidément, les banquiers anglais sont toujours aussi portés sur les déjeuners, pensais-je en raccrochant.

A cinq heures, cet après-midi-là, les neuf cents millions de livres avaient été renouvelés à quatre-vingt-dix jours. Et à seize pour cent.

Calculés annuellement, ces deux pour cent représentaient

un volume total de dix-huit millions de livres, soit près de quarante millions de dollars, soit encore deux cents millions de francs. Ce qui n'était pas si mal pour une première journée de travail. Le lendemain, j'allais m'attaquer aux Suisses et aux Allemands. Après cela, ce serait le tour des banques de New York.

Je commençais à me sentir bien. Contrairement à ce qu'avait voulu insinuer Gates, j'étais toujours dans le coup. Mais mon plaisir n'en était pas moins gâté par un sentiment dont je n'arrivais pas à me débarrasser, malgré mes efforts : celui que notre monde doit être en vraiment piteux état si un seul homme, posté en plein milieu du désert d'Arabie, peut tenir à sa merci tout l'édifice bancaire d'un pays comme la Grande-Bretagne. Et est capable, avec une demi-douzaine de coups de téléphone, de la faire ramper à ses pieds.

CHAPITRE 4

Ce soir-là, j'étais rentré au Hilton en ayant fermement l'intention de me coucher de bonne heure quand la réception me remit un message me demandant d'appeler un M. Falk à l'ambassade des Etats-Unis. Il était six heures du soir, et j'essayai sans conviction. Mais il était encore à son bureau, et me demanda si nous pouvions nous rencontrer pour prendre un verre. Il me donna son adresse – un immeuble non loin du Hilton – et je lui dis que je l'y retrouverais vers sept heures et demie. Il ajouta qu'il aurait quelque chose à manger, si notre conversation devait se prolonger.

Falk était un homme grand et large, d'une quarantaine d'années et originaire de la Virginie. Il était surtout colonel, comme il me l'expliqua, et l'un des attachés militaires de l'ambassade. Grâce à ses fonctions, il pouvait se procurer tout l'alcool qu'il voulait, qui lui était livré directement de Francfort par avions militaires, et m'offrit aussitôt de m'en faire profiter. Dans l'immédiat, je lui dis que j'aurais bien besoin d'un Martiny-dry bien sec, qu'il se mit aussitôt en mesure de préparer et qui était excellent. Il faut rendre justice aux militaires américains : s'il y a une chose qu'ils savent bien faire, c'est boire.

Munis de nos verres – il préférait le Bourbon – nous allâmes nous installer dans un canapé.

– Alors, vos impressions ? demanda-t-il.

– De quoi ? demandai-je surpris.
– De la situation, précisa-t-il.
– Je ne savais pas qu'il y avait une situation à remarquer.
– Et qu'est-ce que Khaled vous a raconté ?
– Pas grand-chose.
– Il débordait d'amitié, non ? insista le Colonel.
– Il n'était pas désagréable. Mais de là à déborder d'amitié... Pourquoi ? Il aurait dû ?
– Franchement oui. Il a le plus grand besoin de nous, et il le sait.
– Quand vous dites « nous », vous voulez dire les Etats-Unis ou quelqu'un en particulier ?
– Vous êtes un de ces antimilitaristes, vous aussi ?
– Bien sûr que non. Tant que vous ne me forcez pas à faire la guerre...
– J'aime mieux ça, dit Falk avec un sourire. Donc, par « nous », je voulais effectivement dire l'armée. Sans nous, il n'existerait déjà plus.
– Arrêtez vos devinettes, Falk. Il y a un ennemi ? Qui est-ce donc ?
– Khaled a deux ennemis principaux. Le premier, c'est le Shah d'Iran, qui a fermement l'intention de transformer le Golfe Persique en mer intérieure iranienne.
– Jusqu'à présent, je vous suis. Et l'autre ? Israël ?
– Absolument pas. Il n'y a jamais eu le moindre problème, du moins la moindre confrontation directe, entre Israël et l'Arabie. Non, l'autre ennemi de Khaled est à Ryad. C'est son neveu, Abdullah.
– Expliquez-vous, je ne vois pas très bien.
– C'est simple, reprit le Colonel. Après l'assassinat de Fayçal, c'est son frère Khaled qui est monté sur le trône, et non pas son fils aîné Abdullah. Abdullah ne l'a pas encore digéré. Il est furieux contre Khaled, et ses six frères ne le sont pas moins. Ils ont donc une forte envie de renverser leur oncle, et de mettre Abdullah à sa place.
– Croyez-vous qu'il ait une chance de succès ? Il n'a pas l'air de disposer de grands moyens. D'après ce que j'ai compris, quand je l'ai vu ce matin, il est ministre de la Dessalination ou quelques chose de ce genre. Ce n'est pas le rêve pour faire un coup d'État.
– Vous l'avez déjà rencontré ? demanda Falk surpris.
– Oui. Tout de suite après mon audience avec le roi.
– Il n'en loupe pas une... Et qu'est-ce qu'il voulait ?

– Rien. Me dire bonjour et m'inviter à dîner un de ces soirs.
– N'y allez surtout pas.
– Pourquoi ?
– Ryad est une ville de province, tout se sait. Les gens du gouvernement vont épier chacun de vos mouvements. Et si vous vous faites remarquer avec le prince Abdullah...
Falk ponctua sa phrase d'un geste expressif en travers de sa gorge.
– Bien, je saurai me souvenir de vos bons conseils. Maintenant, pouvez-vous m'expliquer pourquoi Abdullah est considéré comme un pestiféré ? Il est donc dangereux ?
– Il a presque tous les cadres de l'armée derrière lui. Si ça continue, il les aura tous.
– Qu'a donc l'armée à reprocher à Khaled ?
– Vous connaissez la taille de l'armée saoudienne ? me demanda Falk en éludant ma question.
Je fis une moue d'ignorance.
– 36 000 hommes, vous vous rendez compte ! plus une sorte de milice de 25 000 hommes. C'est à pleurer ! L'Iran entretient 250 000 hommes en activité, et a 300 000 réservistes. L'Irak peut lever une armée de 250 000 hommes en huit jours. L'Egypte en a 300 000 en permanence sous les drapeaux, la Syrie 150 000. Jusqu'à la Jordanie, oui la Jordanie, qui a plus de troupes que l'Arabie Saoudite !
Falk avait l'air complètement écœuré.
– Et pourquoi une si petite armée ? demandai-je.
– Parce que Khaled est méfiant. On peut garder le contrôle d'une armée restreinte. Alors, il l'empêche de grandir. Et les officiers lui en veulent à mort. Abdullah leur promet donc de leur ôter leurs chaînes, à condition qu'ils le soutiennent.
– Alors, vous devriez soutenir Abdullah vous aussi. Vous avez tout pour vous entendre.
– Ce n'est pas si simple, Hitchcock, reprit Falk avec un soupir. Khaled, comme vous le savez déjà, n'est pas un imbécile. Il sait très bien qu'il a besoin d'une armée. Mais au lieu d'en augmenter les effectifs, il préfère – comme Fayçal avant lui – aller chercher les troupes dont il a besoin à l'étranger, et de préférence aux Etats-Unis. On peut faire davantage confiance à des mercenaires qu'à des autochtones. Ce n'est pas eux qui vont aller se fourrer dans des révolutions contre ceux qui les paient. Et les mercenaires américains sont sans doute les meilleurs et les plus sûrs sur le marché. Ils ne sont pas des indépendants ou des têtes brûlées, comme ceux qu'on trouve un peu partout en

Europe. Ils sont garantis par le gouvernement, en quelque sorte, et plus ou moins directement contrôlés par le Pentagone.

– Et combien y en a-t-il en ce moment ?

– Il y a environ quatre mille réguliers, des militaires de l'armée qui sont ici au titre du pacte d'assistance mutuelle entre les Etats-Unis et l'Arabie Saoudite. Officiellement, ils ont été envoyés ici pour « former » les troupes locales. En fait, les postes clés sont presque tous entre leurs mains. Il y a aussi quinze mille « irréguliers », des anciens du Viêt-nam pour la plupart, des professionnels endurcis qui sont venus sous les auspices d'une entreprise privée de Los Angeles, la Vinnel Corporation. Ils avaient été embauchés en 1975, toujours sous le prétexte officiel de « former » les Saoudiens pour la garde des gisements pétrolifères, et ils ne sont toujours pas repartis. Il faut compter en plus près de douze cents « techniciens », des types de l'armée de l'air en général. Ce sont eux qui font fonctionner et entretiennent tout le système de défense aérienne et les missiles. Ils sont payés par McDonnell-Douglas, Bell Helicopter, Litton Industries, Hughes Aircraft, bref tous les fournisseurs de matériel militaire. Si on fait le total, on se rend compte qu'il y a un Américain pour quatre Saoudiens dans l'ensemble des forces armées du pays.

– Un peu comme le Viêt-nam au bon vieux temps, non ?

Falk affecta d'ignorer ma réflexion déplacée.

– Ainsi, reprit-il, vous voyez que c'est nous qui arbitrons la situation, en association étroite avec Khaled. Tant qu'il reste sur le trône, nous restons en place. Et tant que nous sommes ici, le Golfe Persique reste calme. C'est précisément cela qui chauffe les oreilles des officiers de l'armée saoudienne. Ils ne peuvent plus nous sentir, comme les Egyptiens en étaient arrivés à haïr les Russes qui contrôlaient leur armée sous couvert de « coopération ». C'est pour cela qu'Abdullah a la partie belle, et qu'il n'a pas à fredonner bien fort dans leurs oreilles pour qu'ils l'écoutent comme le prophète. S'il réussit à prendre le pouvoir, on est flanqués à la porte dans le mois qui suit. Alors, adieu le Golfe Persique !

– Falk, vous me donnez soif ! Préparez-moi donc un autre Martini-dry.

– Bonne idée, dit le Colonel.

Il alla préparer un nouveau Martini-dry aussi bon que le premier, se versa une rasade tassée de Bourbon, et nous reprîmes nos places sur le canapé.

– Alors, dis-je après avoir vidé un bon tiers de mon verre d'une seule traite, comment est-ce que vous allez vous débrouiller pour que votre copain Khaled reste sur le trône – et par conséquent nous garde auprès de lui – et que le méchant Abdullah reste inoffensif ?

– En essayant de le convaincre d'accorder à ses militaires ce qu'ils réclament sur tous les tons : une armée. Qu'il en double ou qu'il en triple les effectifs. Qu'il en fasse autant avec l'aviation. Et la marine. Qu'il noie ces imbéciles-là sous des tonnes de matériel. Cela les calmera, et ils ne feront même plus attention à nous. Ils vont chanter bien haut les louanges de Khaled et laisser tomber Abdullah et ses petits frères. Et la paix règnera sur le Golfe Persique dans les siècles des siècles...

– Ainsi soit-il ! dis-je d'un air sceptique.

– Et pourquoi pas ? s'écria Fakl qui commençait à s'énerver Le roi a de l'argent qui lui sort par les yeux. Pourquoi le laisser moisir dans des banques ? C'est idiot ! Tenez, regardez le Shah. Il s'est constitué l'armée la plus forte et la mieux équipée qui existe entre l'Europe et la Chine. Il y engloutit trois ou quatre milliards de dollars par an, rien qu'en matériel neuf ! Khaled a les moyens d'en faire largement autant.

– Trois ou quatre milliards ? demandai-je en jouant la surprise.

– Peut-être même un peu plus, précisa Falk. Et tout ce qu'il a à faire en cas de pépin, c'est d'appuyer sur un bouton, et le Pentagone prend le relai. Il ne nous faudrait pas plus d'un an ou deux pour monter ici quelque chose qui tienne debout.

– Et qu'est-ce que je viens faire dans tout ça ?

Je m'en doutais bien un peu, mais j'aimais autant l'entendre dire en toutes lettres.

– Ecoutez, Hitchcock, reprit Falk de son air le plus convaincant, nous connaissons les responsabilités que vous avez ici maintenant. Tout ce que nous vous demandons, c'est d'examiner par vous-même la situation en fonction de ce que je viens de vous dire. Vous ne pourrez pas faire autrement que d'en arriver aux mêmes conclusions que nous. Il faut que Khaled s'occupe sérieusement de son budget militaire. Dites-le lui, il vous écoutera. Vous rendrez même service à nos deux pays...

– Falk, interrompis-je, j'ai l'impression que vous vous faites des illusions sur mes véritables pouvoirs. Je ne suis rien d'autre qu'un petit banquier, à qui on demande de faire un travail bien délimité. Un point c'est tout.

– Bien sûr, bien sûr... Mais vous vous apercevrez vite que rien n'est jamais simple ici, ni dans aucun pays arabe. Pour le moment, souvenez-vous simplement de ce que je vous ai dit et réfléchissez-y un peu. Tout est prêt pour qu'il y ait une explosion, un bouleversement complet. S'il faut intervenir, ce n'est pas dans six mois, c'est tout de suite. Sinon, vous vous retrouverez en train de travailler pour le Shah ou pour Abdullah. Je n'ai pas l'impression que ça vous enchanterait

Pour bien marquer que la propagande était terminée, Falk se leva avec un sourire engageant.

– Venez donc à la cuisine, me dit-il. Je me suis fait envoyer les steaks les plus épais et les plus juteux que vous ayez jamais vus dans ces parages. Arrivage direct de notre Q.G. d'Allemagne, comme le reste. On pourra toujours remplir nos verres pendant qu'il sera sur le gril...

C'est ce que nous avons fait. Quand je rentrais à mon hôtel, vers minuit, j'étais dans un état d'euphorie assez avancé. Mais pas avancé au point de ne pas remarquer qu'un petit homme m'avait suivi, sans trop se cacher d'ailleurs, jusqu'à la porte des ascenseurs. Après tout, me dis-je, le Colonel Falk sait peut-être de quoi il parle.

CHAPITRE 5

Quelque temps plus tard, j'allais m'apercevoir que Falk savait effectivement de quoi il parlait au sujet du Shah d'Iran. Presque à ce moment-là, en novembre 1978, le Shah était en train de mettre la dernière main à sa machine de guerre, devenue, grâce à ses soins constants, l'une des plus puissantes du monde, et dont il entendait bien se servir. Car Mohamed Reza Pahlevi, Roi des Rois du très antique royaume de Perse, n'était pas précisément le plus équilibré des hommes. Et cela se savait. Dès 1974, le magazine *Time* avait cité l'opinion que William Simon, alors secrétaire d'État au Trésor, se faisait de lui : « Le shah, avait-il déclaré dans une interview, n'est qu'une espèce de cinglé irresponsable... » A l'époque, Simon était réputé pour sa candeur et ses gaffes, et avait mérité le sobriquet de « Simon l'Innocent ». N'empêche qu'il n'y eut aucun démenti officiel...

Il faut connaître l'essentiel du passé du Shah pour en comprendre les complexes. En dépit des titres grandioses dont il s'est affublé, le Shah n'est rien de plus que le fils d'un obscur petit colonel de l'armée iranienne – totalement analphabète, d'ailleurs, jusqu'à son âge adulte – qui fut favorisé par une chance insolente en 1921, quand il participa à une révolte de l'armée contre la dynastie légitime. Le colonel parvint à mettre la main sur la couronne impériale, et s'en orna la tête sans perdre un instant. Devenu Empereur, le colonel eut assez de sens pour comprendre qu'il avait besoin de rehausser son image et son standing. Il changea donc son nom en celui de Pahlevi, nom d'une des plus anciennes langues de la Perse et qui devait lui conférer un fumet d'antiquité.

Devenu chef de l'Etat iranien, le colonel se débrouilla plutôt bien jusqu'à la Seconde Guerre mondiale, où il commit l'erreur de miser sur la victoire de l'Aryen Hitler au lieu de celle des amis de Churchill. En août 1941, les troupes russes et britanniques firent leur entrée en Iran, chassèrent le colonel de son trône, et y installèrent Mohamed, son fils alors âgé de vingt-trois ans, pour y jouer le rôle d'un pantin dont ils tireraient seuls les ficelles.

On peut imaginer des débuts plus glorieux pour un Roi des Rois.

Tout a une fin, y compris l'occupation étrangère. Mohamed finit donc par se retrouver seul maître du pays. Mais pas pour longtemps. Dès 1952, Mossadegh fit son apparition et prit la place de Premier Ministre. Mossadegh était un homme très en avance sur son temps. Son programme était fondé sur la nationalisation du pétrole iranien, et prévoyait que son auteur accaparerait le pouvoir pour lui tout seul. Ceci, on s'en doute, était loin d'être au goût du Shah, mais il ne pouvait guère intervenir pour contrarier les projets de son rival. Car le Shah ne disposait toujours d'aucun pouvoir réel ni d'aucun soutien populaire.

Heureusement pour lui, il y avait de par le monde un autre chef d'État qui n'aimait pas Mossadegh. Ce chef d'État était le président que les Américains venaient de se donner par acclamations, le général Eisenhower. Il vit ce que voulait faire Mossadegh : quiconque s'attaquait à la Standard Oil défiait l'Amérique, et Eisenhower n'aima pas cela du tout. Il mit donc la CIA en branle. La CIA organisa fort bien un soulèvement militaire qui dura trois jours, au bout desquels Mossadegh se retrouva en prison. Le Shah, lui, était resté sur son trône. Mais il n'avait pas perdu son vieux rôle de pantin. Cette fois, c'était les Américains qui tiraient les ficelles.

Ils tirèrent les ficelles du Shah pendant plus de dix ans. Le Shah faisait docilement tout ce que les Américains lui disaient de faire, car il n'avait pas le choix. Sans l'aide américaine, l'économie de l'Iran se serait effondrée en vingt-quatre heures, et le pauvre Shah aurait perdu son trône.

C'est sans doute pour cela que le Roi des Rois choisit de se défouler, et de devenir le « play-boy » le plus fameux de tout l'Orient. Son premier soin fut de se débarrasser de sa première femme, la sœur du roi Farouk. Libre, il put s'attacher Soraya la brune, à la beauté célèbre et qui lui venait d'Allemagne. Pendant toutes les années 50, le Shah et Soraya passèrent plus de leur temps à l'étranger qu'en Iran, allant de fête en réception et de bal en souper. Leur circuit habituel partait de Beyrouth, les amenait ensuite à Rome, Cannes, Paris et Londres pour se terminer généralement à New York. Ensuite, ils recommençaient. L'hiver venu, le couple célèbre se contentait d'aller à St-Moritz avec, pour rompre la monotonie du séjour, quelques expéditions lointaines vers Gstaad, Zermatt et Klosters.

Soraya, pendant ce temps, s'était fait une foule d'admirateurs inconditionnels, et surtout d'admiratrices recrutées principalement parmi les « Hausfrau » de toute l'Allemagne. Partout, on s'arrachait les magazines illustrés relatant complaisamment ses faits et gestes. Partout, on s'attendrissait sur sa photo ornant la couverture des revues à grand tirage. Tout cela dura jusqu'en 1959, année à jamais funeste où le Shah, sous les cris d'horreur et d'indignation qui s'élevaient d'outre-Rhin, répudia Soraya. Motif : elle ne lui avait pas donné d'héritier. Le Shah approchait l'âge mûr, et l'on peut certes comprendre son souci de vouloir assurer la continuité d'une dynastie dont l'ancienneté, à l'époque, remontait à trente-huit longues années.

La raison d'État primant donc tout, le Shah se remaria avec une jeune fille de vingt et un ans que lui avait trouvée son ami Adahir Zahedi, qui était alors ambassadeur d'Iran en France pour devenir plus tard l'envoyé du Shah aux États-Unis. L'élue poursuivait encore ses études à la Sorbonne au moment de sa découverte, mais n'allait pas tarder, sous le nom de Farah Diba, à connaître une réussite sans précédent. Tout d'abord, parce qu'elle fit des enfants, garçons et filles, avec une régularité digne de tous les éloges. Ensuite, elle était plutôt jolie. Enfin, et surtout, elle était sortable dans tous les milieux.

Désormais pourvu d'une postérité, donc empereur à part entière, le Shah ne mit plus de frein à ses ambitions sociales. Il osa même dépasser les frontières du « jet-set », et aller au-delà. Dans les années soixante, le Shah et sa Farah étaient reçus régulièrement à la Maison-Blanche par les Kennedy d'abord, par les Johnson ensuite. En 1969, quand les Nixon (Dick et Pat pour le bon peuple) vinrent s'y installer, le Shah, ses médailles, ses uniformes et son caviar faisaient partie du paysage de Washington.

Mais personne ne le prenait au sérieux. Jusqu'à ce qu'explose la bombe de 1973, l'embargo mis par les Arabes sur le pétrole de l'Occident. En quelques semaines, le chantage le plus incroyable de l'histoire connut le succès que l'on sait, et le prix du pétrole quadrupla. Le Shah, conformément aux traditions de son passé, n'eut rien à y voir et n'y contribua pas le moins du monde. En fait, il n'éprouvait que du mépris envers les Arabes. Mais une fois qu'il se fut assuré que tout danger d'une intervention militaire occidentale était écarté, il comprit où était son devoir – et son intérêt – et s'avança subitement sur le devant de la scène. En un tournemain, il se proclama le seul porte-parole de l'OPEP, le cartel des pays producteurs formé en 1974 grâce à la victoire de ses voisins.

Désormais, le Shah se trouvait à la tête d'une fortune défiant l'imagination. Grâce aux nouveaux prix du pétrole, il faisait rentrer plus de trente milliards de dollars par an dans ses caisses. Bientôt, il fut unanimement reconnu comme le chef de file de la nouvelle élite de l'avenir. L'Europe entière se prosternait à ses pieds. Il était entouré de délégations empressées de Japonais tout en sourires et en courbettes, le suppliant de répandre la manne de son pétrole sur un Japon assoiffé. La CIA lui faisait la cour, Giscard d'Estaing chantait ses louanges, Harold Wilson l'embrassait avec effusion et Gerald Ford trouvait même l'inspiration de le recevoir fastueusement. La presse mondiale, et ses commentateurs les plus illustres, rapportait ses moindres propos et enluminait ses feuilles les plus austères de photographies de Sa Splendeur.

Le monde avait enfin assisté à l'avènement du Roi des Rois.

Richement nourrie de l'humus de ses complexes d'infériorité, son arrogance allait éclater tout de suite après que l'encens des hommages eût fait palpiter ses narines. Quand on commença à lui reprocher timidement ses flagrants abus de pouvoir, le Shah ne se gêna plus pour répliquer à ses détracteurs. « Personne, dit-il avec hauteur, ne peut plus se permettre de tendre vers Nous un doigt accusateur. Car Nous saurons riposter ! »

A l'automne de 1978, le Shah était en effet presque prêt à la riposte. Il était même prêt à l'attaque, pour réaliser enfin sa grande ambition : faire de l'Iran une super-puissance. Et le 5 novembre de cette année-là, son palais de Téhéran fut le témoin d'une conférence où devait se jouer le succès ou l'échec de ses projets.

A l'ordre du jour de cette réunion : les armes atomiques. Il est relativement facile de fabriquer des bombes atomiques. Le seul élément indispensable est une matière première connue sous le nom de plutonium, et encore n'en faut-il guère plus que la valeur d'une balle de tennis par bombe. Les réacteurs atomiques tels que ceux construits aux Etats-Unis par Westinghouse ou General Electric, ou en France par Framatome, en produisent au moins la valeur d'une balle de tennis tous les trois jours. En 1974, la France avait obtenu un marché pour la fourniture de deux de ces réacteurs à l'Iran, au prix de deux milliards de dollars la pièce. Vers le milieu de 1978, ces deux réacteurs fonctionnaient déjà et, le 5 novembre de la même année, ils avaient produit suffisamment de plutonium pour fabriquer une quarantaine de bombes. Pas de grosses bombes, non; mais de petites bombes tout juste capables de détruire le centre de villes de la taille de Moscou ou de New York. Ou d'anéantir en totalité des villes comme Ryad ou Koweit. C'était aussi le genre de bombe qui, détonnée à l'altitude convenable, pouvait détruire toute flotte osant se présenter dans le détroit d'Hormuz pour pénétrer dans le Golfe Persique.

Outre le Shah, qui présidait, la réunion du 5 novembre rassemblait trois hommes. Le Général Mohamed Khatami, chef de l'armée de l'air iranienne ; le Commodore Fereydoun Shahandh, responsable de la force d'intervention amphibie du Golfe Persique ; et le Professeur Hedjevi Baraheni, directeur de la Commission pour l'Energie Atomique d'Iran.

– Etes-vous sûr qu'elles sont opérationnelles ?

– Je ne peux pas en être absolument certain, Votre Majesté, répondit le Professeur Baraheni qui affectionnait les réponses prudentes et évasives. Ni moi, ni personne. A moins que nous puissions en essayer une, trois de préférence.

– C'est impossible, répondit le Shah. Je vous l'ai déjà dit et je vous le répète : il est impossible de procéder à des essais.

Le Shah se tourna alors avec impatience vers son conseiller militaire, le Général Khatami :

– Khatami, vous connaissez mon programme.

– Oui, Sire.

– Alors, qu'est-ce que vous attendez ? Réfléchissez. Trouvez une solution. Tout de suite !

Khatami était un bon stratège, mais n'avait rien du savant, et ne connaissait pas grand-chose aux armes atomiques. Mais il était prudent et rusé. Il fit mine de réfléchir :

– Je crois qu'avant tout, il faudrait admettre, Sire, qu'il nous est pratiquement impossible de faire confiance à nos propres hommes de science pour mener ce projet à bien. Aucun d'eux n'est à la hauteur.

Le professeur était prêt à élever une protestation indignée

quand un coup d'œil sur la physionomie du Shah lui en ôta toute envie. Il avala donc son humiliation.

– Ensuite, reprit le général, nous savons tous que la fabrication des armes atomiques est devenue un procédé fort simple tant aux Etats-Unis qu'en Europe Occidentale. D'après ce que j'ai entendu dire, ils ont littéralement des milliers d'ingénieurs et de spécialistes, aussi bien chimistes que physiciens, qui sont capables d'en faire avec un équipement minimum. Il ne leur faut qu'un peu de plutonium. Qu'en pensez-vous, Baraheni ?

– C'est exact, approuva le professeur. Mais je tiens à dire, ajouta-t-il, que nous disposons ici même, à Téhéran, d'une douzaine d'hommes, y compris moi-même, parfaitement capables d'en faire autant...

– Alors, coupa le Shah, pourquoi insistez-vous à vouloir faire des essais ?

Le professeur préféra ne pas répondre.

– Sire, intervint le général Khatami, je comprends ce que veut dire le Professeur Baraheni. Nos hommes savent le faire, mais manquent d'expérience pratique. Il faut donc que nous trouvions quelqu'un qui en ait. En outre, Votre Majesté sait qu'il nous faut autre chose que de simples bombes. Nous avons discuté de cette question à plusieurs reprises.

Le Shah se contenta de hocher la tête.

– Aussi, reprit le général, puis-je me permettre de suggérer que nous engagions l'un des meilleurs hommes que nous puissions trouver en Amérique ou en Europe, un homme dont nous serions sûrs qu'il maîtrise parfaitement tous les aspects techniques. On le paierait, s'il le faut, une somme astronomique, on l'enfermerait ici pour un ou deux mois avec les meilleurs hommes dont Baraheni peut disposer à son institut, et nous aurions la certitude d'avoir des bombes parfaitement opérationnelles. Sans avoir besoin de les essayer.

– Il y a quand même un risque. S'il parlait ?

– A partir du moment où il sera à Téhéran, il ne pourra rien dire. La SAVAK y veillera.

– Mais avant son arrivée ? Avant qu'il accepte de venir ? demanda le Shah, l'air soucieux.

– Mieux que les autres hommes, Votre Majesté sait bien que l'argent peut tout acheter. Vous avez vu des banquiers, des pétroliers, des industriels, tous les hommes les plus puissants de l'Occident venir s'agenouiller à vos pieds, s'humilier ici même, dans votre palais. Et pourquoi ? Pour une seule raison : l'argent. Les savants ne sont pas différents des autres. Vous n'aurez qu'à en voir un, et vous comprendrez que les Occidentaux sont tous pareils. Il n'y a que l'argent qui compte pour eux. Sans exception.

– Je sais, dit le Shah pensif. C'est bien un de leurs traits de caractère que je trouve le plus répugnant. Et lesquels, à votre avis, sont les plus corrompus et les plus avides ?

– Les Américains et les Suisses, répondit le général après un instant de réflexion.

Ce fut au tour du Shah de se livrer à quelques pensées.

– Vous avez raison, Khatami, comme d'habitude, dit-il enfin. Mais il y aurait trop de risques à prendre un Américain Il faut donc trouver un Suisse.

Le Shah se tourna alors vers le professeur :

– Baraheni, dit-il, où faut-il aller en Suisse pour trouver l'homme qui nous convient ?

– Je ne suis pas d'accord... commença le professeur.

– Je ne vous demande pas votre avis, coupa le Shah. Répondez à ma question.

– Bien, Sire. Permettez-moi dans ce cas de suggérer la société Roche-Bollinger. Ce sont des constructeurs de matériel électrique lourd, qui sont installés juste à côté de Zurich, à Baden. Ils fabriquent des réacteurs atomiques pour des centrales électriques, et exportent dans le monde entier. Ils ont également une production d'armements conventionnels.

– Pouvez-vous me donner des noms ? demanda le Shah

– Eh bien, voyons, en cherchant...

– Je crois, Sire, que nous devrions confier ce problème à la SAVAK, dit alors le Commodore Fereydoun dont c'étaient les premiers mots depuis le début de la réunion.

Placée sous la direction efficace de Shadah Tibrizi, la SAVAK est la plus importante force de police secrète et d'espionnage du monde, en dehors de celle de l'Union Soviétique, et elle bénéficie de la supervision directe du Shah. Le Commodore Fereydoun y avait passé dix ans de sa carrière avant de prendre le commandement des forces du Golfe.

– Vous avez raison, lui dit le Shah. Faites venir Tibrizi immédiatement. Vous autres, vous pouvez disposer.

Docilement, les trois hommes se levèrent, s'inclinèrent profondément devant leur maître et quittèrent la pièce à reculons sans se relever. Car telle était toujours la manière, en l'an 1978, où l'on devait se comporter devant le leader de l'élite des chefs d'État de l'avenir.

CHAPITRE 6

Si j'avais alors su ce qui se passait à Téhéran cette semaine-là, je ne me serais pas donné la peine d'aller à Rome. Je serais plutôt rentré directement en Californie, et je me serais saoulé à mort.

Mais je ne pensais toujours naïvement qu'à l'argent, et pas du tout à la guerre. L'argent était celui des Saoudiens, et il fuyait à gros bouillons dans les égouts. L'un de ces égouts était l'Italie.

J'avais à peine colmaté, à Ryad, l'une de ces fuites en mettant en place les grandes lignes de mon opération de remise en ordre des placements à court terme, que je reçus un coup de téléphone du Herr Doktor Reichenberger, président du conseil d'administration de la Leipziger Bank de Francfort. Ce qu'il me dit tient en peu de mots : les Italiens étaient encore sur le point de faillir à leurs engagements sur les prêts étrangers – l'énorme, l'inconcevable montagne de leurs prêts étrangers – à moins que quelqu'un, une fois de plus, vienne les en sortir à coups de milliards de dollars. L'Allemagne, ou plutôt les banques allemandes soutenues par leur gouvernement, avait déjà joué le rôle du Bon Samaritain au moins trois fois. Mais la solidarité envers un partenaire du Marché Commun avait des limites, et l'Allemagne ne voulait plus avancer un sou, me dit fermement Reichenberger. L'Italie était en faillite permanente depuis des décennies. Il n'y avait plus de raison que cela s'arrête, et ce serait de la folie de continuer à y engloutir du bon argent en pure perte. Le matin même, le conseil des ministres de la République Fédérale avait déclaré à Reichenberger que le gouvernement n'accorderait plus la moindre garantie. Cela voulait dire que les banques allemandes devraient se débrouiller toutes seules pour organiser le sauvetage de leurs capitaux. Celle qui risquait le plus gros paquet étant la Leipziger Bank, Reichenberger avait été nommé chef de file du groupe, et chargé d'organiser les opérations.

Et pourquoi me raconter cela à moi ? demandai-je. Parce que, dit Reichenberger, l'Arabie Saoudite a englouti plus de trois milliards et demi de dollars en Italie et que le Fonds Monétaire Saoudien est le second créancier de l'Italie, tout de suite derrière l'Allemagne. Il me lut ensuite une liste des pools bancaires de divers pays ayant une mise égale ou supérieure au milliard de dollars. Il avait convoqué un représentant de chacun de ces groupes à assister à une réunion devant se tenir le vendredi 12 novembre à dix heures du matin, dans les locaux de l'Ambassade d'Allemagne à Rome. Chaque pays serait également représenté par un porte-parole de son gouvernement. L'Arabie Saoudite souhaitait-elle envoyer une délégation ?

Sans aucun doute, lui répondis-je, et la délégation sera composée du directeur du Fonds Monétaire Saoudien, le Prince Al-Kuraishi, ou de moi-même ou des deux. Le Herr Doktor n'eut pas besoin de me préciser que toute référence à cette affaire devait être soigneusement tenue à l'écart de la presse. Enfin, il raccrocha.

Comme je pus m'en rendre compte en vérifiant les livres, l'endettement de l'Italie envers l'Arabie Saoudite était en effet considérable : trois milliards cinq cent cinquante millions de dollars, pour être exact. Les parties prenantes formaient une liste impressionnante, allant du Trésor Public à Alfa-Roméo, en passant par des municipalités comme celles de Rome, Milan, Florence, Turin et Naples ou les plus grands noms de l'industrie nationale ou privée, tels que l'IRI et FINSIDER. Publics ou privés, ces emprunts comportaient tous une clause identique : ils bénéficiaient de la « Caution morale » de l'Etat.

Dès le milieu des années 60, l'économie italienne avait entrepris de s'endetter sur le marché des eurodollars, c'est-à-dire qu'elle avait emprunté des dollars américains aux banques européennes qui en détenaient des réserves. Les banques s'étaient ruées à qui mieux mieux sur cette manne italienne. Que risque-t-on, en effet, à prêter de l'argent avec la garantie d'un des pays les plus riches et les plus dynamiques de l'Europe Occidentale ? A l'époque, l'Italie était encore en plein milieu de son miracle économique. Avec un PNB progressant constamment de dix pour cent par an, elle faisait figure de prodige, le Japon du Marché Commun.

Aussi, sans plus attendre, les milliards de dollars se mirent à couler à profusion. Les prêts étaient accordés à dix ou quinze ans, à des taux d'intérêt de l'ordre de huit pour cent. Les banques de dépôt de la place de Londres réussirent à rafler les premiers emprunts, et à s'en faire presque un monopole. Mais ils allaient vite atteindre des proportions telles qu'elles n'y suffirent bientôt plus. On vit alors entrer en lice les « banques-consortiums » qui, de Londres même, de Paris ou de Bruxelles, firent leur apparition, voulurent – exigèrent même – leur part du gâteau, et entreprirent de gaver l'Italie de milliards dont la source paraissait intarissable.

Le phénomène de la « banque-consortium » est lié à celui de la croissance sauvage, et procède d'une idée simple et, en apparence, géniale comme toutes les idées simples. Prenons, par exemple, plusieurs très grandes banques de divers pays : la Chase Manhattan de New York, la Deutsche Bank de Francfort, le Crédit Lyonnais de Paris et l'Union de Banques Suisses de Zurich. Supposons également que ces banques décident de fonder ensemble une filiale commune. Cette filiale jouirait immédiatement d'un crédit pratiquement illimité, grâce à l'énormité des ressources dont disposent ses « banques mères ». Là où l'idée devient encore plus attrayante, c'est quand on sait que – par le jeu habile de la diversité des règlements en vigueur dans divers pays – ces filiales peuvent n'être dotées que d'un capital social fort restreint. Et que, mêmes si ces nouvelles banques attiraient des dépôts considérables, ou accordaient des prêts plus considérables encore, il ne se trouverait aucune autorité de tutelle en Europe pour oser ou pouvoir imposer aux « banques mères » une augmentation du capital de leurs filiales.

Tout cela, découvrirent les banquiers avec délectation, était en vérité sensationnel. Peut-être pas très prudent, mais incontestablement juteux. Alors, on vit s'épanouir ces banques en véritables bouquets. Elles furent parées de noms où la fantaisie pouvait enfin se donner libre cours : Orion Bank, Midland & International Banks Ltd., Union de Banques Arabes & Françaises, Western American Bank-Europe, etc. : moins de dix ans plus tard, quand éclata la crise du pétrole qui fit chanceler l'économie occidentale de la manière que l'on sait, il s'en épanouissait plus d'une trentaine. Pour la plupart, elles manipulaient les dollars par milliards, voire par dizaines de milliards. Aucune d'entre elles, par contre, ne possédait le capital nécessaire à la couverture d'une fraction de ses opérations. C'était un des plus beaux exemples jamais vu de pyramide dressée sur sa pointe.

C'est alors qu'on se posa la question : qu'est-ce qui se passerait dans l'éventualité – incroyable, bien sûr – où l'une de ces banques s'effrondrerait ? Qui irait la repêcher ?

Ce ne serait pas le gouvernement de Sa Majesté, naturellement, car si beaucoup de ces banques avaient leur siège à Londres, elles étaient la propriété d'institutions financières qui n'étaient point britanniques. Ce ne serait pas non plus le Marché Commun ; d'abord, parce qu'il n'existait pas en tant qu'organisme central, surtout parce qu'il ne possédait aucun organisme bancaire ayant un quelconque droit de tutelle. Il n'était pas non plus question que ce soit le gouvernement des Etats-Unis ; car s'il y avait de nombreuses banques américaines participant – et souvent considérablement – à ces belles pyramides renversées, les pyramides elles-mêmes n'étaient pas en territoire américain.

Alors, qui paierait l'addition ? Une fois de plus, l'actionnaire, voire le client qui, en confiance, déposait son argent dans les coffres inébranlables de la banque-mère à New York, à Toronto, à Zurich ou à Francfort. Et cela, c'était impensable.

C'était si impensable que les responsables de ces curieuses entreprises reçurent, de leurs commettants, des instructions draconiennes : ne consentir que des prêts absolument sûrs. C'est pourquoi ils se précipitèrent tous sur les emprunts italiens. Quoi de plus sûr que des prêts couverts de la « caution morale » du gouvernement d'un des plus grands pays d'Europe ? Et puis, pensèrent les banquiers, jamais l'on ne laissera l'Italie, jamais l'Occident – dressé comme un seul homme – ne laissera l'Italie s'enfoncer dans les marécages de la faillite financière.

Il faut aussi avouer que ces emprunts étaient particulièrement tentants. L'Italie payait, en moyenne, trois pour cent de la valeur nominale de l'emprunt en « frais de constitution de dossier ». Ce qui veut dire que pour chaque milliard de dollars qui lui était prêté, elle devait immédiatement reverser trente millions. Ce qui était bien payé pour une quinzaine de jours de paperasserie et les quelques coups de téléphone nécessaires à la constitution du pool. Et comme l'intérêt annuel était de huit pour cent – alors qu'on pouvait encore avoir le dollar à cinq pour cent – on ne pouvait humainement pas demander à un banquier de résister à une telle tentation.

Arrivèrent les années 70, la crise du pétrole, la crise économique, et la crise politique de l'Italie – qui n'arrangeait certainement rien à son chaos économique. C'est alors que les banquiers pleins d'astuce eurent un frisson d'angoisse, et se posèrent, comme un seul homme, la même question : « Comment les Italiens vont-ils faire pour nous rembourser nos prêts ? » Il suffisait d'y penser.

Comme personne ne put trouver une réponse satisfaisante, on ferma le robinet. « Que le Marché Commun s'occupe de l'Italie », tel fut le cri unanime poussé par les banquiers. Ce qu'ils espéraient surtout, c'est que le même Marché Commun se débrouille pour trouver les milliards nécessaires au remboursement du principal des prêts, qui allaient commencer à venir à échéance de remboursement en 1979. En effet, sous les pressions des banques, le Marché Commun se mit en branle. Ou plutôt, l'Allemagne seule. Elle prêta à l'Italie les quelques milliards dont elle avait besoin pour faire face à ses échéances, mais elle ne les prêta pas les yeux fermés. Les Allemands sont les financiers les plus prudents du monde, et ils exigèrent des garanties, tangibles. Les Italiens hypothéquèrent leurs réserves d'or. Elles y passèrent bientôt en totalité. Et l'Italie avait toujours besoin d'argent pour rester à flot : pour acheter son pétrole, son blé, son whisky. Car l'Italie est le plus gros importateur mondial de Scotch, et ne le cède que de peu aux Etats-Unis eux-mêmes.

C'est alors que l'Arabie Saoudite arriva à la rescousse.

J'avais fait le point de la question avec Al-Kuraishi pendant que nous déjeunions. Le prince était fort contrarié. Son pays n'avait pas prêté des sommes aussi astronomiques à l'Italie par goût du lucre, comme l'avait fait les banquiers de la place de Londres. Il avait obéi à d'autres motifs. Les Etats-Unis et l'Europe étaient intervenus pour que l'Arabie Saoudite aide l'Italie à payer sa facture pétrolière, en recyclant ses pétrodollars dans les circuits italiens. L'Arabie avait accepté de coopérer, et avait englouti plus de trois milliards et demi de dollars dans l'économie italienne, étant clairement entendu et spécifié que l'Amérique et les pays d'Europe couvraient les dettes de l'Italie de leur caution. Morale.

– C'est donc ça, la morale de l'Occident ! conclut le prince d'un air dégoûté.

J'étais forcé d'être d'accord avec son jugement, pour sévère qu'il soit. Mais il restait peut-être, malgré tout, quelque chose à sauver.

Peut-être, et malgré tout, opina le prince. Il se pourrait tout aussi bien que les participants à la réunion en profitent pour faire une fois de plus chanter l'Arabie, et lui fassent payer les pots cassés pour tout le monde. Dans ces conditions, conclut-il, je ne peux pas prendre le risque d'aller à Rome. C'était donc à moi d'y aller seul.

Les instructions qu'il me donna étaient simples : ne m'engager à rien, et si possible ne rien dire du tout. J'assisterais à la conférence comme le ferait un simple observateur. Et je ne devrais pas hésiter à l'appeler à tout moment pour le tenir au courant s'il se passait quelque chose.

Je quittai Ryad pour Rome par le vol de dix-sept heures, et arrivai au bout de mon voyage juste avant minuit, après une courte escale à Beyrouth. Après l'austérité de Ryad, Rome me parut un enchantement. Je ne m'irritais même pas de la pagaille de l'aéroport de Fiumicino. Après plus d'une semaine en Arabie, cela faisait un bien fou de voir enfin des femmes, et surtout des Italiennes qui faisaient généreusement voler leurs mains, leur cheveux et même leurs jupes au moindre prétexte. Il était plaisant aussi de voir enfin des panneaux publicitaires pour Cinzano ou Johnny Walker, au lieu de devoir se contenter des transistors Philips ou des motos Honda. Aussi, tandis que le taxi m'emmenait le long de l'interminable route de Rome, je décidais de l'occupation de ma première soirée civilisée : d'abord prendre un verre. Ensuite, me taper une fille.

Le bar du Hassler était encore ouvert, et j'eus le temps d'y prendre mon verre symbolique avant qu'il ferme. Mais quand j'en vins à la deuxième partie de mon programme, je fus troublé, bouleversé même, en tout cas inquiet de me rendre compte que je me sentais trop fatigué pour prendre la peine de me trouver une compagne. Si ma chère ex-femme – elle s'appelle Anne, au cas où je n'en aurais encore rien dit – avait su cela, elle en aurait été malade de rire. Quand je pense à cette garce frigide... mais mieux vaut ne pas en parler.

Le lendemain matin, j'arrivais à l'ambassade d'Allemagne juste avant dix heures, et debout depuis assez longtemps pour regretter amèrement ma tempérence de la nuit. A l'intérieur, l'ambiance valait celle de l'extérieur : novembre, en Italie, est sans doute l'une des périodes les plus déprimantes de l'année. La salle de conférences avait indubitablement coûté très cher, et faisait preuve d'un mauvais goût qui, lui, n'avait pas de prix : moquette et meubles Knoll-International. On aurait cru la salle d'attente d'un psychiatre sadique. Mais la disposition des places autour de la table reflétait une constante plus profonde de la mentalité allemande et de son respect inné pour la puissance que confère l'argent. Le Herr Doktor Reichenberger occupait, sans contestation possible, le haut bout de la table. A sa droite, les Américains. A sa gauche, l'Arabie Saoudite, c'est-à-dire votre serviteur. A ma gauche, les Anglais – ce qui montre à quel point la Grande-Bretagne avait dégringolé dans l'échelle des valeurs mondiales. En face d'eux, bien entendu, les Français. La « couche » suivante regroupait les Japonais et les Iraniens, ce qui avait l'air de déplaire souverainement aux deux représentants de Téhéran. Ensuite, toujours face à face, les Hollandais et les Suisses. Enfin, la Belgique et le Canada. Elles étaient toutes là, les onze nations qui contrôlaient les destinées économiques du globe... Quant au bas bout de la table, il avait été naturellement réservé à l'Italie, au Judas Iscariote de notre cénacle !

Chaque délégation nationale comportait deux hommes : un représentant des pouvoirs publics – en général un haut fonctionnaire du trésor public ou de la banque centrale ; et le directeur de la banque pilote du pool, c'est-à-dire de celle qui avait été assez bête pour engloutir – directement ou par l'intermédiaire d'une filiale-consortium – le plus d'argent en Italie. La seule exception à cette règle était l'Arabie Saoudite, puisque sa banque centrale, son trésor public et ses banques privées étaient regroupés en un seul organisme dont j'étais l'unique représentant. Quand le Herr Doktor fit les présentations, je fus gratifié d'un bon nombre de regards curieux, et je faillis éclater de rire en pensant que les Japonais devaient être en train de se torturer les méninges pour essayer de comprendre comment un Arabe se trouvait affublé d'un nom comme Hitchcock.

A midi, tout le monde avait fait son petit discours, sauf moi – volontairement – et les Italiens – qui bouillaient d'impatience. Personne n'avait rien promis, personne ne s'était engagé à quoi que ce soit. Alors, le chef de la délégation italienne prit enfin la parole. Tout ce dont l'Italie avait besoin, dit-il avec une grande conviction, c'était au plus deux malheureux petits milliards de dollars. Sinon, l'Italie ne pourrait pas acheter les denrées agricoles dont elle avait besoin, en Europe et aux Etats-Unis, et le pétrole qu'il lui fallait, dans les pays Arabes. Elle ne pourrait pas non plus régler le moindre intérêt sur les emprunts en eurodollars – qui se montaient maintenant à seize milliards de dollars. Naturellement, poursuivit le porte-parole, il n'était pas non plus question d'envisager les premiers remboursements de principal qui venaient à échéance en 1979, pour un montant... voyons, dit-il en faisant mine de chercher... d'environ deux milliards six.

– Mais alors, intervint l'homme du trésor de Berne, si je comprends bien il vous faut beaucoup plus que les « deux petits milliards » dont vous parliez tout à l'heure avec tant de légèreté !

Il ne faut jamais sous-estimer les Suisses. Ils ont l'air lents, à première vue, mais ils sont capables d'additionner plus vite qu'un ordinateur si c'est de leur argent dont il s'agit.

Bon, eh bien, voyons, éluda l'Italien... Si le Signore du nord des Alpes insistait pour entrer dans des précisions d'aussi mauvais goût, il fallait en effet admettre qu'on se rapprochait plus de quatre milliards que de deux... De toute façon, ce serait amplement suffisant pour passer le cap de l'exercice 1979, ou du moins ses quelques premiers mois.

– Vier Milliarden Dollars ! s'exclama le Herr Doktor Reichenberger si choqué qu'il en oublia son rôle de président de séance impartial et objectif. Vier Milliarden ! C'est impossible !

– Ja ! Ja ! opinèrent incontinent les Hollandais, les Suisses et l'un des Belges qui était Flamand et comprenait la langue de Goethe. C'était en effet faire preuve d'une inconscience inconcevable.

Pendant ce temps, j'observais avec un amusement que je savais dissimuler aux regards. Les plus bouleversés dans l'assistance n'étaient pas les fonctionnaires. Venus défendre les intérêts de leurs gouvernements respectifs, ils ne risquaient rien eux-mêmes et savaient que rien ne pourrait venir les déloger de la sécurité de leur petit fromage jusqu'à l'âge béni de la retraite. Pour les banquiers, il s'agissait de tout autre chose. Ces génies de la finance, engoncés dans leurs stricts complets gris comme dans une armure, avaient passé leur temps depuis des années à distribuer l'argent de leurs clients naïfs comme s'il s'agissait de tracts du Parti Communiste. Ils s'étaient beaucoup plus intéressés aux « voyages d'affaires » à Rome, à Florence ou à Venise où on les traitait royalement – avec leurs femmes ou leur maîtresses, évidemment – qu'à l'analyse rigoureuse et réaliste des risques qu'ils prenaient avec l'argent de leurs banques, et qu'à la solvabilité de leurs emprunteurs. Maintenant, ils commençaient à comprendre que l'avenir même de leurs banques était en jeu – pire : que leur avenir propre était menacé, qu'ils risquaient fort de se retrouver brutalement au chômage.

Il était évident que les mêmes pensées douloureuses leur traversaient l'esprit en même temps. Qu'on ne se méprenne pas : quand je dis « pensées douloureuses », il n'est pas question que cette douleur soit provoquée par l'idée que les Italiens, faute de quelques sous, risquaient de mourir de faim ou de froid en l'an 1979. Il s'agissait incontestablement de bien pire, et je pouvais suivre les détours de leurs réflexions. Je n'y avais aucun mérite : après tout, j'étais encore l'un des leurs il n'y avait pas si longtemps...

Si l'Italie, se disaient-ils, n'obtient pas tout de suite un très gros prêt de n'importe qui, elle sera incapable de rembourser le principal des emprunts qui commencent à venir à échéance. Ce qui veut dire qu'il va falloir faire une croix sur deux milliards six. C'est pénible, sans doute, mais on peut encore tenir le coup. Là où cela devient tragique, c'est que l'Italie ne pourra pas davantage rembourser les autres emprunts, dont les échéances vont maintenant tomber les unes après les autres. Et il y en a pour quatorze milliards ! Ces quatorze milliards, les commissaires aux comptes vont devoir les faire passer sous la rubrique « prêts sans intérêts ». Peu après, ils passeront dans la colonne « créances douteuses ». Et enfin – mon Dieu ! mon Dieu ! – il faudra les imputer au compte Profits et Pertes, et les compenser immédiatement et sans délai ! Un coup pareil, c'est assez pour balayer les réserves et le capital de presque toutes les banques. A l'extrême rigueur, des géants comme la Chase Manhattan ou la First National City Bank pourraient amortir le coup, et encore : elles s'en sortiraient grièvement blessées, peut-être à mort. Mais peut-on imaginer le chaos que cela créerait sur une place comme Londres ? Peut-on imaginer les réactions des clients et des actionnaires, les procès, les inculpations de manipulations frauduleuses, les campagnes de presse ? Seigneur tout-puissant ! Nos carrières ruinées, la honte et le déshonneur, et tout cela à cause de ces enfoirés d'Italiens !

Dans le profond silence qui avait enveloppé l'assistance, une voix résonna soudain. C'était un Canadien :

– Voyons, dit-il avec componction au représentant du Trésor Italien, il me semble que votre gouvernement a contracté l'obligation morale de rembourser ces emprunts.

Un regard unanime de pitié méprisante vint le fustiger pour une telle manifestation de naïveté. Alors, le porte-parole des pouvoirs publics de l'Italie lui répondit :

– Avec quoi ? dit-il sobrement.

Avec quoi, en effet ? L'Italie n'avait plus de dollars, plus d'or, plus rien. A la rigueur, on pourrait convaincre les Allemands de prendre Venise, les Suisses Florence et les Américains la Sicile – pour y déporter commodément leurs mafiosi. Mais il était douteux qu'on arrive à caser Naples...

– Toutefois, reprit l'Italien du Trésor, le gouvernement des

Etats-Unis pourrait sans doute, dans la tradition de générosité qui est la sienne, parce que soucieux de soutenir l'Italie dont l'importance stratégique au sein de l'OTAN n'est pas à démontrer, et désireux de prévenir une panique financière généralisée dont les effets pourraient être désastreux si notre économie s'effondrait, le gouvernement américain pourrait donc, sans trop de mal, garantir un emprunt de quatre milliards de dollars ?

La question était longue, et le rayon d'espoir qu'elle faisait poindre plutôt court.

Il brilla néanmoins, jusqu'à ce que l'une des gloires de Harvard, en la personne du sous-secrétaire d'Etat au Trésor des Etats-Unis d'Amérique, prît la parole pour y répondre.

– Le Congrès ne voudra pas en entendre parler.

Ainsi s'évanouissait le mythe de la générosité des Etats-Unis d'Amérique.

– Toutefois, reprit l'ancien élève de Harvard, nous pourrions peut-être les persuader de faire un geste, étant entendu que les pays détenteurs de vastes réserves de dollars y participeraient en proportion adéquate...

Instantanément, je sentis que tous les yeux se fixaient sur deux cibles : l'Iranien et moi. Car personne n'ignorait, dans cette auguste assemblée, que quatre milliards de dollars représentaient à peine un mois de rentrées pour les deux principaux producteurs de pétrole du Golfe Persique.

Heureusement pour moi, le directeur de la banque centrale d'Iran se doutait de la tournure qu'allait prendre la discussion. La meilleure défense étant une attaque, il sortit ses griffes et en envoya un coup qui égratigna furieusement l'homme de Harvard.

– Vous avez, dit-il en pointant un index accusateur, vous avez vous aussi l'obligation morale de rembourser les prêts que nous avons accordés à l'Italie, votre alliée. Soyez assuré que l'Iran et ses pays frères du Golfe sauront exiger que vous teniez vos engagements.

Le bluff était bon. Le sous-secrétaire d'Etat de Washington tenta d'appeler, d'un regard, l'Allemagne à la rescousse. Mais le bon Herr Doktor n'était pas homme à vouloir se colleter avec les Iraniens. L'Iran avait en dépôt – et en dépôt à court terme – des milliards de dollars dans les banques allemandes, et en particulier dans la sienne, à Francfort. Les « pays frères » du Golfe Persique en avaient tout autant. Et sa banque, comme les autres, avait désespérément besoin de ces pétrodollars, surtout maintenant qu'on voyait poindre une nouvelle crise financière à Rome. D'un autre côté, il fallait reconnaître que c'était l'armée américaine qui, quasiment seule, séparait Francfort des avant-gardes de l'Armée rouge... C'était, pour le Herr Doktor Reichenberger, un choix difficile qu'on lui demandait de faire.

Il me jeta un coup d'œil interrogatif. Mes instructions avaient été claires et précises : je secouais la tête négativement. Alors, il prit une décision. Il déclara la séance levée. Nous devions nous retrouver le lendemain matin, même heure, même endroit. Je quittais la salle sans dire un mot à personne.

Une fois de retour dans ma chambre du Hassler, je décrochai immédiatement le téléphone et appelai Al-Kuraishi à Ryad. Il prit les choses calmement, et me demanda ce qu'avaient fait les Iraniens. Je lui décrivis leur position, et rapportai leurs propos. Avec moins de calme que précédemment, le prince m'enjoignit de faire tout pour éviter que notre position puisse être, si peu que ce soit, confondue avec celle de l'Iran. Etait-ce assez clair ?

Je le rassurais tout de suite : c'était parfaitement clair. Peut-être, suggéra-t-il alors à nouveau calme, je pourrais trouver une solution de rechange...

Après avoir raccroché, je descendis au bar.

Elle était assise au bout du bar, seule. Cheveux bruns, plutôt noirs, ligne sans reproche, la trentaine au plus, un joli nez, et un ensemble Pucci qui avait dû coûter cher. De profil, au moins. elle formait un spectacle intéressant pour un rescapé du désert d'Arabie. J'allai maintenant voir ce qu'elle donnait de face, me posai sur le tabouret près d'elle, et lui demandai avec suavité si elle n'y voyait pas d'inconvénient.

– Pas du tout, me dit-elle avec un sourire et un accent que je n'arriverais pas à situer.

– Vous êtes française ? hasardai-je.

– Non, suisse.

Après un démarrage aussi fulgurant, la conversation s'engagea bon train sur le terrain des banalités les plus éculées. C'est ainsi que j'appris qu'elle était de passage à Rome où elle accompagnait son père, venu assister à un congrès scientifique. Il était quelque chose comme professeur de physique nucléaire à l'Institut Polytechnique de Zurich.

– Et vous, dis-je avec un sourire, qu'est-ce que vous faites ?

Mon sourire devint une grimace tandis que j'avalais une gorgée de l'infâme mixture que le barman avait voulu me faire prendre pour un Martini-dry. La vie d'un Américain exilé peut parfois être un long chemin de croix.

Elle m'apprit, toujours dans son accent que je commençais

à trouver charmant, qu'elle passait le plus clair de son temps à s'occuper d'œuvres charitables pour son peuple.

– Quel peuple ? demandai-je sincèrement surpris. Les Suisses ont besoin d'œuvres charitables ?

– Le peuple juif, répondit-elle plus sèchement. Je suis juive. Par ma mère.

Elle daigna alors m'expliquer que la confession de Moïse implique que c'est la maternité qui détermine le judaïsme.

– De toute façon, conclut-elle, même si je ne l'avais pas été de naissance, je le serais devenue par choix.

– Et pourquoi donc ?

Elle commençait vraiment à m'intriguer.

– Parce que j'admire les Juifs et ce qu'ils représentent. Ils savent qu'ils sont le peuple élu de Dieu, et agissent en conséquence. Ils sont différents des autres peuples, et sont fiers de leur différence, eux. Le monde actuel a réussi à corrompre presque toute l'humanité, mais il n'a pas réussi à corrompre mon peuple.

Par goût, je ne m'étais jamais vraiment penché jusqu'à présent sur les questions raciales ou religieuses. Mais elle commençait à m'échauffer les oreilles, et sa déclaration fracassante en était plus que ce que je pouvais supporter après la comédie de ce matin et la tiédeur écœurante du cocktail que je me forçais à boire à petites gorgées. Je lui ricanais au nez :

– Franchement, ce que vous venez de dire est surprenant, pour ne pas dire plus. Les Juifs ne sont pas différents des autres. Et certainement pas en ce qui concerne l'argent. Ils sont même plutôt pires. On peut acheter un Juif tout aussi bien qu'un Arabe ou un Italien. Sans doute plus facilement qu'un Esquimau...

Elle me jeta un regard exaspérant, avec un sourire qui l'était encore davantage.

– Que faites-vous dans la vie, pour être si bien renseigné ? me demanda-t-elle.

– Je suis banquier, avouai-je.

Son sourire devint franchement méprisant, comme si je confirmais à moi tout seul les préjugés du peuple élu sur la cupidité démoniaque des Gentils.

– A New York, je suppose ? reprit-elle.

– Non. A Ryad.

Pour la première fois, je vis un éclair d'intérêt traverser ses yeux sombres.

– Vous travaillez avec les Arabes ?

– Non, pour eux, précisai-je.

– Et vous pouvez vous regarder dans la glace sans avoir honte de vous ? insista-t-elle.

– Je ne vois pas pourquoi j'aurais honte de moi.

– Vous vous vendez pour de l'argent ! J'appelle ça de la prostitution, dit-elle avec un air dégoûté.

– Et alors ? Il n'y a rien de mal dans la prostitution, dis-je avec toutes les apparences de la sincérité.

Elle me jeta un regard où l'indignation le disputait à l'incrédulité.

– Vous plaisantez, n'est-ce pas ? dit-elle enfin d'un ton outré. Voyons, il n'y a rien de plus avilissant que de se prostituer ! Une femme digne de ce nom devrait au moins garder un minimum de respect pour elle-même. Naturellement, ajouta-t-elle avec un ricanement de mépris, vous ne pouvez pas comprendre ce genre de sentiments. Les gens pour qui vous travaillez traitent leurs chèvres mieux qu'ils ne traitent leurs femmes.

– Pour nous résumer, lui dis-je avec un sourire candide, vous m'avez dit il y a cinq minutes que les Juifs ne se vendent pas pour de l'argent. Vous venez maintenant de me dire que, pour une femme comme vous, il est impensable de coucher avec un homme pour de l'argent, c'est bien ça ?

Elle hésita un instant, inquiète de ne pas voir où se cachait le piège.

– Ce n'est pas exactement ce que j'ai dit, dit-elle enfin, mais on pourrait plus ou moins le résumer comme cela, oui.

– Permettez-moi, maintenant, de revenir un peu en arrière, repris-je. Vous m'avez confié que vous vous intéressez de près à des œuvres charitables pour le peuple juif, n'est-ce pas ?

– Oui, dit-elle. Et surtout celles qui se vouent à favoriser l'émigration des Juifs de Russie et des pays de l'Europe de l'Est. Mais qu'est-ce que tout cela a à voir avec ce que nous disions ?

– J'y arrive dans un instant. Dites-moi quelque chose avant. A votre avis, combien cela coûte-t-il de faire libérer un Juif d'un pays communiste ?

– On n'a jamais fait le calcul exact. Mais enfin... En comptant les frais des organismes en place, les frais de transport, les frais d'installation en Israël, je dirais au moins dix mille dollars par personne.

– Et vous croyez profondément à la valeur de la mission que vous avez entreprise ?

– C'est une de mes principales raisons de vivre, dit-elle avec conviction.

– Cela vous plairait de libérer deux Juifs ce soir ?

Elle me regarda sans comprendre.

– Bon, repris-je, je vais tourner ma question d'une autre façon. Que diriez-vous si on vous proposait de gagner assez d'argent ce soir pour libérer deux Juifs de Russie et les installer en Israël ? A dix mille dollars par tête.

Elle se redressa, un éclair d'excitation joyeuse dans les yeux.

– Et comment cela ? demanda-t-elle.

– En venant passer une heure avec moi, dans ma chambre.

Elle en eut d'abord le souffle coupé, puis me regarda bouche bée, trop suffoquée pour manifester son indignation.

– Vous me proposez de me donner vingt mille dollars, pour aller coucher avec vous une seule fois ? dit-elle enfin.

– Je n'ai pas spécifié que ce ne serait qu'une seule fois...

– C'est révoltant ! explosa-t-elle.

– Pas tant que ça, répliquai-je. Et sûrement pas pour les deux Juifs qui en profiteront, ajoutai-je avec un sourire. Je suis même prêt à parier que si l'un des deux heureux gagnants de cette loterie était une femme, elle serait sûrement prête à faire pire que de coucher avec un Américain dans une chambre d'hôtel pour pouvoir s'échapper de Russie, vous ne croyez pas ?

– Vous êtes un malade ou un obsédé, dit-elle enfin d'un ton sincèrement dégoûté.

– Non simplement un réaliste. J'ai appris les règles du jeu et ce qui fait vraiment tourner le monde plus ou moins rond.

Elle ne dit plus rien, me regarda en silence pendant une ou deux minutes, ne parvenant pas encore à croire à la réalité de ce qu'elle venait d'entendre.

– Nous ne nous sommes pas présentés, lui dis-je enfin de mon ton le plus urbain.

– Après cela, croyez-vous que je vais le faire ?

– Comme vous voulez. Je m'appelle Hitchcock. Bill Hitchcock, ajoutai-je en lui tendant la main.

Elle hésita un moment, et se décida à me tendre la sienne.

– Et moi Ursula Hartmann, dit-elle enfin.

– Ursula ! Charmant. On ne peut plus suisse...

– Je sais. Je trouve cela ridicule.

– Pas autant que Heidi.

– C'est justement mon deuxième prénom, dit-elle.

Cette fois, elle souriait.

Son père entra dans le bar juste à ce moment-là. Le bon Herr Professor Hartmann était accompagné d'un grand homme blond, la quarantaine mince et sportive, vêtu d'une chemise à col ouvert. Il avait exactement le physique d'un officier britannique, tel que ceux qu'on voyait émerger de la tourelle d'un char à El Alamein dans les vieux films de guerre, et sa présence aux côtés du Professeur était plutôt incongrue. A moins qu'il n'ait été là pour sa fille...

A peine arrivés, les deux hommes s'assirent à la droite d'Ursula et ils se mirent sans plus tarder à converser en allemand. A aucun moment, elle ne fit le moindre geste pouvant indiquer qu'elle avait l'intention de me présenter à eux. D'un seul coup, je n'existais plus. Au bout de dix minutes, je me levai de mon air le plus naturel, et quittai le bar avec l'intime conviction que je m'étais couvert de ridicule. De toute façon, ce n'était pas la première fois que ça m'arrivait...

Je n'avais donc plus qu'à me replonger dans mon travail. Le prince Al-Kuraishi m'avait suggéré de trouver une solution de rechange. O. K., me dis-je, autant s'y mettre tout de suite. Je ne trouverais peut-être rien de génial ni de permanent. Mais y avait-il au monde quelqu'un qui puisse se vanter de résoudre des problèmes financiers de façon géniale et permanente ?

L'analyse que j'avais faite, depuis plusieurs années, de la situation en Italie m'avait amené aux conclusions suivantes. Depuis la fin de la guerre, ce pays et son économie étaient dans la position inconfortable d'un homme attaché à la roue d'un moulin. Sitôt arrivé en haut et au sec, il fallait qu'il redescende et plonge dans l'eau froide. Position inconfortable, sans doute, mais pas vraiment dangereuse. Il suffisait de retenir sa respiration juste assez pour attendre que ça remonte. Alors, pour un moment plus ou moins long, on se retrouve dominant le paysage dans la grande lumière de l'opulence. Jusqu'à la prochaine plongée.

Tout ce que nous avions à faire, c'était de permettre à l'Italie de gagner du temps, de retenir sa respiration une fois de plus. Avec quelques coups de téléphone, j'arriverais peut-être à gratter un ou deux milliards à court terme, en partie payables tout de suite, en partie dans cinq ou six mois, avec une option de renouvellement de six mois. Avec cela, les Italiens pourraient commencer à rembourser leurs emprunts. Les problèmes immédiats seraient réglés, du moins en apparence. Après tout, je ne ferais que remplir la mission pour laquelle les Saoudiens m'avaient engagé, et qui était de circonscrire les foyers d'incendie financiers. Al-Kuraishi serait sans doute d'accord pour participer d'un demi-milliard, si on répartissait les risques.

Je décrochai donc mon téléphone, et me mis en mesure d'appeler Henri Duvillard, président de la Banque Nationale de Paris. Je mis une bonne demi-heure à le trouver, avec l'aide de l'ambassade de France. Quand je le tins finalement au bout du fil, il n'y en eut pas même pour deux minutes. Il me dit *non* trois fois et raccrocha. Furieux – ces cons de Français, pensais-je, ils ne peuvent jamais voir plus loin que le bout de leur nez ! – je récidivai avec le président de la Barclays. Il me dit d'emblée que mon idée était excellente mais que, à son regret le plus sincère, sa banque n'avait vraiment pas les moyens de sortir un sou. J'essayai alors Reichenberger, mais on me répondit qu'il était sorti et l'ambassade elle-même ne savait pas où on pouvait le joindre. Je lui laissai des messages un peu partout et restai dans ma chambre à ronger mon frein.

Il rappela une heure plus tard. Oui, me dit-il, on pourrait peut-être convaincre certaines banques allemandes d'accorder un dernier prêt, mais moyennant des garanties solides. Je lui rappelais alors que les Italiens avaient expliqué eux-mêmes qu'ils n'avaient plus rien à offrir. C'est exact, répliqua le Herr Doktor, mais c'est comme ça : pas de garanties, pas de prêt. Et pas question non plus de faire revenir Bonn sur sa décision et de faire garantir le prêt par le gouvernement. Maintenant, si je pouvais trouver quelque chose, penser à n'importe quoi, il serait tout prêt à en discuter. N'importe où et n'importe quand.

C'était toujours mieux que rien. On avait un point de départ, même si c'était encore plutôt vague. Il fallait maintenant s'attaquer à un peu de recherche et beaucoup de paperasseries. Les Saoudiens, heureusement, avaient à Rome ce qu'il me fallait. Ils avaient organisé un petit bureau destiné à garder un œil sur le sort des prêts, et un doigt dans l'appareil bancaire où coulait le flot des dollars. J'appelai donc le chef du bureau et lui demandai de faire deux choses pour moi : d'une part de rassembler un dossier complet sur l'une des principales entreprises italiennes. Ensuite, de me faire livrer par porteur et en mains propres quelque chose que je lui spécifiais.

Ceci fait, j'appelai l'ambassade des Etats-Unis où je demandai le premier secrétaire. Il était en poste depuis au moins quinze ans, connaissait Rome sur le bout du doigt et avait vu passer une cohorte d'ambassadeurs, dont quelques uns particulièrement gratinés Nous avons toujours eu le chic pour envoyer à Rome tous les rebuts de la carrière diplomatique, sans parler des amateurs... Je le connaissais bien, car il avait épousé une cousine de mon ex-femme qui, dans une saine tradition de famille, avait beaucoup d'argent et rien d'autre à côté. Ce qui ne le dérangeait pas particulièrement car, sans vouloir l'affirmer, j'avais toujours été convaincu qu'il préférait les garçons. En tout cas, ma chère ex-épouse adorait ce cousin diplomate, qu'elle affichait partout avec fierté quand il venait nous rendre visite avec Priscilla — Priscilla ! — comme s'il était une version romaine d'Henry Kissinger. Je lui passais ce petit travers : après tout, il ne me dérangeait pas. Elle en avait d'autres, par contre, qui me dérangeaient beaucoup plus. C'est sans doute pour cela que notre mariage avait connu une fin abrupte.

Au moins, j'avais maintenant l'occasion de me rattraper et de tirer quelque chose de ce défunt mariage. J'invitai le cousin à dîner, en lui spécifiant de manière impérative de ne pas amener Priscilla avec lui. Nous nous retrouvâmes dans le restaurant au dernier étage du Hassler. A dix heures du soir, j'en avais appris tout ce que je voulais savoir : qui tirait réellement les ficelles de l'économie en ce moment, et à combien se montait leur valeur marchande au cours du jour. Ensuite, je l'envoyai faire ses valises.

Quand je regagnais ma chambre, les deux paquets que j'avais demandés aux Saoudiens m'y attendaient.

Alors, me dis-je, pourquoi ne pas essayer ?

CHAPITRE 7

Son téléphone ne sonna que deux fois avant qu'elle le décroche.

– Ja ? répondit-elle.

– C'est moi, Bill Hitchcock.

– Qu'est-ce que vous voulez ?

– Reprendre notre conversation.

– Il n'en est pas question. De toute façon, j'attends mon père. Il va bientôt finir de dîner.

– Ne soyez pas si méchante. Venez donc prendre un dernier verre. Je suis au 720-721...

– Je vous ai déjà dit, M. Hitchcock...

– Bill.

– Je vous ai déjà dit que c'était impossible.

– D'accord. Mais si vous changez d'avis un peu plus tard, n'hésitez pas. Je compte me coucher tard, j'ai de la lecture devant moi.

C'était vrai, un dossier d'une bonne centaine de pages qu'il fallait que j'assimile pour le lendemain matin. J'en étais à la page 30 quand on frappa à la porte. J'allais ouvrir, et vis Ursula Hartmann. Elle s'était changée, et portait une blouse blanche tout empesée et une jupe bleu marine. Un uniforme de pensionnaire... Pour ma part, j'avais ma robe de chambre et rien en-dessous.

– Soyez la bienvenue, dis-je en lui serrant la main dans le meilleur style suisse. On n'attendait plus que vous.

– Mon père m'a appelée, affirma-t-elle comme pour s'excuser. Il m'a indiqué qu'il ne comptait rentrer que beaucoup plus tard, alors je me suis dit...

Elle était manifestement gênée, et restait plantée comme un piquet.

– Asseyez-vous, voyons, lui lançai-je avec mon sourire d'hôte plein de sollicitude. Qu'est-ce que vous boirez ? Gin, scotch, Campari ?

Elle prit un gin-tonic. En fait, elle en avala deux en à peine un quart d'heure. Pendant ce temps, nous échangions des paroles aussi convenables que banales. Enfin, son professeur de père vint sur le tapis.

– Au fait, demandai-je, qui est donc ce chasseur de safari qui était avec votre père au bar ?

– Un de ses collègues, répondit-elle.

– Un collègue ? Vous voulez dire que ce type-là est aussi capable de penser ? Il n'en a pourtant pas l'air...

– C'est un savant fort brillant. D'Israël.

– Ah bon, votre père s'intéresse aux Juifs, lui aussi ?

– Pas du tout, dit-elle un peu désarçonnée. Mon père a des centaines d'amis et de relations dans les milieux scientifiques du monde entier. Le Professeur Ben-Levi est l'un d'eux. Un point c'est tout.

Sur le moment, je ne vis aucune raison d'insister sur un point sans intérêt, et je laissai la conversation s'orienter vers les voyages Son père et elle étaient vraiment allés partout. Elle connaissait même la plupart des restaurants où j'allais moi-même assez souvent pour prétendre que j'y avais mes habitudes, depuis Paul Bocuse jusqu'à un petit bistrot de Sausalito, « Chez Maurice », qu'elle avait découvert pendant que son père faisait une série de conférences à Berkeley.

Mais je n'avais pas envie de passer le reste de la soirée à parler cuisine, même de la meilleure. Je ne suis pas modeste au point de prétendre que je n'aurais pas pu finir par connaître Ursula Hartmann bibliquement, au prix d'une longue cour assidue. J'y serais même certainement parvenu. Seulement, voilà : avec l'âge, je devenais impatient. C'est fou ce que l'âge peut changer la personnalité d'un homme...

– Alors, Ursula, dis-je après un bref silence. Est-ce qu'il ne serait pas grand temps que nous parlions un peu de nos affaires ?

Je sentis ses nerfs se tendre, et elle passa nerveusement le bout de sa langue sur ses lèvres.

– Qu'est-ce que vous voulez dire, nos affaires ? demanda-t-elle enfin.

Je me levai sans répondre, allai dans la chambre et en ramenai l'enveloppe que mon assistant saoudien avait eu le bon esprit de faire livrer en même temps que le dossier. D'un geste négligent. je la jetai devant elle, sur la table basse.

Elle était assise sur le canapé, juste devant, et ne fit pas un geste. Je restais planté devant elle, observant avec curiosité quelle allait être sa réaction, et me disant en mon for intérieur qu'Ursula Hartmann était vraiment une bien belle fille, qu'il serait grand dommage de laisser passer. Elle avait cet épanouissement des formes qui ne vient aux femmes qu'après trente ans et qui les rend si exquises à déguster.

Elle se pencha enfin, prit l'envelopppe et me regarda droit dans les yeux. Je sortis une cigarette et l'allumai avec une désinvolture affectée. Elle ouvrit alors l'enveloppe d'une main ferme.

Elle contenait vingt billets de mille dollars, et je tirais mentalement mon chapeau aux Saoudiens. Trouver vingt billets de mille dollars est déjà une performance sportive au cœur de Wall Street. Comment avaient-ils fait pour les dégotter à Rome, en un après-midi ? Cela tenait du prodige. Quand il est question d'argent, il ne faut jamais sous-estimer les Arabes...

– Vous êtes complètement fou, me lança-t-elle enfin en caressant les billets du doigt, sans aller toutefois jusqu'à les sortir de l'enveloppe.

– Non, pas fou. Disons que j'ai les moyens, sans plus...

Ces vingt mille dollars représentaient moins d'une demi-seconde des rentrées de pétrodollars dans les caisses de l'Arabie Saoudite. Tout ce que je faisais, au fond, était de les recycler d'une manière inédite. C'est sans doute cela que l'on appelle l'innovation créatrice en matière d'économie.

Je me penchai légèrement par-dessus la table basse, posai ma cigarette dans le cendrier, lui pris la main et la tirai gentiment vers moi. Elle se leva, mais cela ne voulait rien dire. Pendant plus d'une minute, je suivis dans ses yeux le reflet de son débat intérieur. Allait-elle se ruer vers la porte, ou faire le premier pas qui la mènerait dans la chambre ?

La crise passa, et elle retrouva l'efficacité qui fait, depuis des siècles, la réputation de la Suisse. Au pas de charge, elle se dirigea vers la chambre. Je l'avais à peine rejointe que, déjà, elle se déshabillait avec des gestes d'une précision digne de Patek

Philippe. D'abord, le chemisier empesé, puis le soutien-gorge blanc. La jupe bleu-marine s'envola, enfin, pour atterrir sur le tapis avec une certaine majesté. J'avais déjà ôté ma robe de chambre. Elle était devant moi, vêtue d'une toute petite culotte et me défiait du regard.

Pour ne pas passer pour une brute, je m'approchais et lui donnais un baiser avec toute la douceur dont j'étais capable. Autant étreindre une statue ! Mais il en fallait plus pour me décourager. Un instant plus tard, sentant mon émoi se manifester contre le triangle de nylon qui la vêtait encore, elle se laissa un peu aller, et je sentis le bout de sa langue commencer à s'affairer. Nos mains se joignirent, descendirent et se séparèrent à nouveau, chacune s'occupant du siège des émois de l'autre. A ma grande surprise, je sentis qu'elle était aussi moite que j'étais... tendu. J'avais repris espoir.

Une fois sur le lit, mes espoirs se précisèrent. Au lieu de rester étendue là, comme j'aurais pu le craindre, prête à subir stoïquement les derniers outrages sans y participer, Ursula se glissa prestement vers le bas et m'emprisonna tout entier dans sa bouche. J'étais encore sous le choc que tout était fini. En dix secondes...

Deux mille dollars la seconde ! pensais-je. Je m'étais vraiment fait baiser dans les grandes largeurs.

Car c'était bien là tout ce qu'elle avait l'intention de m'accorder. Avant que j'aie pu faire un geste, elle était debout et rajustait son uniforme de pensionnaire. Une fois rhabillée et digne, elle me regarda de haut comme si j'étais un morceau de viande pas fraîche que le boucher aurait livré par erreur dans la chambre à coucher.

– Monsieur Hitchcock, dit-elle enfin, permettez-moi de vous donner un conseil.

– Faites, lui dis-je en me tortillant pour enfiler ma robe de chambre.

– Vous devriez aller consulter un sexologue. De nos jours, on doit pouvoir soigner les gens dans votre cas.

Sur ce, elle tourna les talons et sortit.

Le lendemain matin, le concierge me tendit mon courrier. J'y remarquai tout de suite l'enveloppe aux vingt mille dollars. A l'intérieur, je trouvais une feuille à en-tête de l'hôtel sur laquelle Ursula avait écrit de sa main : « Reçu la somme de $ 20 000 à titre d'honoraires » et sa signature.

C'était d'un extrême mauvais goût.

Je la chassai de ma mémoire d'un haussement d'épaules : on ne peut pas gagner à tous les coups, me dis-je avec philosophie. Il me restait d'ailleurs, ce jour-là, quelque chose à faire où j'aurais sans doute davantage de chances de gagner. Quand j'arrivai à l'ambassade d'Allemagne, avec un tout petit peu de retard, mes dernières illusions s'envolèrent.

La conférence n'était déjà plus qu'un match de catch. Les Anglais insultaient les Français en mauvais français. Les Iraniens injuriaient les Américains dans un anglais encore plus exécrable. Muets d'horreur, les autres regardaient sans oser intervenir. Voilà donc, pensai-je, le spectacle offert par l'élite financière du capitalisme !

Enfin, le Herr Doktor parvint à recouvrer ses esprits. Usant de l'autorité que lui conférait sa position de président de séance, il énonça une évidence : notre groupe était manifestement incapable de résoudre quoi que ce soit. En conséquence, il déclara la conférence suspendue, et suggéra que chacun retourne chez soi pour procéder à des consultations avec son gouvernement respectif.

C'était la meilleure, la seule chose à faire. Il n'y avait de toute façon que deux puissances en mesure de prévenir, de manière concrète, l'effondrement des finances italiennes. En 1978 – car cela a bien changé depuis ! – ces deux puissances étaient l'Allemagne et l'Arabie. Désormais, la place était nette.

Quand la salle se fut vidée, je m'approchai du Doktor Reichenberger et lui glissai discrètement que j'aimerais avoir avec lui un entretien en privé. J'avais, précisai-je, une idée à lui soumettre. Que faisait-il pour déjeuner ? Il avait déjà retenu sa place dans l'avion de treize heures pour Francfort. Alors, Francfort le lendemain ? Rendez-vous fut pris pour midi.

Je passais le reste de la journée dans nos bureaux de Rome, vérifiant et complétant le dossier qu'on m'avait remis la veille au soir. Plus je l'étudiais, plus j'étais convaincu que les Allemands étaient exactement les partenaires qu'il nous fallait pour le genre d'opération dont j'avais formé le projet. Il y faudrait aussi exercer des pressions plus ou moins discrètes, voire un peu de force brutale. Et l'on sait combien les Allemands sont aptes à ce genre de choses...

Aussi, mon optimisme m'était-il revenu quand je m'embarquais dans l'avion de dix-neuf heures qui allait m'emmener à Francfort

CHAPITRE 8

Il se produisit, ce même jour, un fait que les manuels d'histoire auront tort de passer sous silence. A Téhéran, Shadah Tibrizi – chef de la SAVAK, cette Gestapo personnelle du Shah – prenait lui aussi l'avion. Comme moi, il avait des projets pour le succès desquels il lui faudrait exercer des pressions, brutales en cas de besoin. Mais là s'arrêtait toute similitude entre nous. Tout ce que j'essayais de faire, à ce moment-là, c'était de trouver des garanties pour un prêt bancaire. Alors que Tibrizi et son patron s'efforçaient de mener à bien un projet d'une autre envergure, dont l'ambition était symbolisée par le nom dont le Shah l'avait baptisé : Opération Sassanide. Il ne s'agissait rien moins que de reconstituer l'ancien empire Sassanide qui – de 225 à 651 de notre ère – avait englobé dans ses frontières la totalité du Golfe Persique, et dont la puissance ne connaissait point d'égale au monde.

Tibrizi voyagea seul et sous sa véritable identité. Il ne lui aurait servi à rien de vouloir garder l'incognito : sa photo ornait les fichiers de tous les aéroports du globe. Il avait retenu pour lui seul tout le compartiment de 1re classe d'un 707 de la Pan-Am. C'était l'argent du Shah, après tout, qui avait permis à la compagnie de voler. Autant valait donc en profiter. Pendant le voyage, les hôtesses – toutes jeunes, jolies et américaines – firent plus qu'on ne leur demandait pour satisfaire les caprices de leur passager, strip-tease exclu. Toutes les demi-heures, le commandant de bord vint rendre compte en personne de la progression du vol. Tibrizi éprouvait un plaisir tout particulier à voir des Américains venir lui faire des courbettes et lui lécher les bottes. C'est pour cela qu'il préférait prendre Pan-Am que voyager sur Iran Air.

Quand les turbines se furent arrêtées et que la porte de la carlingue s'ouvrit sur l'air vivifiant de l'aéroport de Kloten, deux Suisses pénétrèrent dans l'avion. L'un était Franz Ulrich, chef de la police secrète de la Confédération, l'autre son assistant-chauffeur. Ulrich et Tibrizi se connaissaient de longue date. Les services d'Ulrich gardaient un œil sur les Iraniens résidant en Suisse et surtout sur les étudiants, trop facilement oublieux de qui payait leurs études, qui avaient le mauvais goût d'aller brailler à tous les échos que leur patrie était devenue un État policier. Franz Ulrich fournissait des rapports détaillés à Tibrizi, mais l'Iran n'avait encore jamais eu l'occasion de manifester sa reconnaissance. Pour les Suisses, c'était fort bien ainsi : il est toujours bon de se créer des obligés, on ne sait jamais quand cela peut servir.

Les deux hommes escortèrent leur visiteur jusqu'au bas de l'échelle, et lui évitèrent de prendre la peine de traverser l'aérogare. Une voiture attendait sur la piste, qui les emmena directement sur la grand-route de Zurich. A quelques kilomètres de là, elle bifurqua pour prendre une route secondaire en direction du Rhin. A dix heures du soir, Tibrizi était confortablement installé dans un appartement de l'Hôtel Adler, à peu de distance de Baden. Cette charmante localité, située à une dizaine de kilomètres au nord de Zurich, possède deux curiosités qui font son renom. Des thermes romains d'une part. Et d'autre part le siège social d'une des premières sociétés industrielles de la Suisse. Roche-Bollinger se classe même dans les tout premiers rangs à l'échelle internationale pour la construction de turbines, de générateurs et de centrales électriques, sans oublier les équipements nucléaires lourds et particulièrement les réacteurs. Fatigué de son voyage, Tibrizi dit ses prières et se coucha.

Le lendemain matin, Ulrich revint de Zurich où il avait passé la nuit, reprit Tibrizi à bord de sa voiture et l'emmena directement au bâtiment de verre et d'acier qui domine orgueilleusement le centre de la petite ville de ses vingt-et-un étages. Le Docteur Hanspeter Suter, président de Roche-Bollinger, les attendait au bas du perron. Ulrich fit les présentations et se retira : il avait fait tout ce que le protocole exigeait de lui.

A ses fonctions de président de Roche-Bollinger, le Dr. Suter ajoutait celles de colonel de l'armée suisse, attaché aux services des armements nucléaires. La Suisse, depuis toujours, s'est dotée d'une armée nationale permanente, ne comportant que quelques milliers de cadres à plein temps. Aussi, ce n'était nullement exceptionnel ni incompatible de voir le patron d'une grande entreprise cumuler ses fonctions civiles avec des responsabilités militaires. Il aurait en fait été hautement improbable qu'un homme dans la position de Suter n'occupât pas dans l'armée un grade élevé, correspondant à son standing. Grâce à ce système, la Suisse n'a jamais connu de conflit intérieur ni de discordances sur l'ordre des priorités nationales : les rênes du secteur public et du secteur privé se trouvent rassemblées dans les mêmes mains. Cette symbiose de la défense nationale et de l'industrie, qui remonte à fort loin, est en fait le meilleur garant de la sécurité de la Suisse et de sa neutralité. Car l'élite dirigeante, avant tout soucieuse de préserver ses intérêts, les confond avec l'intérêt national, et n'a jamais trouvé dans la guerre une source de profits, bien au contraire. C'est ainsi que la Suisse, en 1978, était devenue l'une des deux nations les plus prospères du monde. Le premier rang, en termes de revenu brut par tête d'habitant, étant naturellement occupé par le Koweït.

Ce n'est toutefois pas dans sa position traditionnelle de neutralité et de non-belligérance qu'il faut chercher le secret de l'extraordinaire réussite de la Suisse à se maintenir en dehors de tous les conflits qui ont ensanglanté notre siècle. La neutralité, qu'est-ce que ça veut encore dire, à notre époque ? Si personne n'a eu l'envie d'envahir les cantons, c'est plutôt parce que ses dirigeants se sont toujours attachés à maintenir une force de dissuasion extrêmement convaincante, et surtout à faire preuve d'une grande bonne volonté pour entreprendre des « affaires » avec les deux camps. Ainsi, pendant la Seconde Guerre mondiale, les Suisses avaient tenu aux nazis les propos suivants : si vous êtes assez bêtes pour venir nous envahir, chaque citoyen suisse mâle en âge de porter une arme ira se terrer derrière chaque bout de rocher des Alpes, et vous fera une guerre d'usure et de guérilla à faire pâlir d'envie Tito lui-même. Si, par contre, vous êtes assez intelligents pour comprendre où sont vos intérêts, nous serons très heureux de vous fournir tout ce que notre industrie de pointe peut produire de plus perfectionné. Moyennant, bien entendu, bonnes espèces sonnantes et trébuchantes.

Et c'est ainsi que la Suisse resta neutre tandis que le reste du monde était à feu et à sang. Elle abreuva l'Allemagne de canons anti-aériens, de générateurs électriques, de pièces d'aviation, d'instruments de précision et de machines-outils, sans compter l'autorisation de se servir du réseau ferroviaire de la Confédération pour y faire transiter les troupes et le matériel dont Mussolini avait besoin pour tenter de repousser les armées alliées. Mais les Suisses avaient obtenu autre chose d'encore plus important que de l'argent : de l'énergie. De la houille de la Ruhr. L'Allemagne lui en fournissait d'après une formule soigneusement calculée, selon laquelle pour chaque tonne de matériel militaire traversant le territoire suisse en direction de l'Italie, la Suisse achetait à l'Allemagne X tonnes de bon charbon rhénan. Ce troc bizarre était l'une des conditions essentielles à la survie de la Suisse pendant toute la durée du conflit. Car la Suisse, comme chacun sait, n'a jamais eu la moindre ressource énergétique, pas le plus petit grain de charbon, pas la plus infime goutte de pétrole. Et son potentiel hydro-électrique était déjà exploité aux limites de sa capacité.

Ainsi, grâce aux vertus de ces sages traités, la Suisse ne fut pas envahie par les Allemands qui lui permirent, par leur charbon, de continuer à tourner et même à prospérer tandis que le reste de l'Europe se couvrait de ruines.

Une fois la guerre finie, la Suisse se trouva, au même titre que l'Europe dont elle faisait quand même partie, placée sous la protection du parapluie atomique des Etats-Unis. L'hégémonie militaire et économique de l'Amérique assurait la sécurité et le bien-être de ses alliés, et l'Amérique contrôlait tout, du blé au bois et des avions aux bananes. Il suffisait donc de rester dans les bonnes grâces de l'Oncle Sam pour dormir sur ses deux oreilles.

C'est naturellement ce que firent les Suisses qui – à part une déplorable exception – se remirent à prospérer de plus belle. Tout alla le mieux du monde, jusqu'à ce que le système tout entier commence à s'effriter, voire à s'écrouler, entre 1973 et 1975. L'ange gardien, en effet, perdit ses ailes et fit une brutale descente en vrille. Militairement, l'Amérique s'effondra au Viêt-nam comme un colosse dont les pieds d'argile auraient été pourris dans l'eau des rizières. Politiquement, elle perdit toute sa crédibilité quand son système présidentiel révéla sa pourriture cancéreuse avec la chute de Nixon. Economiquement, elle succomba comme tout le monde au chantage pétrolier des Arabes, à qui elle se livra pieds et poings liés tandis qu'elle s'efforçait sans succès de se relever d'une crise économique virtuellement sans précédent.

Aussi, pendant l'été de 1975, les Suisses analysèrent la situation et en tirèrent une conclusion : on ne pouvait plus se fier aux

Etats-Unis pour garantir la paix et la prospérité de la Confédération Helvétique.

Ils firent donc deux choses. La première fut de mettre au point rapidement une force de dissuasion nucléaire. Ceci fut fait dans le plus grand secret, compte tenu de ce que la Suisse était signataire du traité de limitation des armements atomiques. Pour clandestin qu'il ait été, cet effort n'en fut pas moins efficace – réputation oblige ! – et la Suisse se trouva dotée, en à peine plus d'un an, d'un arsenal atomique comprenant une bonne centaine d'engins variés, allant de la bombe au missile et à l'obus tactique.

Ensuite, ils entreprirent systématiquement de dénouer leurs liens économiques traditionnels pour en renouer de nouveaux, passant de New York ou Chicago au Koweït, à l'Arabie Saoudite, à l'Irak et surtout à l'Iran. Avec une logique imperturbable, la Suisse devait se rapprocher des pays susceptibles de remplir ses deux aspirations fondamentales : offrir, d'une part, des débouchés en expansion pour les produits de l'industrie suisse. Offrir, surtout, une source d'approvisionnements de préférence inépuisable de ce qui avait supplanté le charbon de la Ruhr : le pétrole.

Mieux sans doute que la plupart des autres chefs d'Etat, le Shah d'Iran avait une connaissance profonde de la mentalité et des motivations des Suisses. Depuis les années 50, il venait passer au moins un mois par an dans leur pays. Bien sûr, aux yeux du monde, il n'y venait que pour des vacances et passait son temps à skier, à souper, à danser ou à se dorer au soleil. Mais les contacts quasi obligatoires qu'il avait commencé à avoir, du temps où il ne régnait encore que sur le « jet-set », avec la poignée d'hommes menant les destinées de la Confédération – industriels, banquiers, militaires et politiciens – s'étaient resserrés au fil des années pour devenir, dans certains cas, des plus intimes. L'élite dirigeante de la Suisse figurait toujours en bonne place dans la foule des invités se pressant régulièrement dans le chalet de St Moritz. On voyait souvent le Roi des Rois honorer de sa présence auguste les propriétés ornant la campagne de Zurich, les bords du Léman ou les rives de Locarno. Le Shah recevait souvent le président de la Confédération – mais jamais le contraire, le fait mérite d'être noté – dans ses appartements du Grand Hôtel Dolder de Zurich, où il passait traditionnellement quelques jours au début de ses visites annuelles. Et bien que le Shah ne se soit jamais déplacé sans traîner avec lui une armée de gardes du corps, l'armée et la police suisses fournissaient toujours d'importantes forces supplétives armées jusqu'aux dents, pour préserver le Roi des Rois de tout incident déplaisant risquant de ternir le parfait bonheur qu'il venait goûter dans la patrie de Guillaume Tell Sans, naturellement, qu'il lui en coûte un sou. Aussi, à la fin de l'an 1978, les relations entre le Shah et la Suisse pouvaient-elles être qualifiées de familières, sans risque d'exagération.

Tibrizi n'était venu, ce jour-là, que pour les rendre encore plus intimes. Paré du prestige du Shah, dont il était l'envoyé extraordinaire, il venait offrir aux Suisses un marché bénéficiant aux deux parties, un marché ressemblant fort à celui qu'ils avaient conclu en 1940 avec les nazis : des armes contre du pétrole. Ou, pour être plus précis, la technologie nécessaire à la production d'armes atomiques contre du pétrole bon marché et garanti.

Mais on n'en était pas encore tout à fait là.

– Herr Doktor Suter, commença Tibrizi avec suavité, Sa Majesté m'a chargé de vous transmettre son meilleur souvenir. Il m'a aussi demandé, ajouta-t-il après une pause destinée à donner de la solennité à l'occasion, de vous remettre un modeste témoignage de l'estime qu'il a pour vous.

Tout en disant ces mots, Tibrizi avait sorti un petit paquet de la poche de sa veste et le tendit à Suter.

Le Herr Doktor rayonna de bonheur. Voir rayonner un Suisse est une expérience si rare qu'elle compte dans la vie d'un homme. Mais ce manquement grave aux mœurs nationales pouvait être excusé : après tout, on a beau être suisse, ce n'est pas tous les jours qu'on reçoit un cadeau du Roi des Rois. Suter rayonna donc, mais redevint vite grave : il fallait qu'il prenne une décision lourde de conséquences, et qu'il la prenne tout de suite. Devait-il ouvrir le paquet, ou ne pas l'ouvrir ? Les Suisses, en effet, sont rarement au courant des habitudes mystérieuses régissant le protocole des rapports entre les monarques et les simples mortels. Finalement, il ouvrit.

C'était éblouissant : un disque d'or pur et massif, gravé d'une tête de lion à la crinière majestueusement étalée, et d'un diamètre d'au moins six centimètres. Combien cela pouvait-il valoir ?

Comme s'il avait deviné les pensées de Suter, Tibrizi reprit la parole :

– Ceci a été découvert à Hamadan il y a une vingtaine d'années. Cette médaille date probablement du VIIe siècle. Avant Jésus-Christ, ajouta-t-il en ménageant ses effets.

Donc, vingt-cinq mille dollars, au bas mot.

– Je suis profondément touché, dit alors Suter. Touché et

encore plus honoré de cette attention de Sa Majesté. Veuillez lui transmettre l'expression de ma sincère reconnaissance.

– Je n'y manquerai pas. Mais vous aurez bientôt l'occasion de le faire vous-même. Sa Majesté va revenir en Suisse cet hiver, et aura certainement le plaisir de vous compter parmi ses hôtes, avec votre épouse naturellement, dans son chalet de St Moritz.

Sous le coup de l'émotion, le bon Herr Doktor avait négligé d'inviter son hôte à s'asseoir, ce qui mettait ce dernier fort mal à l'aise car il était beaucoup plus petit que Suter et ne souffrait pas d'être dominé. Il commença donc à se diriger vers un canapé. Le plus souvent, Suter s'asseyait derrière son bureau pour en imposer à ses visiteurs, mais cette fois, compte tenu des auspices exceptionnels sous lesquels la conversation avait été ouverte, il fit une entorse à la tradition et alla prendre place à côté de Tibrizi. Quand elle entra avec le café traditionnel de l'hospitalité, la secrétaire de Suter eut un tel choc de voir son patron assis près d'un étranger qu'elle faillit en faire tomber les tasses sur le tapis persan. Suter la foudroya du regard : elle allait certes entendre parler de cette impardonnable faute de goût quand, comme tous les vendredis soir, elle se retrouverait seule avec lui dans la chambre 24 de l'Hôtel Adler où, de dix-huit heures à vingt heures, Suter sacrifiait consciencieusement aux devoirs de l'adultère organisé.

Après son départ, Tibrizi entama la procédure de sondage de son interlocuteur.

– Docteur Suter, vous savez combien Sa Majesté a de l'estime pour le peuple suisse, et quelle admiration il éprouve envers son efficacité, sa propreté et son honnêteté, sans parler de ses exceptionnels talents dans tous les domaines techniques. Aussi, Sa Majesté est sincèrement désireuse de renforcer les liens existant déjà entre l'Iran et la Suisse.

Derrière un air attentif et un sourire poli, Suter dissimulait une vive angoisse qui l'étreignait depuis l'invitation présentée par Tibrizi de se rendre au chalet de St-Moritz. Fallait-il vraiment qu'il y amène sa femme ? Elle n'était pas seulement grosse et laide, elle était pratiquement incapable de s'exprimer autrement qu'en dialecte alémanique. S'il s'exhibait avec elle en si brillante compagnie, il allait être déconsidéré à jamais ! Que de soucis pour une journée...

– Sa Majesté, poursuivait Tibrizi, souhaite que ces nouvelles relations privilégiées s'appuient sur des rapports concrets, dans le cadre d'un programme conçu par Sa Majesté et qu'il juge être de la première importance pour l'avenir de l'humanité. Car Sa Majesté est l'un des rares hommes ayant, à notre époque, assez de clairvoyance pour comprendre que le pétrole est une matière première trop précieuse pour être simplement brûlée — que ce soit pour propulser des automobiles ou pour produire de l'électricité. Son utilisation devrait être limitée à des domaines où ses propriétés peuvent être mises à meilleur profit pour le bien des peuples, comme par exemple la fabrication de produits pharmaceutiques, d'engrais et autres produits où il est irremplaçable.

Suter hocha la tête d'un air pénétré, montrant par là combien il savait apprécier la sagesse du Roi des Rois.

– Par conséquent, reprit le Himmler iranien, Sa Majesté a prévu la mise en place d'un programme de production d'énergie nucléaire, programme unique dans sa conception et qui servira d'exemple et de modèle à toutes les nations. Dès 1985, nous comptons couvrir plus de la moitié des besoins de l'Iran en électricité par des centrales atomiques. Or, le seul autre pays au monde qui soit parvenu à un résultat comparable est précisément la Suisse.

Suter opina. Il était en effet remarquablement placé pour savoir que, seule parmi les plus grandes puissances nucléaires, la Suisse couvrait déjà plus de trente pour cent de ses besoins énergétiques par l'atome.

– Aussi, reprit Tibrizi d'un ton lénifiant, compte tenu des similitudes entre les politiques énergétiques de nos deux pays, compte tenu de la compatibilité de nos politiques étrangères, et considérant la valeur de la technologie qui a permis à la Suisse de devenir le chef de file mondial de l'application de l'énergie nucléaire à des fins pacifiques, j'ai reçu de Sa Majesté des instructions pour vous informer que votre société est invitée à être l'entreprise pilote pour la construction de deux réacteurs à refroidissement hydraulique, d'une puissance de six cents mégawatts chacun.

Quand Suter parvint enfin à saisir la signification de cette phrase interminable, il s'étrangla littéralement en avalant son café de travers. Tibrizi le considérait sans cacher son amusement.

Tout en calmant sa toux, Suter entreprit de calculer ce que cela allait représenter. Deux réacteurs de cette taille allaient coûter dans les deux milliards, deux milliards deux, de dollars Roche-Bollinger allait pouvoir faire un bon vingt pour cent net, soit environ un demi-milliard sur cinq ans, ce qui faisait cent millions par an, ou deux cent cinquante millions de francs suisses. Pendant ces cinq ans, de 1979 à 1984, les bénéfices augmenteraient donc de près de cinquante pour cent par rapport aux prévisions, ce qui voulait dire que les actions Roche-Bollinger à la bourse de Zurich verraient leur cours monter dans les mêmes proportions, sinon davantage. Si Suter pouvait acheter dès maintenant un bon paquet d'actions, par l'intermédiaire discret d'un de ses amis à l'Union de Banques Suisses, en grattant tout ce qu'il pouvait se procurer, au besoin en hypothéquant tout ce qu'il possédait et en achetant à terme jusqu'aux limites permises, il pourrait se débrouiller pour s'en procurer au moins dix mille, au cours actuel de cinq cents francs suisses l'action. Quand les nouvelles du marché iranien commenceraient à filtrer, les actions monteraient à mille ou douze cents francs, ce qui lui rapporterait au bas mot cinq millions de francs suisses, deux millions de dollars...

Une fois de plus, Tibrizi paraissait suivre à la trace les détours de la pensée de son interlocuteur, car il reprit :

– Naturellement Docteur Suter, vous serez d'accord – pour le moment du moins – pour garder cette information strictement confidentielle, même à l'intérieur de votre société. Nous ne voudrions pas que des fuites prématurées risquent de compromettre inutilement les bonnes relations que nous entretenons avec nos amis de France ou des Etats-Unis. Ils ne comprennent pas toujours, malheureusement, que l'intérêt de l'Iran ne coïncide pas nécessairement avec les leurs...

En fait, Tibrizi comptait lui aussi s'acheter discrètement un paquet confortable d'actions Roche-Bollinger. Pourquoi pas, d'ailleurs ? S'il connaissait son maître – et il le connaisait mieux que personne – ses courtiers privés du Lichtenstein devaient déjà être en train de râfler toutes les actions qui traînaient en bourse.

– Maintenant que nous sommes d'accord sur le principe, reprit l'Iranien, nous voudrions que vous entrepreniez sans tarder une étude préliminaire. J'ai d'ailleurs à vous remettre, ajouta-t-il en plongeant la main dans l'autre poche de sa veste, l'autorisation de Sa Majesté pour que l'agence de Zurich de la Banque Melli vous fasse un virement de cent millions de dollars à titre d'avance sur les frais de cette étude.

Suter prit le papier avec respect. Il y vit que les fonds devraient être virés au crédit de Roche-Bollinger le 2 janvier 1979, ce qui lui laissait six semaines pour procéder à l'acquisition des dix mille actions qu'il convoitait. Il allait y avoir beaucoup de transactions sur les titres Roche-Bollinger à la bourse de Zurich dans les jours à venir !

Après avoir lu, Suter rendit le document à Tibrizi qui le posa devant lui sur la table, et à l'endroit : il fallait que l'appât soit bien en vue pour qu'il puisse entamer le stade suivant de son marchandage.

– Nous croyons savoir, reprit l'Iranien d'un air dégagé, que vous avez parmi vos collaborateurs un physicien nucléaire des plus remarquables. Le Professeur Hartmann.

– Oui et non, répondit Suter. Le Professeur Hartmann n'est pas un employé de notre société. Il agit envers nous en tant que conseil pour certains de nos programmes. Mais il consacre la plus grande partie de son temps à l'enseignement. Il est professeur, comme vous le savez peut-être, à l'Institut Polytechnique de Zurich. Permettez-moi toutefois de vous préciser que le Professeur Hartmann n'est pas spécialisé dans les réacteurs du type que nous avons évoqué.

– Certes, mais Sa Majesté a exprimé le désir que ses projets bénéficient du concours des meilleurs hommes de science. Surtout au stade initial et pour la conduite des études, où il faudra prévoir des spécialistes, sans doute, mais aussi des généralistes du plus haut niveau.

– Je comprends, répondit Suter, mais je ne crois pas que le Professeur Hartmann soit disponible pour le moment.

– Docteur Suter, dit Tibrizi, permettez-moi de m'exprimer avec franchise. L'attribution de ce marché est liée à certaines conditions. Le Professeur Hartmann constitue l'une de ces conditions spéciales.

En prononçant ces mots, il fixa son regard sur Suter qui détourna vite les yeux.

– Cher monsieur, dit-il, j'ai peur que vous ne m'ayez mal compris. Il est évident que le Professeur Hartmann fera partie de notre équipe. Je me posais simplement la question non pas de savoir s'il serait disponible, mais quand. Il est très pris. De toute façon, nous pouvons lui demander de modifier ses engagements et son emploi du temps, et nous comptons bien le faire.

– Je vous en remercie, dit Tibrizi aimablement. Laissez-moi maintenant vous exposer notre deuxième condition. Je tiens tout de suite à vous rassurer, il n'y en aura pas d'autre.

Suter se raidit, prêt à résister. L'Iranien allait sans doute lui demander un dessous de table. Au fond, il n'y avait pas de raison qu'il le lui refuse, tant que ce ne serait pas trop excessif. Mais pensait-il, les Américains, une fois de plus, avaient gâché le métier. Avant qu'ils assimilent les règles du jeu, ils avaient distribué les pots de vin à tort et à travers, et on en arrivait à des sommes astronomiques

Il n'allait pourtant pas être question d'argent.

– Ce que nous désirerions, demanda Tibrizi, c'est que vous fassiez le nécessaire pour que le Professeur Hartmann puisse, en plus de ses fonctions habituelles de conseil dans le programme qui nous intéresse, agir comme consultant auprès de notre gouvernement dans le domaine des armements.

Suter dissimula un léger sursaut.

– Excusez-moi, mais que voulez-vous dire exactement ?

– Nous savons, répondit Tibrizi, que le Professeur Hartmann a supervisé la fabrication des armes atomiques que possède votre pays. Nous aimerions qu'il nous rende le même service.

Suter en eut littéralement le souffle coupé. Les mots que venait de proférer l'Iranien lui avaient fait l'effet d'un coup de poing dans l'estomac. Est-ce que cet homme était fou, ou se moquait-il de lui ? Indigné, Suter se leva du canapé, comme s'il voulait mettre le plus de distance possible entre son visiteur et lui. Enfin, il parvint à reprendre sur lui-même.

– Cher monsieur, je crains que votre gouvernement et vous-même n'aient été induits en erreur. La Suisse est un des pays signataires du traité bannissant la prolifération des armes atomiques. Nous sommes traditionnellement neutres. Il n'a jamais été même question que nous puissions...

Tibrizi porta une fois de plus la main à sa veste, qui devenait vraiment un sac à malices ou un chapeau de magicien, et en sortit un papier. Il se leva pour le tendre à Suter, qui le prit d'un air froid.

– Voici, déclara-t-il, une liste des armes atomiques actuellement stockées par la Suisse, ventilée par type, par puissance et par lieu de stockage.

La mine de Suter, quand il jeta les yeux sur le papier, de froide devint glaciale.

– Et où donc... ? commença-t-il.

– Nous ne nous la sommes pas procurée directement, je tiens tout de suite à vous rassurer sur ce point, interrompit l'Iranien. Il n'est pas dans nos habitudes d'espionner nos amis. Ce document nous a été remis par un tiers. Il m'est impossible de vous en dire davantage.

La source de cette fuite était en France. Après que la France se fut retiré de l'OTAN, et se soit ainsi isolée militairement, elle s'était efforcée pendant des années d'établir des « relations privilégiées » avec sa voisine neutre. Cette politique n'était pas nouvelle. Sans remonter jusqu'à Louis XI, on sait que la France et la Suisse ont collaboré militairement – et secrètement – avant les deux guerres mondiales, et que les projets mis au point en 1939 ressemblaient fort à ceux de 1912. Ils étaient basés sur l'ouverture de la Suisse aux troupes françaises qui, avec l'armée suisse, attaqueraient l'Allemagne par son flanc sud si l'Allemagne attaquait simultanément la France et la Suisse. Hitler, tout comme le Kaiser, se borna à attaquer la France, et l'alliance Franco-Suisse resta donc lettre morte. Mais le projet, s'il fut enterré dans des classeurs, n'en fut jamais complètement oublié pour autant, et les deux pays reprirent leurs projets d'alliance militaire en 1975. Elle n'était pas, cette fois, dirigée contre l'Allemagne, mais procédait plutôt de la conviction partagée par les deux partenaires que le bouclier de l'OTAN – derrière lequel ils s'abritaient toujours sans plus participer à son entretien – ne pouvait que poursuivre sa détérioration, et qu'il ne fallait plus compter sur l'Amérique. Les effets de sa défaite au Viêt-nam n'avaient pas fini de se faire sentir.

Il est naturel que, dans le cadre de telles négociations, des amitiés personnelles se nouent, des alliances politiques se forment – par-delà les attaches nationales – et que des indiscrétions s'ensuivent. C'est ainsi que l'adjoint au chef d'état-major de l'armée suisse, francophone de Genève, devint du dernier bien avec son collègue de Paris. Ils partageaient tous deux les mêmes goûts culinaires, les mêmes affinités culturelles et linguistiques, et les mêmes antipathies pour tout ce qui était germanique – et qui formait la majorité la plus agissante de la Suisse. Aussi, persuadé que la survie de sa patrie était liée à celle de la France, le Genevois donna le bordereau en question à son ami d'outre-Rhône, voulant par là lui démontrer de manière concrète les convictions qu'il partageait avec nombre de ses concitoyens, et prouver que la Suisse serait un allié sur lequel on pourrait compter, capable de se battre avec des forces bien réelles et même de gagner une guerre atomique s'il le fallait. Il serait malséant de qualifier cet acte de trahison ; il était tout au plus un peu prématuré. De toute façon, les deux hommes étaient sincèrement persuadés qu'ils ne faisaient qu'anticiper de peu sur un échange d'informations qui se ferait officiellement pour sceller l'alliance des deux pays.

Malheureusement, Paris était en proie à des désaccords sur l'opportunité de nouer des liens avec la Suisse, car Paris est toujours le théâtre de dissensions sur tout et sur n'importe quoi. On n'a jamais exactement su comment ni pourquoi les parties en présence trouvèrent que la fuite du bordereau atomique suisse risquait de compromettre les chances de succès d'une alliance encore si fragile qu'elle ne vit jamais le jour, mais les faits sont les faits : on en prit prétexte pour rompre. Discrètement, bien sûr, aussi discrètement qu'on s'était rapproché. Mais on rompit quand même. Le bordereau, entre temps, était passé dans pas mal de mains et, en 1978, avait perdu beaucoup de son intérêt. Aussi, il devint l'enjeu d'un marché conclu entre la SAVAK et le Deuxième Bureau. En échange de la liste, Paris obtenait des Iraniens des rapports complets et réguliers sur l'évolution des forces armées de tout le territoire du Golfe Persique. Non que les Français aient cru à la moitié de ce qu'on leur fournissait, mais cette moitié représentait quand même une bonne source de renseignements sur une partie du monde dont la France, comme toute l'Europe, devait dépendre pour l'acquisition de son énergie.

Le Herr Doktor Hanspeter Suter était résolument allé chercher refuge derrière son bureau. L'objet de ses réflexions n'avait pas été la source par laquelle l'Iran avait obtenu le bordereau, mais plutôt les effets que sa possession allait avoir. Enfin, il reprit la parole :

– Monsieur Tibrizi, comptez-vous sérieusement maintenir une proposition aussi incroyable ?

La réponse ne se fit pas attendre :

– Ce n'est pas moi qui vous la fait, Docteur Suter. Je ne vous parle qu'en tant qu'envoyé personnel de Sa Majesté le Shah-in-Shah.

– Mais vous comprenez certainement, insista Suter, qu'il m'est absolument impossible de discuter d'un tel sujet avec qui que ce soit sans autorisation formelle de mon gouvernement.

– J'en suis parfaitement conscient.

– Ainsi, j'ai bien peur que nous ne puissions guère progresser tant que...

– Permettez-moi de vous interrompre, dit Tibrizi, pour attirer votre attention sur deux points bien précis. Le premier est que vous devez sans aucun doute vous rendre compte que si nous ne pouvons obtenir votre coopération, ou plutôt, devrais-je dire, celle de la Suisse, il nous faudra aller chercher ailleurs. Tant pour la fourniture des deux réacteurs dont nous parlions que pour celle de la technologie dont nous avons besoin. Je suis sûr que, tout comme moi, vous connaissez au moins une demi-douzaine de pays qui accepteraient volontiers d'étudier ce problème avec nous. Ensuite, et je crois que vous accorderez à ce point tout l'intérêt qu'il mérite, Sa Majesté consentirait à conclure un accord avec votre pays, aux termes duquel la Suisse ne serait pas soumise aux conséquences d'un embargo quand – ou plutôt si – un tel embargo serait imposé aux pays occidentaux.

Nous serions en mesure de vous garantir la fourniture du pétrole et son transport jusqu'à vos raffineries.

– Sa Majesté vous a-t-elle donné pouvoir de prendre un tel engagement ?

– Oui. Mais elle le confirmera personnellement dès le début de l'année prochaine au représentant accrédité par votre gouvernement. Etant entendu qu'entre temps nous aurons nous-mêmes pu nous entendre sur les autres questions dont nous avons parlé.

Et pourquoi pas ? se demanda Suter. Il n'y avait, après tout, pas d'inconvénients majeurs à accepter, et c'était pratiquement tout bénéfice pour la Suisse. Comme venait de le dire l'Iranien, son pays pourrait aller chercher ailleurs : en France, au Japon, en Inde même, ou encore en Grande-Bretagne. S'il acceptait, quel risque y aurait-il ? Que cela finisse par se savoir et ressorte un jour ou l'autre, comme ce bordereau de malheur. Toutefois, dans le cas présent, le gouvernement suisse ne pourrait être directement mis en cause, et pourrait démentir hautement tout rapport avec un marché privé conclu par Roche-Bollinger avec le Shah. Quant à Roche-Bollinger, c'est-à-dire lui, Suter, il pourrait toujours décliner toute responsabilité dans les actions entreprises par un individu qui n'était même pas son employé, envoyé en Iran pour la mise en œuvre d'un matériel strictement civil et aux applications exclusivement pacifiques...

Shadah Tibrizi était retourné s'asseoir et observait Suter, dont il pouvait suivre les pensées à la trace. Suter était accroché, il le savait. Le seul problème était maintenant de savoir si Suter saurait ou pourrait convaincre les gens de Berne. Sinon, la belle affaire ! Il n'aurait qu'à aller ailleurs, comme il l'avait dit très justement, et avoir tout ce qu'il voulait pour beaucoup moins cher. Car ce n'était vraiment qu'à la demande expresse du Shah qu'il était venu se geler dans ce pays de sauvages. Et que faire contre les désirs du Shah ?

– Monsieur Tibrizi, dit enfin Suter, je vais faire de mon mieux Mais je ne puis rien vous garantir. Cela va prendre du temps..

– Docteur Suter, coupa Tibrizi, nous préférerions que ce ne soit pas trop long. Sa Majesté désire avoir votre réponse le plus tôt possible. Elle m'a même donné des instructions formelles pour que la possiblité de concrétiser nos projets soit décidée pendant la durée de mon séjour parmi vous.

Comme nous l'avons vu, Suter avait une double personnalité. En lui, le colonel considérait l'intérêt stratégique incalculable de voir son pays protégé des effets d'un embargo sur le pétrole. De son côté, le Herr Direktor caressait les perspectives d'un marché de plus de deux milliards de dollars et de bénéfices de plus de cinq cents millions pour les caisses de sa société. Quant au Herr Doktor, il ne pouvait s'empêcher de voir danser devant ses yeux les dix mille actions de Roche-Bollinger, et les cinq millions de francs suisses que cela allait faire rentrer dans ses poches bien à lui. En un mot comme en trois, Suter était fortement motivé...

– Je crois que je vais pouvoir aller à Berne dès cet après-midi, dit-il en affectant de regarder son agenda.

– Parfait, répondit Tibrizi. En attendant, je compte rester dans cette charmante hôtellerie jusqu'à ce que vous me donniez des nouvelles de vos démarches.

– Puis-je vous être utile en quoi que ce soit ? demanda Suter dont le sourire était revenu.

– Je n'ai vraiment besoin de rien, répliqua Tibrizi plein d'urbanité. Quoique, en y réfléchissant, si j'avais un peu d'aide pour faire quelques achats... Je connais mal Zurich.

– Mais comment donc, répondit Suter, c'est facile. Ma secrétaire se fera un plaisir de vous rendre ce petit service. Fraulein Schneider ! lança-t-il dans un interphone, voulez-vous venir une minute je vous prie.

Cinq minutes plus tard, Trudi Schneider quittait le bureau en compagnie de l'Iranien. Bien qu'elle ne le sache pas encore, nous pouvons révéler qu'elle allait se faire baiser deux fois cette semaine, et à chaque fois pour les besoins du service. Elle allait surtout pouvoir découvrir, dans deux chambres différentes de l'hôtel Adler, que les Iraniens sont incontestablement plus doués d'imagination que les Suisses en ce qui concerne la pratique d'un art remontant à la plus haute Antiquité. Bien avant l'avènement, n'ayons pas peur de le dire, de l'empire des Sassanides.

CHAPITRE 9

Tandis que Shadah Tibrizi courait les magasins, et faisait emplette de quelques douzaines de montres en or — dont une pour la toute charmante Trudi, à qui il convenait de faire preuve de quelque munificence avant de lui démontrer les charmes des « positions persanes » — le Herr Doktor Direktor Hanspeter Suter était au téléphone avec M. Jacques Dubois, ministre de la Défense de la Confédération Helvétique. A l'issue de leur conversation, les deux hommes convinrent d'un rendez-vous pour le soir même à six heures, à Berne. Son Excellence assura également son interlocuteur que les principaux membres du Cabinet seraient présents à leur entretien.

Quand Suter arriva dans le hall de l'hôtel Hirschen, Dubois l'y attendait déjà. Les deux hommes se rendirent immédiatement dans une petite salle de réunion au deuxième étage, où ils retrouvèrent Franz Ulrich, chef des services de contre-espionnage et d'espionnage ; Jacob Gerber, ministre des Finances et, pour le moment, président de la Confédération — la présidence n'étant en fait rien de plus qu'un poste purement honorifique, rempli à tour de rôle par des membres du Conseil Fédéral qui est l'exécutif collectif de la Suisse ; et Enrico Rossi, ministre des Affaires étrangères. Ce petit groupe d'homme dirigeait, certes, les affaires nationales du pays. Il constituait aussi un parfait échantillonnage de son électorat : Gerber et Ulrich — ce dernier n'était pas élu mais désigné — étaient tous deux issus de l'ethnie alémanique. Dubois était un francophone de Lausanne, et Rossi, natif de Locarno, représentait le Tessin italien.

Ils avaient décidé de se retrouver au Hirschen à la demande expresse de Suter, car leur réunion devait rester strictement officieuse. Dubois, ministre de la Défense, n'y avait vu aucun inconvénient, au contraire. Roche-Bollinger était le premier producteur suisse de matériel militaire, allant d'engins électroniques hautement sophistiqués aux missiles anti-chars téléguidés les plus simples, et exportait une bonne partie de sa production. Et l'exportation était, le plus souvent, traitée de manière fort discrète, bien que soumise au contrôle des autorités gouvernementales. C'est pourquoi il fallait respecter toutes les apparences de la neutralité de la Suisse, et tenir les réunions touchant à ce sujet épineux en terrain strictement neutre. Quand il s'agit d'hypocrisie, les Suisses détiennent certains records mondiaux...

Dubois, qui jouait les hôtes, avait bien fait les choses. Deux litres de Fendant attendaient les invités, flanqués de cinq verres à long pied teintés de vert. Le Fendant étant un des produits les plus célèbres du canton de Vaud, Dubois mettait un point d'honneur à ne jamais rien boire d'autre en public, même en comité restreint comme c'était le cas ce jour-là.

Suter, l'industriel, n'éprouvait aucun embarras à se retrouver au milieu d'un aréopage gouvernemental aussi sélect. Comme nous le savons tous, la Suisse est un fort petit pays. Et comme nous l'avons déjà vu, l'élite en est fort restreinte.

Ses membres se connaissent tous, le plus souvent depuis l'enfance. Ainsi, Suter avait usé ses fonds de culottes sur les bancs de la même école qu'Ulrich, son condisciple à Baden. Il avait fait de nombreuses affaires avec Dubois et son ministère. Avant de devenir ministre des Finances, Gerber avait siégé au conseil d'administration de Roche-Bollinger, et la sœur de sa femme avait épousé Rossi, apparenté à la dynastie Martini & Rossi d'outre-Alpes. Rossi s'était même fait la réputation d'être un des plus fidèles consommateurs des produits de la famille, dont il abreuvait volontiers ses visiteurs.

Aussi, Suter se retrouvait presque en famille ce jour-là, et tous ces hommes se tutoyaient comme il convient à de vieux amis. En fait, ils pratiquaient le « Du » plutôt que le « Tu » car, malgré leurs origines diverses, ils affectaient de ne parler qu'allemand entre eux. Ils auraient tous pu parler également français ou italien. Mais Gerber, dont c'était le tour de présidence, étant germanophone, on lui montrait par là qu'on déférait à sa suprématie temporaire. Toute petite qu'elle soit, la Suisse est somme toute un pays compliqué où rien n'est jamais aussi simple que cela en a l'air.

Une fois que le Fendant eut coulé dans tous les verres, Suter leva le sien et prit la parole :

– Meine Herren, Ich habe etwas Enorm Wichtiges zu berichten !

Des nouvelles *Enormes* qu'il avait à communiquer, Suter choisit habilement de commencer par la proposition du Shah d'exempter à jamais la Suisse des effets fâcheux d'un embargo pétrolier. L'information fit un effet profond sur son auditoire, car la Suisse – et ses gouvernants – n'avait jamais oublié le seul embargo dont elle ait été la victime. En 1944-45, en effet, la Suisse avait presque été réduite à la famine.

En décembre 1944, six mois après le débarquement de Normandie, le gouvernement américain avait intimé au gouvernement suisse l'ordre de cesser les fournitures d'armes et de matériel industriel aux nazis, sous peine de se voir supprimer indéfiniment les livraisons de denrées alimentaires. La menace n'était pas gratuite : la Suisse avait toujours dû dépendre de ses importations pour nourrir sa population. Au début de la guerre, les fournisseurs habituels d'Europe centrale et occidentale avaient, pour des raisons évidentes, dû cesser d'approvisionner leur cliente helvétique qui s'était alors tournée vers une autre source : l'Amérique Latine, et particulièrement l'Argentine. Comme la Suisse, l'Argentine était neutre et plus ou moins sympathisante avec les puissances de l'Axe. Elle obligea donc volontiers sa sœur d'Europe.

Au début, tout alla le mieux du monde. Les livraisons se faisaient sur des navires battant pavillon des deux pays – qui a osé dire que la marine suisse n'était qu'une plaisanterie ? – qui, neutres tous deux, obtenaient les autorisations de passage à Gibraltar et allaient décharger leurs cargaisons à Gênes. Avec son amabilité proverbiale, Mussolini avait autorisé les « Ferrovie dello Stato » à assurer les transports entre Gênes et la Confédération, ce qui lui valut d'obtenir, avec sa famille, le droit d'asile sur le territoire des Cantons quand les choses commencèrent à se gâter. L'on sait qu'il n'eut jamais le temps d'en profiter pour lui-même, puisqu'il se fit coincer en chemin pour finir misérablement à un croc de boucher. Malheureusement pour la Suisse, la chute de Mussolini coïncida avec l'invasion de l'Italie par les troupes alliées. La route de Gênes fut donc, et allait rester, coupée.

On organisa alors une nouvelle noria. La source des marchandises restant la même, et arrivant par voie maritime, la Suisse passa des accords avec le Portugal, neutre lui aussi mais pourvu de ports. De Lisbonne, les provisions traversaient l'Espagne de Franco et la France aux mains des Allemands. Autrement dit, la Suisse était assurée de ne pas mourir de faim tant que les nazis dominaient l'Europe ou bénéficiaient d'amitiés dans les pays neutres. Hélas, hélas ! Les Alliés eurent le mauvais goût de débarquer dans le Midi de la France, et de s'assurer le contrôle de toute la région dès avant la fin de 1944. C'est alors que les Américains présentèrent leur ultimatum : si la Suisse ne stoppait pas immédiatement ses livraisons à l'Allemagne, les comestibles argentins ne passeraient plus et n'iraient plus nourrir les fiers enfants des Alpes. A la stupéfaction de Washington, Berne opposa une fin de non-recevoir. En conséquence, l'embargo fut décidé incontinent, et prit effet en décembre 44.

Le Noël de cette année-là fut sans contredit l'un des plus sombres dans l'histoire de la Suisse depuis les invasions de Charles le Téméraire. Trente-quatre ans plus tard, il n'était pas un des cinq hommes autour de la table du Hirschen qui n'en gardât un souvenir affreux. A l'époque, ils étaient encore des adolescents affamés mais bien nourris. En quelques semaines, ils devinrent des adolescents affamés mais plus nourris du tout, l'ordinaire des foyers suisses étant réduit à un régime essentiellement composé de pain noir et gluant et de brouets d'orge. Ils allaient toucher le fond de la détresse quand la contre-offensive Von Runstedt échoua dans les Ardennes. A partir de ce moment-là, c'est-à-dire les premiers jours de 1945, l'Allemagne eut d'autres chats à fouetter que d'assurer l'expédition de son précieux charbon à la Suisse. Comme l'embargo décidé par les Américains s'était étendu, dès janvier 1945, au pétrole et au charbon, la Suisse se retrouva littéralement privée de tout. Car on ne peut guère nourrir un peuple avec des contrepoids de coucous. Et les vaches n'arrivaient guère mieux à fabriquer assez de gruyère pour remplacer tout ce qui manquait par ailleurs. Inutile de préciser que, privée de matières premières, l'industrie avait dû fermer ses usines et mettre son personnel au chômage. La Suisse n'avait plus le choix, et devait capituler pour survivre. Son ambassadeur à Washington fut donc officiellement chargé d'engager des pourparlers.

La délégation américaine, menée par le secrétaire d'État Stettinius en personne, arriva à Berne le 12 février 1945. D'entrée les Suisses tentèrent de le prendre de haut. Stettinius ne s'entêta pas et rompit instantanément les négociations, déclarant que, en ce qui le concernait, il avait tout le temps d'attendre que ses interlocuteurs viennent à résipiscence : des mois, des années s'il le fallait. Il n'eut pas à patienter plus de dix jours. Le 8 mars 1945, les Suisses signèrent le traité qui témoignait de leur capitulation diplomatique totale. Le même jour, les Américains levèrent l'embargo. Ils avaient eu ce qu'ils voulaient, ils firent donc honneur à leur parole.

Mais les Suisses n'étaient pas au bout de leurs peines.

Le traité où ils avaient apposé leur signature stipulait non seulement que la Suisse trancherait sans délais tous ses liens économiques avec les nazis, mais qu'elle s'engageait de surcroît à remettre aux alliés les centaines de millions de dollars en lingots d'or, en argent liquide et en titres que les nazis avaient mis à l'abri en Suisse, tant à titre de paiement pour les fournitures de matériel que pour se constituer des réserves de sécurité au cas – qui devenait réalité – où il leur faudrait aller chercher refuge dans un coin discret de l'Amérique du Sud.

Les Américains avaient été particulièrement intraitables en ce qui concernait la restitution de l'or, presque toujours le fruit de vols et de pillages, depuis les réserves des banques centrales des pays occupés, jusqu'aux dentitions des victimes des camps de concentration. Jusqu'à ce moment-là, les Suisses s'étaient toujours refusé à admettre que l'argent pouvait avoir une odeur. Ils n'arrivaient pas à concevoir qu'on ne puisse pas toujours se sortir de la situation la plus épineuse grâce à l'argent. En 1945, ils apprirent de manière cuisante que ce n'était pas toujours le cas. Rarement dans l'histoire, en tout cas jamais dans l'histoire de la Suisse, on ne vit un peuple plus profondément, plus complètement humilié par sa défaite. Et tout cela parce que la Suisse s'était laissée manipuler, avait été victime d'un chantage à l'embargo.

Le respect de la vérité oblige à dire que tout se termina fort bien, et que la morale connut au cœur des Alpes une déroute éclatante. Les Suisses réussirent à renier presque tous leurs engagements les plus solennels. Par l'application judicieuse de la lenteur et de la force d'inertie, ils purent conserver leurs trésors jusqu'au moment où le début de la guerre froide détourna l'attention des Américains vers des problèmes plus graves. Mais la leçon n'avait pas été perdue. Ce que les Suisses retinrent de l'aventure, ce ne fut pas qu'il est immoral de faire des affaires avec des dictateurs et des assassins. La Suisse, après tout, n'est qu'un pauvre pays neutre par essence et par vocation. Si elle ne défend pas elle-même ses intérêts, sur qui pourrait-elle compter ? La vraie leçon des événements, celle qui resta gravée à jamais dans l'esprit des Suisses, fut qu'il est essentiel, quand on traite, de prévoir les conséquences possibles, de calculer avec soin toutes les éventualités de ce à quoi on s'engage.

Pour ce genre de calculs, Jacob Gerber ne le cédait en rien aux plus habiles. Aussi, il posa immédiatement la question qui s'imposait :

– Et que veut le Shah, en échange de cette promesse ?

– Je vais y venir, répondit Suter. Mais laissez-moi d'abord terminer, car le Shah nous offre encore davantage, bien davantage.

Il exposa alors le projet de marché de deux milliards deux de dollars pour la fourniture des deux centrales atomiques. Suter n'eut pas de mal à prouver que l'obtention d'un tel marché servirait grandement le prestige de l'industrie suisse, la placerait même au tout premier rang de la concurrence internationale. Un projet de cette ampleur ne pourrait que promouvoir les exportations, garantir le niveau de l'emploi non seulement dans l'industrie nucléaire elle-même mais dans toutes les industries connexes et permettre à Roche-Bollinger de consacrer des sommes considérables à la recherche, sans qu'il en coûte un sou au gouvernement – qui avait subventionné tout le développement de l'industrie atomique depuis des décennies – mais pour la première fois aux frais de clients étrangers. En tant que ministre des Finances, Gerber fut prompt à saisir la valeur de cet aspect de la question, sut l'apprécier comme il convenait.

Un seul des assistants ne semblait pas aussi heureux que les autres, et écoutait Suter parler avec une moue de mauvaise humeur. Cet homme était Franz Ulrich. Car il savait, il était même seul à savoir, qui était l'envoyé extraordinaire du Shah, détail que Suter avait soigneusement négligé de préciser. Or, Ulrich était mieux placé que quiconque pour savoir qu'un homme comme Tibrizi ne s'engageait dans aucune négociation si elle ne comportait pas au moins un élément répugnant, immoral et dangereux – le danger étant naturellement réservé à l'interlocuteur. Il laissa Suter terminer son exposé, et intervint avant qu'il reprenne son souffle et passe au point suivant.

– Il y a quelque chose que tu ne nous a pas dit, Hanspeter.

Suter n'apprécia pas que l'on vienne bouleverser l'ordonnance de son discours soigneusement préparé.

– Je le sais bien, dit-il. Tu pourrais au moins me laisser finir au lieu de m'interrompre.

– Ce n'est pas ce que j'ai voulu dire, reprit Ulrich. Il serait peut-être bon, avant de continuer, que tu nous expliques qui est ce M. Tibrizi qui est venu te voir de la part du Shah.

Suter ne répondit pas tout de suite. Enfin, il dit d'un ton mesuré.

– Et pourquoi ne l'expliquerais-tu pas toi-même ?

C'est ce que fit Ulrich, avec un plaisir un peu trop évident. Il se lança dans une longue diatribe hautement moralisatrice, décrivant avec un luxe de détails les atrocités commises par la SAVAK en général et Tibrizi en particulier. Il parla des emprisonnements arbitraires des intellectuels récalcitrants, il n'oublia pas le massacre de tribus entières suspectes de dissidence. Le ministre des Affaires étrangères finit par l'interrompre avec agacement :

– Tout ce que tu nous racontes ne nous apprend rien, Franz. Que veux-tu qu'on y fasse ? Si nous voulons faire des affaires avec le Moyen-Orient, on ne peut pas se permettre d'être trop regardant avec qui on traite, ni dans quelles conditions...

– D'accord, reprit Ulrich. Mais laissez-moi au moins expliquer pourquoi je viens de raconter tout cela. Ce Tibrizi est une brute. Chez lui, il convient pour le genre de travail que le Shah lui demande de faire. Mais sur le plan international, c'est une autre affaire. Ce type-là n'a pas la moindre finesse. Ses services sont tellement inefficaces que c'en est pitoyable. Il a vingt fois plus d'hommes et de moyens que ceux dont je dispose, et j'obtiens pourtant des résultats vingt fois supérieurs aux siens. Les gens comme lui, je les connais, je sais comment il faut les traiter. Je trouve que Hanspeter a été bien imprudent d'ouvrir la bouche en sa présence sans que j'aie été là. Parce que tu avoueras, quand même, que tout cela est trop beau pour être vrai ! Il y a quelque chose de louche dans tout ça, de très louche !

– En effet, coupa Suter d'un ton désagréable. Il y a quelque chose de très louche. Mais ça vient de chez toi et de tes services si efficaces, comme tu dis, espèce d'imbécile !

Ulrich, qui s'était rappuyé au dossier de son fauteuil pour allumer un cigare, se redressa comme si on lui avait piqué le derrière avec une épingle.

– Qu'est-ce que tu oses... ! commença-t-il.

– Ceci, dit Suter sèchement en sortant le bordereau de Tibrizi de son porte-documents.

Ulrich lui arracha des mains, y jeta un coup d'œil et devint cramoisi.

– Donne-moi ça ! intervint Rossi.

Le ministre des Affaires étrangères prit le bordereau, le parcourut des yeux et le reposa sur la table :

– C'est incroyable !

– Mais vrai, déclara le ministre de la Défense qui l'avait ramassé.

Gerber fut le dernier à regarder le document. Il ne parut pas surpris outre mesure de voir ce que c'était.

– Tibrizi nous a amené une carotte et une trique de la part du Shah. On pouvait s'y attendre. Je me demandais simplement ce que serait la trique. Bon, Suter, qu'est-ce qu'ils veulent de nous ?

Suter rapporta alors, presque mot à mot, les termes de sa conversation avec l'Iranien. Quand il eut fini, il y eut un profond silence.

– Cet homme a raison, commenta Dubois. Le Shah pourrait aller chercher la même technologie dans une douzaine de pays.

– Ce n'est pas tout, ajouta le ministre des Affaires étrangères. S'il veut se venger d'un refus de notre part, et nous le connaissons assez pour savoir qu'il en est capable, il peut très bien mettre sa menace à exécution et faire circuler le bordereau. Notre neutralité en serait sévèrement atteinte, peut-être même de façon permanente. Au fait, Suter, t'as-t-il dit quoi que ce soit au sujet de la manière dont il se l'était procuré ?

– Non, répondit Suter. Tout ce qu'il m'a dit c'est qu'il l'avait obtenu d'un « tiers ».

– Cela ne peut être que les Français, ajouta Ulrich qui s'était calmé.

Personne ne releva ses mots. Nul n'ignorait que les négociations militaires franco-suisses avaient duré assez longtemps pour permettre à une fuite de se produire. Mais personne dans cette pièce ne voulait risquer le moindre mot pouvant compromettre les relations qui, tant bien que mal, repartaient avec Paris. Si la Suisse ne concluait pas de traité de défense mutuelle avec la France, il ne lui resterait que des choix plutôt désagrables : l'Allemagne ou, pire, les Etats-Unis. Les expériences passées étaient trop récentes, et encore trop pénibles, pour considérer de telles alliances de gaieté de cœur. Aussi, Rossi s'empressa-t-il de couper à toutes réflexions pouvant mener à des conclusions hâtives, voire potentiellement dangereuses :

– Quoi qu'il en soit, si nous ne pouvons pas être sûrs de la source, il faut au moins espérer que l'indiscrétion n'est pas allée plus loin. Est-ce que ce Tibrizi t'a dit quelque chose à ce sujet, Suter ?

– Non, répondit Suter. Mais son maître est loin d'être un imbécile. Le Shah n'est pas homme à vouloir faire pression sur nous avec ce bordereau s'il lui enlève en même temps sa valeur en le faisant circuler n'importe où. A mon avis, Messieurs, il faut nous résigner à accepter cette fuite, d'où qu'elle vienne, et prendre nos décisions en conséquence.

Ulrich, pour sa part, ne paraissait pas enclin à une résignation qui laissait planer un doute sur l'efficacité de ses services.

– Tu en as de bonnes ! s'écria-t-il indigné. S'il y a un traître, ou des traîtres, dans notre armée, tu voudrais qu'ils restent impunis ?

– Certes non, intervint Dubois qui, en tant que ministre de la Défense, était le supérieur hiérarchique d'Ulrich. Toutefois, je pense que nous serons tous d'accord pour ne pas aggraver les choses en ouvrant une enquête officielle, avec les risques de publicité que cela comporte. Je propose donc que, pour le moment tout au moins, nous laissions cette affaire de côté. Qu'en pensez-vous, mes amis ?

Avec un soupir de soulagement, les amis hochèrent la tête pour manifester leur approbation aux sages propos de leur collègue du Conseil Fédéral.

– Je compte, poursuivit Dubois, avoir une conversation avec quelqu'un à Paris en temps opportun. Jusque-là, je ne veux pas qu'il soit fait la moindre allusion à tout ceci, pas un seul mot, comprenez-vous ? Que rien de ce que nous venons de dire ne sorte jamais de cette pièce. C'est clair, Ulrich ?

Quand il faut un bouc émissaire, on le trouve toujours dans les services de renseignements, pensa Ulrich. D'autre part, si tout le monde respectait la consigne de silence, ils devenaient ipso facto complices, ce qui pourrait toujours être utile un jour ou l'autre à qui saurait l'exploiter. Ulrich hocha la tête pour marquer son acquiescement.

– Bien, reprit Dubois. Venons-en maintenant au vif du sujet. Franchement, je ne crois pas que nous ayons grand choix. Mais laissons de côté le chantage, pour le moment, et considérons ces propositions. Nous y avons énormément à gagner, et très peu à perdre si nous les traitons convenablement. D'un côté, nous nous assurons deux choses : l'assurance d'être à l'abri des conséquences désastreuses d'un embargo pétrolier, et un marché considérable à l'exportation. De l'autre ? Les problèmes ne peuvent se présenter que dans le cas, bien improbable, où l'on saurait que c'est nous qui avons fourni à l'Iran la technologie nécessaire à la construction d'armements atomiques, et que nous n'avons pas respecté nos engagements de ne pas en fabriquer nous-mêmes. Et qui aurait intérêt à faire de telles révélations ? Manifestement pas le Shah. Pas les Français non plus. D'ailleurs, ils l'auraient fait depuis longtemps s'ils l'avaient voulu. Quant au bordereau, ce ne peut être qu'un faux, créé de toutes pièces par quelque fonctionnaire de troisième ordre voulant se venger d'on ne sait quoi. Il est impossible d'en vérifier l'authenticité.

— Il faut quand même nous assurer que le Shah contractera avec nous des engagements solides, fit observer Gerber.

— Je vais préparer moi-même un projet de traité, dit le ministre des affaires étrangères Rossi, et j'en négocierai personnellement les termes définitifs avec le Shah la prochaine fois qu'il viendra ici. De toute façon, je comptais le rencontrer.

— Et qu'est ce que je dis à Tibrizi ? demanda Suter.

— Dis-lui que nous acceptons ses conditions, lança Rossi. S'il veut que je le lui confirme, tu n'as qu'à m'appeler et on organisera un rendez-vous.

— Ils veulent qu'on envoie tout de suite le Professeur Hartmann en Iran, reprit Suter.

— Eh bien, envoie-le.

— Cela risque de poser des problèmes...

— Eh bien, résous-les.

Sur ce, le ministre de la défense envoya Ulrich chercher deux autres bouteilles de Fendant et un jeu de cartes. Car il est impossible que des Suisses se trouvent réunis sans faire au moins une partie de jasse.

Ce fut Jacob Gerber qui fit la première donne. Il avait bien droit à quelques égards, après tout, il était Président de la Confédération Helvétique.

CHAPITRE 10

Tandis que Tibrizi accaparait, comme nous venons de le voir, l'attention des principaux citoyens de la Suisse, je me trouvais à quelques centaines de kilomètres au nord, en Allemagne, en train d'essayer de résoudre les problèmes de l'Italie. Comme les événements allaient le prouver en 1979, mes efforts dans ce domaine ne serviraient rigoureusement à rien. Ils ne servirent, sur le moment, qu'à me catapulter involontairement sur le devant de la scène internationale.

Comme d'habitude, j'étais descendu au Frankfurterhof. Parmi ses nombreux avantages, cet hôtel compte celui d'être à proximité immédiate du siège des principales banques qui pour s'être installées dans la bonne ville de Francfort, en ont fait la capitale financière de l'Allemagne, sinon de toute l'Europe. A midi très précis, comme convenu, je retrouvais dans le hall le Herr Doktor Reichenberger, président de la Leipziger Bank. Sur quelques brèves aménités, nous nous dirigeâmes vers le petit bar situé derrière la réception. Reichenberger commanda une bière, je pris un gin « on the rocks ».

– Bien mauvaise idée, cette réunion de Rome, commença-t-il.

– Je n'irais pas jusque-là, lui répondis-je. Il fallait voir ce que cela donnerait.

– Une perte de temps, insista-t-il. J'espère que vous n'allez pas me faire perdre mon temps, vous non plus, ajouta-t-il avec une délicatesse toute germanique.

– Je vous ai dit au téléphone que j'avais quelque chose à vous dire, Hermann. En fait, j'ai peut-être même une solution.

Rien, selon mon expérience, ne désarçonne davantage un Allemand que de l'appeler par son prénom sans qu'il vous y ait autorisé. Reichenberger devait avoir appris à s'endurcir contre le manque d'éducation des Américains, car il ne leva même pas un sourcil désapprobateur.

– Qu'est-ce que c'est ? se borna-t-il à demander en exagérant son accent comme à plaisir.

– Prenons une hypothèque sur l'ENI[1]. Ils ont quelques excellentes participations étrangères, et notamment des droits d'exploration off-shore en mer du Nord, au Nigéria et dans le Pacifique. Ils n'ont qu'un milliard d'hypothèques, le reste est libre de toute obligation.

– Impossible.

– Et pourquoi donc ?

– Politiquement. Le gouvernement considère l'ENI comme la pièce maîtresse de l'industrie nationalisée. Ils ne voudront rien savoir.

– Pa si on achète les gens qu'il faut.

– Hitchcock !... Je croyais que vous ne faisiez pas des choses comme ça !

– Pas en temps normal. Mais nous ne sommes pas dans des temps normaux.

– En effet. Quelle est la valeur des participations étrangères de l'ENI ?

– Suffisantes pour couvrir largement nos risques. L'ENI n'est peut-être pas la Shell ni Exxon, mais c'est quand même une des premières compagnies pétrolières d'Europe. Elle a plus de cent mille employés. J'ai même été surpris de voir son importance quand j'ai étudié le dossier. C'est la plus grosse entreprise italienne, de loin.

– Et qu'est-ce que Longo va dire de tout ça ?

Francesco Longo était le président de l'ENI.

– Longo s'en fiche éperdument, répondis-je. Ce qui compte, pour lui, c'est l'intérêt de son entreprise avant, bien avant, les soi-disant intérêts nationaux de l'Italie. C'est un pétrolier, pas un poète. Nous pouvons compter sur lui pour soutenir à fond toutes les propositions que nous pourrons faire. Il a besoin de capitaux

1. ENI : Ente Nazionale Idrocarburi, est la société nationale pétrolière de l'Italie.

frais, et nous devrons sans doute lui en garantir. Mais ça ne devrait pas aller très loin : deux, trois cents millions à tout casser.

– Vous le connaissez ?

– Oui. C'est moi qui lui avais fait obtenir un prêt en Eurodollars il y a quelques années, vous ne vous en souvenez pas ?

– C'est exact, approuva le Herr Doktor. Nous étions dans le syndicat, ou plutôt, comme vous dites, le « pool ». Et qui... achetons-nous, dans le gouvernement ? ajouta-t-il en mimant de son mieux le dégoût de méthodes qu'il connaissait pourtant mieux que moi.

– Minoli, le ministre des Finances. Et Riccardo, le gouverneur de la Banque d'Italie.

– Et vous êtes sûr que Longo ne veut rien lui-même et s'en tiendra là ? insista le Herr Doktor.

– Absolument certain.

– Enfin... dit-il avec une moue dubitative. Expliquez-moi maintenant comment vous comptez vous y prendre.

Je lui mis sous le nez les derniers bilans de l'ENI. L'actif y figurait pour un total de huit milliards de dollars mais, société nationale ou pas, on pouvait être certain d'avance que les chiffres avaient été trafiqués au bénéfice du fisc. En ajoutant dans les cinquante pour cent, on ne risquait pas de se tromper et l'on obtenait une valeur réelle d'environ douze milliards.

La moitié de l'actif était en Italie, et comprenait des installations diverses allant de la chaîne de distribution AGIP, dont les stations-services couvraient le territoire comme un nuage de sauterelles, jusqu'aux puits de gaz naturel dans la vallée du Pô, sans parler des filiales spécialisées dans des domaines aussi variés que la pétrochimie, les textiles, ou même l'énergie nucléaire. L'actif italien de l'ENI était grevé d'hypothèques prises par les banques italiennes qui lui avaient prêté quatre milliards de dollars. Ainsi couverts par une marge aussi confortable, les banquiers ne verraient sans doute pas le moindre inconvénient à ce qu'on mette la main sur l'actif situé à l'étranger. Les banquiers, comme on le sait, sont réputés pour la largeur de leurs vues et la profonde intelligence qui inspire leurs décisions.

L'autre moitié était à l'étranger, soit en participations, soit en toute propriété, là encore avec une saine diversification. La chaîne AGIP s'était étendue à l'Allemagne, à la Suisse, aux pays scandinaves et à la Grande-Bretagne. L'ENI possédait des raffineries en Europe du Nord et aux Antilles, ainsi que de nombreuses concessions de recherche et d'exploitation en plein développement, dans les gisements les plus riches. Par télex, j'avais vérifié tout cela avec Ryad, et la réponse était venue confirmer la valeur des possessions étrangères de l'ENI. Contrairement à ce que l'on croyait encore, les Saoudiens avaient largement dépassé le stade de nomades ignares qui avait – peut-être –été le leur, et s'entendaient désormais aux arcanes des affaires pétrolières aussi bien que les vieux routiers dont ils avaient assimilé les leçons. Au dollar près, leurs estimations se recoupaient avec les miennes : les propriétés étrangères de l'ENI valaient, au bas mot, six milliards de dollars.

Or, ces valeurs d'actif ne garantissaient qu'un seul milliard de prêts en eurodollars. Il en restait donc cinq libres de toute hypothèque. Si nous prêtions à concurrence de cinquante pour cent de cette valeur, voire même à soixante-quinze pour cent, nous aurions les bases d'un prêt aussi solide que ceux des rêves du banquier le plus obtus. En outre, prêter de l'argent aux Italiens dans les circonstances présentes revenait à nous assurer le remboursement de prêts qui n'étaient dus... qu'à nous-mêmes. Notre argent nous reviendrait donc intégralement dans les huit jours. Voilà pour le présent.

Pour l'avenir, cela ne se présentait pas mal non plus. Si les Italiens voulaient, une fois de plus, faillir à leurs engagements, nous aurions cette foi en mains cinq bons milliards en valeurs sûres et tangibles que nous n'aurions qu'à revendre au plus offrant. On gagnait sur tous les tableaux.

Tout en dévidant mes explications, je me surpris à m'admirer moi-même. Quelle astuce, quelle clairvoyance ! A un demi-million de dollars de salaire annuel, plus les avantages en nature, les Saoudiens avaient vraiment fait l'affaire du siècle quand ils m'avaient embauché !

Reichenberger m'avait écouté en s'efforçant de dissimuler son admiration, et me fit tout de suite barrage en dépeçant mon projet pour y trouver une faille. Le pauvre resta bredouille. Il n'y avait pas la moindre fissure. Il tira quand même une dernière salve :

– Tout cela est irréfutable, Hitchcok. Mais où allons-nous trouver un acheteur à ce prix-là ?

– Je crois, lui dis-je avec un sourire fin, que j'en connais déjà un. A Ryad.

Je ne lui avais pas dit ça pour le simple plaisir de lui en mettre plein la vue. C'était vrai : l'Arabie rachèterait très volontiers les possessions étrangères de l'ENI. Le pétrole, après tout, était l'un des domaines où elle investirait de confiance. Et comme ces possessions comprenaient une chaîne de distribution bien étoffée, des raffineries et une flotte de tankers sous pavillon libérien, l'Arabie se doterait du même coup de ce qui avait fait la force de la Standard Oil à l'époque de son irrésistible ascension – à savoir, une intégration verticale. Des puits de pétrole aux réservoirs d'essence des promeneurs du dimanche, elle contrôlerait toute la chaîne et empocherait des bénéfices à chacun des stades.

Cette fois, Reinchenberger était vaincu.

– Combien vont-ils nous coûter, ces politiciens ? demanda-t-il.

– Ils sont chers, malheureusement. On les a trop gâtés depuis trop longtemps.

– Un million chaque ?

– Non, quand même pas. Ils ont beau être gâtés, ce ne sont quand même que des Italiens ! Je dirais, pas plus de la moitié.

Le mari de Priscilla, quand je lui avais posé la question, m'avait dit pas plus du quart. Mais il avait toujours eu tendance à être radin, le pauvre cher homme.

– Et les deux dont vous avez parlé sont bien ceux qu'il nous faut pour conclure l'affaire ?

– Absolument. Je me suis renseigné avant de vous en parler.

– Et nous partageons les frais ?

– En gros, oui.

– D'accord, dit enfin Reichenberger.

Ce qui éclairait d'un jour fort peu nouveau la rigueur des principes moraux des Américains, des Italiens et des Allemands.

– Où et quand ? demanda le Herr Doktor sobrement.

Nous tombâmes d'accord pour rencontrer nos honorables Italiens ici même, à Francfort, où je me fis fort de les faire venir sous quarante-huit heures. Satisfait, Reichenberger me quitta sans m'inviter à déjeuner, ce qui me causa un vif soulagement. Je préférais rester seul pour savourer un autre verre et ma satisfaction de constater que, malgré mon éloignement temporaire de la scène financière, je n'avais pas perdu la main.

A peine dix minutes plus tard, je sentis une main s'appesantir sur mon épaule. On a beau avoir la conscience aussi tranquille qu'un banquier puisse l'avoir, ce n'en est pas moins une sensation désagréable. Je me retournais avec un sursaut.

– Voyons, Hitchcock, il ne faut pas avoir peur, mon vieux ! Ce n'est que moi.

Le « moi » désignait la personne de Randolph Aldrich, président-directeur général de la First National Bank of America, et patriarche du monde de la banque et de la finance internationale – et quand je dis le monde, je veux dire le monde entier. Je connaissais Randy depuis des années, et il ne tenait qu'à lui que nous n'ayons jamais été des intimes. C'est à lui, en effet, que j'avais vendu mes banques. Pour cette occasion mémorable, il avait eu la magnanimité de m'accorder vingt minutes de son précieux temps dans son bureau qui ne l'était pas moins. Pour un monument comme la First National, cette acquisition avait à peu près l'importance de l'achat d'une cartouche de cigarettes pour un plombier syndiqué venant de toucher sa paie et ses heures supplémentaires, et Aldrich avait mis son point d'honneur à bien me le faire sentir. Mais je ne sentis rien, car ma susceptibilité avait été anesthésiée par la remise, à la signature des derniers contrats, d'un chèque de trente-deux millions de dollars. La First National avait insisté pour me payer cash plutôt qu'en actions de leur sainte institution : il aurait été du dernier malséant de me voir, muni d'un gros paquet, tenter de forcer l'accès du conseil d'administration, où je me serais livré à Dieu savait quelles incongruités. On m'avait donc racheté mon petit empire artisanal, on m'avait payé, et tout le monde était content. Du moins c'est ainsi que je voyais les choses, car je n'avais pas eu le sentiment de m'être fait avoir, et Aldrich n'avait sans doute pas eu de regrets lui non plus. Sinon, il m'aurait évité en me rencontrant à Francfort, d'autant que c'était la première fois que nous nous retrouvions depuis les fameuses vingt minutes dans son bureau et la remise du chèque à qui je devais ma liberté – bien compromise depuis peu.

– Randy ! m'exclamai-je. Asseyez-vous donc, mon vieux. Et avant tout, racontez-moi ce que vous avez prévu pour la soirée et si elle a une amie sortable.

En affectant une telle familiarité, je charriais et je le savais. Aldrich et moi étions, et avions toujours été, sur deux orbites complètement différentes. En mettant les choses au mieux, je valais à tout casser quarante millions de dollars, et Aldrich s'approchait du demi-milliard. Je n'avais hérité que d'un capital symbolique, qui m'avait tout juste permis de démarrer, alors qu'Aldrich avait déjà toute sa fortune au jour de sa naissance. Mais il feignit d'ignorer mon mauvais goût, il paraissait animé des meilleures dispositions à mon égard.

– Dommage, Hitchcock, dommage. Je n'aurais pas mieux demandé que de vous rendre service, mais aujourd'hui c'est un de mes jours sans. Je me contente de boire.

Pour prouver ses dires, il commanda au barman un double scotch sec. Pas d'eau, pas de glace, sec, précisa-t-il. Il était à peine assis sur son tabouret qu'il en avait déjà avalé la moitié d'un trait. La seconde moitié suivit le même chemin cinq secondes plus tard, et il en commanda immédiatement un autre. Comme on voit, l'homme avait de la classe. Il avait les joues tout juste un soupçon plus roses qu'avant.

– Alors, Hitchcock, racontez-moi un peu. Qu'est-ce que vous fabriquez à Francfort ?

Le comble de la ruse, pensai-je, c'est de dire la vérité. Aussi je lui racontai très précisément ce que j'étais venu fabriquer à Francfort.

– Mon vieux, me dit-il quand j'eus terminé, vous vous gaspillez.

– Je me... quoi ?

– Vous vous gaspillez. Qu'est-ce que vous allez foutre avec ces conneries à l'italienne hein ? C'est une perte de temps. Alors que vous avez deux cent milliards pour vous amuser, vous allez jouer au boy-scout à faire traverser la rue à un aveugle ! Et de combien êtes-vous mouillés, dans cette histoire ?

– Dans les trois milliards et demi, dis-je timidement, en ayant presque l'air de m'excuser.

– Un pour cent du volant de trésorerie de l'Arabie. Et sur les trois milliards, il n'y en a pas plus d'un dixième qui risque vraiment quelque chose.

Le pire, pensais-je en l'écoutant, c'est qu'il avait raison.

– De toute façon, reprit Aldrich, même si ça vous amuse de faire joujou avec des haricots, qu'est-ce que vous allez foutre à vous acoquiner avec les Allemands ?

- Parce qu'ils font le poids. Et qu'ils sont prêts à s'en servir pour faire pression là où il faut.

- Allons, un peu de jugeotte, fiston ! me dit-il du haut des dix ans qu'il avait de plus que moi. Il ne faut pas se laisser prendre comme ça aux apparences. Les Allemands ne font pas plus le poids que les autres. C'est toujours nous, et nous seuls, qui menons le monde depuis New York, ne l'oublions pas. A côté de nous, les banquiers allemands sont des économes de pensionnat. Et je ne parle même pas des Suisses, ni des Français, ni des Hollandais, ni des Belges. Tenez, si ça peut vous faire plaisir, on vous met sur pied en trois jours la solution à votre petit truc italien. Quand je dis « on », je veux simplement dire mon petit groupe. En trois jours, je vous dis, et sans avoir besoin d'aller mendier dans toute l'Europe. En cinq coups de téléphone, sans aller plus loin que New York, on vous fait ça en trois jours. Compris, Hitchcock ?

Je me bornais à le regarder sans répondre.

– Il serait d'ailleurs grand temps, reprit-il après une rasade de scotch pour raviver son éloquence, que vos bons amis du Moyen-Orient se mettent enfin à comprendre les réalités de la vie.

D'accord, ils ont de l'argent... pour le moment. Mais nous, nous sommes les seuls au monde à savoir comment le gérer, d'accord ? Bien sûr, vous êtes d'accord, Hitchcock. Vous savez de quoi je parle. Aussi, tout ce que je vous dis c'est pour que vous commenciez à mettre vos idées en pratique. D'aller engloutir vos fonds dans ces banques européennes et en devises farfelues, vous savez que c'est complètement idiot. Tenez, regardez où ça vous a mené en Italie ! Savez-vous de combien nous nous y sommes mouillés, nous ? Hein ? Rien. Zéro. Pas ça. Et pourquoi ? Parce que moi, je n'ai jamais pu faire confiance aux Italiens. Ce n'est pas plus sorcier que ça... Bon, eh bien ça m'a fait plaisir qu'on se soit rencontrés aujourd'hui, Hitchcock. Vous savez, on commence à parler de vous de plus en plus souvent à New York. Vous avez mis la main sur quelque chose de gros, de très gros. Alors, un peu de jugeote, hein ? Vous êtes aussi capable qu'un autre de savoir où sont vos intérêts. Et n'essayez pas de vous battre contre le système, vous n'auriez rien à y gagner...

Le système ? Oh oui, je connaissais le système. Il ne fallait même pas se reporter à un organigramme pour s'y retrouver. Car le système consistait, en tout et pour tout, de Randolph Aldrich et d'une ou deux douzaines d'hommes comme lui aux Etats-Unis. Et ils étaient tous intimement persuadés que c'était eux qui gouvernaient le monde depuis 1945, et qu'ils y faisaient du bon travail.

J'avais toujours été plutôt sceptique devant les vieilles théories du genre « complot des riches » ou l'épouvantail des soi-disant « deux cents familles ». Vous savez, les Rockefeller, les Rothschild, tous ces braves gens qui de leurs somptueuses coulisses, contrôlaient le capital de l'Amérique, donc du monde entier, et tiraient les ficelles des pantins qu'ils mettaient eux-mêmes au pouvoir. Mais à mesure que j'avançais en âge et en sagesse, l'idée m'en paraissait de moins en moins absurde. Non qu'il y ait jamais eu une véritable conspiration : ces messieurs respectables n'ont jamais eu le besoin ni l'envie de jouer à des jeux enfantins en se drapant de manteaux couleur de muraille. Mais si ce n'en était pas une, cela y ressemblait fort. Et si les intentions de départ étaient compréhensibles et, somme toute, assez innocentes, leur mise en pratique l'était infiniment moins. Cette évolution s'était d'ailleurs faite en douceur, si insensiblement que les intéressés eux-mêmes ne s'en étaient jamais vraiment rendu compte. Il avait suffi de quelques nominations politiques, dictées par le souci du bien commun, pour qu'on en arrive à tisser des liens, que dis-je des cordes, entre Washington et Wall Street.

Cela avait commencé au début des années 30, quand Bernard Baruch devint le conseiller de Roosevelt. Depuis, la liste en est si longue, et les liaisons si compliquées et incestueuses, qu'on risque de s'y perdre et d'en attraper le vertige. Aussi vous l'épargnerai-je. Un seul exemple, parmi les plus récents, suffira à expliquer comment le « système » peut fonctionner : c'est celui de McNamara, embauché par les Kennedy, et dont Johnson se retrouva l'héritier. Robert McNamara dirigeait la Ford Motor Company quand on l'en « arracha » pour appliquer ses talents de gestionnaire de la guerre du Viêt-nam, qu'il supervisait depuis le Pentagone. Quand il quitta le gouvernement, il se retrouva à la tête des destinées de la Banque Mondiale. Autant dire qu'il n'avait jamais changé d'activité. Un dernier exemple ? Pourquoi pas. Nixon avait été mis à la Maison-Blanche par l'intermédiaire du plus gros avocat boursier des annales de Wall Street, John Mitchell – qui devait d'ailleurs, et bien involontairement cette fois, être l'instrument de sa fin infamante – et avait dû s'assurer les services d'un des plus brillants lauréats du « Cours de Perfectionnement » des Rockefeller, le bon Herr Doktor Kissinger en personne. Gerald Ford ne put pas faire autrement que de le garder pour rassurer ses commanditaires, jusqu'au jour où le Grand Patron lui-même, Nelson Rockefeller, fut obligé d'abandonner pour quelque temps ses chers conseils d'administration pour aller surveiller – sous la livrée de Vice-Président – les agissements incohérents du pauvre Jerry, vraiment trop bête pour qu'on puisse lui faire confiance avec les investissements de la famille.

A la fin des années 70, la mainmise de Wall Street sur Washington – et par conséquent sur le monde entier – ne s'était pas relâchée, loin de là. Et il y avait pour cela une bonne, une excellente raison : sans la bénédiction et la coopération active de la finance new-yorkaise, le gouvernement fédéral pouvait devenir du jour au lendemain « non-opérationnel », pour user d'un euphémisme. Rendons toutefois justice aux banquiers : ils n'avaient découvert l'étendue réelle de leur pouvoir – et la vraie manière de s'en servir – qu'en 1975 et pour ainsi dire par hasard, à l'occasion du sauvetage in extremis de la municipalité de New York, prête à déposer son bilan. Les banques, selon les plus sains principes de la profession, voulurent bien sauver encore une fois la mise mais exigèrent cette fois d'agir comme des sortes de syndics de faillite. Le pouvoir réel était passé entre leurs mains.

A la fin de 1978, la Maison-Blanche était exactement dans la même position envers les banques que l'avait été la mairie de

New York. Sauf qu'il s'agissait de sommes légèrement plus importantes : Oncle Sam faisait toujours les choses grandement, et devait à ses créanciers la bagatelle d'un demi-trilliard de dollars. Toutes les semaines, il lui fallait emprunter au moins un milliard de plus, rien que pour ne pas mettre la clef sous la porte. Car la grande crise de 1974-75 ne s'était pas tout simplement résorbée, évanouie comme par enchantement, comme celles qui l'avaient précédée depuis la fin de la Seconde Guerre mondiale. La relance avait coûté cher, et la reprise, – si reprise il y avait eu – n'avait pas gommé le chômage en le ramenant à son taux « normal » de quatre pour cent. Il s'était contenté de retomber à sept et demi pour cent. A partir de 1976, il avait vite regrimpé pour atteindre et dépasser les dix, douze pour cent.

C'est pour ces raisons que les « mesures temporaires » d'allégement fiscal et d'aide sociale devinrent permanentes. Et c'est pour cela que les déficits « passagers » du budget fédéral – déjà de soixante milliards de dollars par an en moyenne, pour dépasser les cent milliards en 1978 – devinrent une habitude, mauvaise mais obligatoire. Car il ne pouvait être question de recourir à l'orthodoxie fiscale et d'augmenter les impôts. Toute aggravation des charges fiscales aurait eu comme effet immédiat de ralentir l'économie donc de provoquer une nouvelle recrudescence du chômage et un nouveau coup de frein à la consommation et à la production. Socialement et politiquement, c'était un risque impossible à prendre.

Aussi, tout comme la municipalité de New York quelques années auparavant, les hommes de Washington durent continuer à creuser la fosse et à y engloutir les milliards de dollars par dizaines puis par centaines, pour compenser la différence entre les dépenses du gouvernement fédéral et ses rentrées. Et – au moins jusqu'à la fin de 1978 – les banques de New York et leurs satellites avaient prêté. Ils n'avaient pas le choix : s'ils fermaient le robinet, l'Etat sautait et, avec lui, le système qui garantissait leur existence même.

Mais les meilleures choses ont une fin, et l'hémorragie devenait telle que l'on ne parvenait plus à en compenser le flot. En d'autres termes, les banques commençaient à ne plus avoir d'argent ! Avec la logique qui les caractérise, ces messieurs analysèrent la situation et en arrivèrent aux conclusions suivantes. Pour résoudre le problème, il n'y avait que deux solutions : la plus facile, et la mieux connue, consistait à faire fonctionner la planche à billets. Mais cela entraînerait inéluctablement une reprise de l'inflation avec, dans la conjoncture actuelle, des conséquences vraisemblablement catastrophiques pouvant, tout aussi sûrement qu'un effondrement du système politico-financier, amener la fin déplaisante du système capitaliste. Restait l'autre possibilité, autrement meilleure : trouver une nouvelle source d'épargne, et l'éponger le plus vite et le plus massivement possible. Or, cette source existait. Elle était au Moyen-Orient, où les producteurs de pétrole avaient accumulé des réserves monétaires de plus de cinq cent mille milliards de dollars, un peu plus que la totalité de l'endettement du gouvernement fédéral, presque autant que la valeur totale de toutes les valeurs cotées à la Bourse de New York. Ces réserves invraisemblables, d'un montant encore jamais vu dans l'histoire de l'humanité, représentaient pratiquement la valeur de l'enrichissement de l'Amérique depuis deux siècles. Il avait fallu aux Arabes à peine dix ans pour y parvenir. La conclusion s'imposait donc avec une clarté aveuglante : le salut de Wall Street était à Ryad, et peut-être nulle part ailleurs.

Aldrich était l'un des rares à connaître tous les détails de la situation. Mais il ignorait que j'étais au courant, et m'avait préparé sa petite représentation de Francfort. Pourquoi diable, me demandais-je avec un peu d'agacement, est-ce qu'ils me prennent tous pour un imbécile et s'imaginent que je ne sais plus ce qui se passe ? Car je suis toujours convaincu que si Aldrich ne m'avait pas rencontré – par hasard ? – à Francfort, il se serait pointé dans la semaine – toujours par hasard – en Arabie, et aurait daigné passer beaucoup plus de vingt minutes dans mon bureau. A New York, ça ne s'arrangeait pas, et il fallait bien avaler des couleuvres. Aussi, Aldrich reprit sa petite comédie, et je repris mon rôle de naïf.

– Dites-moi, Hitchcock, revenons-en à votre truc italien. Combien est-ce qu'il faut que vous trouviez ?

– Dans les trois, trois et demi.

– Et combien est-ce que les Saoudiens vont mettre dans la cagnotte ?

– Je n'en sais rien encore, mais disons peut-être un demi-milliard, par là.

– O.K. Je vous en donne autant.

– Pourquoi ? Je croyais que vous n'aviez pas confiance dans les Italiens ?

– J'ai tout de même le droit de vouloir vous donner un coup de main, non ? Et puis, permettez-moi de vous dire autre chose. Quand ça se saura que je participe au sauvetage, ça va être la ruée. Toutes les petites banques de province vont vouloir y être de leurs trois sous. Non seulement vous n'aurez plus besoin de chercher des participations, mais il faudra que vous leur claquiez la porte au nez. La réputation, Hitchcock, la confiance. A notre époque, croyez-moi, ça se paye.

Une fois de plus, il avait raison. Je m'inclinais donc.

– D'accord, Aldrich, dis-je. Vous êtes dans le coup. Je vais quand même demander aux braves gens de la Leipziger s'ils sont d'accord...

– Une seconde, Hitchcock. J'ai l'impression que vous ne m'avez pas tout à fait compris. Si je participe à votre entreprise de boy-scout, ça veut dire que les Allemands, les Français, les Suisses et tous les autres restent à la porte. On reste strictement entre Américains.

– Je ne vous suis plus, Randy. Vous m'avez assez dit qu'il ne fallait pas se fier aux Italiens...

– Je sais ce que je vous ai dit, et je sais calculer un risque. Trois milliards gagés sur cinquante pour cent de l'actif de l'ENI, ce n'est pas un risque, c'est du gâteau. Vous êtes plus astucieux que vous ne le croyez, Hitchcock. Cet emprunt-là, j'en veux tous les jours. Ce sont les autres, les anciens, qui ne tiennent pas debout. Et ce sont les Européens, pas moi, qui se retrouvent avec cette merde sur les bras.

– Et qu'est-ce que vous faites des trois milliards et demi des Saoudiens ? demandai-je.

– S'il n'y a que ça, on met au prêt une condition supplémentaire, c'est que vos créances soient remboursées avec des échéances accélérées.

– Les Européens ne vont pas être contents.

– Les Européens, on les emmerde ! déclara-t-il posément.

Pour une fois, Aldrich était sincère. Depuis de longues années, il n'avait fait précisément qu'emmerder les Européens, parfois par Washington interposé. Mais je fis mine de ne pas remarquer cette profession de foi.

– Je ne comprends toujours pas quel intérêt vous avez à vous fourrer dans mon truc, comme vous dites, dis-je l'air plus bête que nature.

– Alors, écoutez-moi, Hitchcock, reprit-il avec une patience angélique. Combien est-ce que vous ramassez de dollars en ce moment, vous autres ? Je veux dire, vous et vos petits copains du Golfe.

– Si on compte, l'Arabie, l'Iran, Koweït, les Emirats, je dirais à vue de nez dans les cent vingt milliards par an.

– Et combien est-ce que vous dépensez ?

– Dans les cinquante.

– Ce qui vous laisse un surplus annuel de soixante-dix, c'est bien ça ?

– Environ, dis-je. Mais il n'y en a plus pour longtemps. Vous savez que tous les pays du Golfe ont prévu des programmes d'investissements. D'ici à quelques années ils vont dépenser pratiquement autant d'argent qu'ils en font rentrer, s'équiper jusqu'à la garde : aciéries, routes, usines chimiques. Sans parler des armements. Alors, où voulez-vous en venir ?

– A ceci déclara Aldrich. Où croyez-vous qu'ils vont trouver tout ce dont ils ont besoin pour construire leurs usines et leurs routes, hein ? Au seul endroit qui puisse leur offrir tout, je dis bien tout, ce qu'il leur faut, les bons vieux Etats-Unis. Et à qui ils devront payer leurs factures en dollars comme ont dû le faire avant eux les Européens et les Japonais et tous les autres.

– Vous n'y êtes plus, Aldrich. Regardez un peu ce qui se passe dans le monde. On n'est plus en 1945. L'Europe peut aussi fournir tout ce que l'Amérique fournit.

– Faux, affirma Aldrich. D'abord, l'Europe est en train de se désintégrer, si tant est qu'elle ait jamais été debout. Je ne parle ni du Portugal ni de l'Espagne. Mais regardez la Grèce, regardez l'Italie. Par pudeur, je ne parle même pas de l'Angleterre. Ceci est mon premier point. Le deuxième c'est que toutes ces belles routes et ces belles usines ne feront pas aux Arabes plus d'effet qu'un cautère sur une jambe de bois s'ils n'ont pas d'armes pour se défendre.

– Contre qui ? demandai-je.

– Quinconque a sous ses pieds la moitié des réserves mondiales de pétrole a toujours des ennemis, Hitchcock. Et on n'a pas à chercher bien loin. Sans réfléchir, je peux déjà vous en citer trois. Les Russes, d'abord, qui nous entubent une bonne fois pour toutes, et les Chinois avec, par-dessus le marché, le jour où ils arrivent à mettre la main sur le Golfe Persique. Idem pour le Shah d'Iran. Et n'oubliez pas non plus les Israéliens. Jusqu'à preuve du contraire Israël est la seule puissance nucléaire du Moyen-Orient. L'Arabie Saoudite n'a même pas un milligramme de plutonium, pas la moindre centrale, pas le moindre réacteur pouvant leur en fabriquer. Ils sont sans défense, les pauvres. A moins...

– Oui ? A moins que ? Je commençais à être intrigué, mais pas par la teneur de ce qu'il me disait.

– A moins que l'Amérique, reprit-il après s'être fait renouveler son double scotch, l'abrite sous son parapluie militaire, y compris le parapluie nucléaire. Le jour où les choses vont commencer à se gâter dans la région – et ne vous faites pas d'illusions, elles ne vont plus tarder à se gâter – les Arabes n'auront pas grand-chose à attendre de leurs amis européens. Ils ne peuvent même pas se défendre eux-mêmes, comment voulez-vous qu'ils aillent défendre les autres ?

– Sans doute, lui dis-je avec un peu d'impatience. Mais où est-ce que vous voulez vraiment en venir, Aldrich ?

– J'en reviens très précisément à mon point de départ. L'avenir de l'Arabie Saoudite ne peut-être garanti que par une alliance militaire étroite avec les Etats-Unis. Et pas seulement militaire : politique et économique. Aussi, comme toute alliance est fondée sur la réciprocité, je viens aujourd'hui vous donner un gage de ce qu'on peut faire dans le domaine économique. Je vous donne un coup de main pour résoudre votre petit problème avec les Italiens. Comme ça, pour rien, comme preuve de bonne volonté. C'est pas gentil, ça ?

– Pour rien ? C'est pourtant vous qui avez parlé de réciprocité ! Alors, qu'est-ce que vous voulez en échange ?

– Que les Saoudiens fassent faire marche arrière au train de pétrodollars qui s'engouffre chez eux.

– Et dans quelles proportions pour être plus précis ?

– Il nous faut un bon paquet de dollars du Moyen-Orient sur la place de New York pour les six prochains mois. Dans les cinquante milliards pour être plus précis, comme vous dites.

– Aldrich, je vous prenais pour un homme sérieux. Est-ce que vous vous imaginez vraiment que les Saoudiens vont consentir à concentrer leurs dépôts à ce point-là dans un seul pays et sur une seule devise ?

– Maintenant Hitchcock, assez plaisanté et écoutez-moi.

Aldrich vida son quatrième double scotch. Mais, avec ou sans scotch, il avait soudain retrouvé toute la lucidité, toute la dureté d'un banquier de New York, une espèce qui m'était familière s'il en était. J'appréciais la transformation d'un œil connaisseur.

– L'Arabie Saoudite, reprit-il, va bientôt devoir faire un choix. Ou bien elle continue à avoir des « rapports privilégiés » avec les Etats-Unis. Dans ce cas, elle continuera de recevoir de nous tout ce dont elle a besoin, depuis des usines clés en mains jusqu'à des systèmes radar pour sa défense aérienne. Elle continuera de profiter de ce qui se fait de mieux au monde depuis l'ingénierie jusqu'à la gestion financière en passant par la télévision. Elle continuera d'être protégée par la seule grande puissance digne de ce nom dans le monde occidental. Et elle pourra continuer à profiter de tout ça indéfiniment. Pour tout cela un prix à payer, et un seul : de l'argent. Des dollars. En liquide. Déposés dans les banques d'Amérique. Et pas dans cinq ans, tout de suite.

– Ou bien ? demandai-je après une pause symbolique.

– Ou bien quoi ? Vous croyez qu'elle a le choix ? demanda Aldrich avec un léger ricanement.

Je comprenais maintenant pourquoi j'avais été intrigué depuis un moment. Ce n'était pas Aldrich que j'avais écouté parler, c'était le Colonel Falk, de Ryad. Ou plutôt non : Falk ne faisait qu'exprimer les idées d'Aldrich et de ses amis, qui lui étaient parvenues par la voie détournée de Washington et du « système »... Les Américains forment vraiment une grande famille.

– Quant à Khaled, poursuivit Aldrich, s'il ne comprend pas de quoi il retourne, il n'a qu'à sortir de sa tente et regarder autour de lui. Il y a d'autres gens, dans la région, avec qui on n'a pas autant besoin de mettre les points sur les i.

– Et qui ça, par exemple ?

– Prenez le Shah. Il n'est pas bête, le Shah. Depuis qu'il a compris les règles du jeu, il ne demande pas mieux que de jouer avec nous, et il joue même de mieux en mieux. Vous vous rappelez l'histoire de la Pan-Am en 1975 ? Alors que le Congrès s'en lavait les mains, et que nous autres nous risquions d'y perdre un demi-milliard, il a été le seul à nous offrir de l'argent. La Pan-Am s'en est sortie toute seule, et il n'a pas eu besoin de sortir un sou. Mais il y a des tas de gens qui ne l'ont pas oublié, je vous le garantis. Et depuis, il fait des achats. Trois milliards par an, en moyenne, pour avoir ce qui se fait de mieux en armements, sans parler de deux des meilleurs réacteurs atomiques qui existent dans le monde. Avec lui, c'est un plaisir de faire des affaires.

– A condition, précisai-je, qu'il laisse des soldes créditeurs confortables dans ses comptes à New York, c'est bien ça ?

– Très juste, mon garçon.

L'air satisfait d'avoir enfin réussi à se faire comprendre, Aldrich se leva.

– Alors, parlez-en à vos amis de Ryad. S'ils veulent jouer avec nous, on leur apprendra s'il le faut. Et on est disposé à commencer tout de suite. Comme je vous le disais, je suis prêt à vous faire une fleur au départ en vous donnant un coup de main pour votre truc italien. J'irai même jusqu'à vous aider encore s'il y en a d'autres dans le même genre. Et ça, croyez-moi, ce ne sont pas des promesses en l'air : il va y en avoir d'autres, vous pouvez y compter. Toujours heureux de rendre service, Hitchcock. Et ne vous faites pas de soucis pour les taux d'intérêt, on vous donnera le maximum.

– Et... hasardai-je, s'ils ne se sentaient pas l'envie irrésistible de commencer tout de suite leur petite récréation ?

– Je vous laisse imaginer ce que ça donnerait, répondit Aldrich posément. Dans l'immédiat, vous aurez sans doute du mal à réunir le pool qu'il vous faut pour votre truc italien.

Là-dessus, il tourna les talons et quitta le bar en m'abandonnant généreusement la note des quatre double-scotchs. Et en me laissant l'impression sans équivoque que les Américains se décidaient enfin à bousculer les Arabes. Les petits jeux promis allaient ressembler davantage à du rugby – avec beaucoup de plaquages et bon nombre de mêlées ouvertes – qu'à du croquet.

Après tout, me dis-je en haussant les épaules, si ça les amuse... On avait largement de quoi s'acheter des stades, et jouer selon nos propres règles. Et choisir nos partenaires.

Comment fait-on pour qu'un ministre des Finances et un gouverneur de banque centrale laissent tout tomber pour venir vous rencontrer, en Allemagne, sous quarante-huit heures de préavis ? Rien de plus facile. Il suffit de représenter l'Arabie Saoudite et ses trésors.

Je m'en voudrais de révéler des détails sordides sur la manière dont nous nous sommes assurés la complaisance de ces deux honorables messieurs. Il se peut, après tout, qu'ils soient toujours mêlés à la vie publique de leur pays ou, s'ils ont préféré la retraite, qu'ils jouissent encore de l'estime de leurs voisins. Il me suffira de dire que nous leur avons donné vingt-cinq pour cent de la « rémunération » convenue en liquide, les trois autres quarts devant être virés à leurs comptes en Suisse à la conclusion de la transaction. Rien, donc, que de parfaitement normal.

Cela fait, et nous étant aimablement débarrassés de ces aimables gentilshommes, nous appelâmes le président de l'ENI, Longo, au téléphone. Par miracle, l'appel fut enregistré et la communication audible. Il ne s'agissait pas de lui demander sa permission, il ne pouvait rien faire pour bloquer notre petite transaction : l'ENI est une entreprise d'Etat, et nous venions d'acheter les représentants de l'Etat. Notre appel n'était que de pure politesse, pour voir si Longo n'avait besoin de rien : il avait besoin de capitaux frais. Nous lui en offrîmes deux cent cinquante millions, il en voulait trois cent cinquante. On tomba d'accord sur trois cents. Il ne voulait pas payer plus de dix pour cent d'intérêt, nous en voulions douze. On transigea à onze. Il voulait son capital pour dix ans, nous ne voulions pas le prêter pour plus d'un an. On se mit d'accord sur trois. Il réclamait tout cela confirmé par écrit et sans délai. Nous refusâmes purement et simplement. On compromit sur une lettre d'intention, cosignée de Reichenberger et de moi-même, que nous lui enverrions dans quinze jours. On s'est quittés très bons amis.

Ainsi, le 2 décembre 1978, tout était réglé. Il ne restait plus qu'à rassembler les fonds.

Aldrich s'était vanté de pouvoir y arriver en cinq coups de téléphone, tous locaux. Pour Reichenberger et moi, il en fallait malheureusement davantage : neuf appels, tous à l'inter. Et qui nécessitaient un peu de travail préparatoire.

J'eus l'occasion de vérifier, à cette occasion, que les Allemands ne sont pas loin derrière les Suisses – qui sait, parfois même en tête ? – en ce qui concerne l'efficacité. Le personnel de la Leipziger Bank avait pensé à tout : le texte des télex était prêt, les projets de contrats aussi, jusqu'au dernier détail. On avait fait des tableaux récapitulatifs, qui comprenaient les quotas de participation pour chaque pays, les conditions de l'emprunt, les clauses de pénalité pour retrait injustifié, sans oublier un bordereau extrêmement détaillé des biens offerts en garantie. Reichenberger avait insisté pour ajouter une clause à laquelle je ne trouvais rien à redire : l'emprunt serait fait en marks, et non en dollars. Le mark, après tout, était toujours la devise la plus forte du monde, et Ryad ne pourrait que s'en réjouir.

Les télex furent envoyés simultanément aux neuf banques invitées à participer au pool. Il est inutile de préciser que la First National Bank of America n'en faisait pas partie. Le lendemain matin, nous envoyâmes les neuf coups de téléphone si soigneusement préparés : les neuf réponses furent positives, et devaient être confirmées par télex sous vingt-quatre heures. Il n'était pas quatre heures de l'après-midi que tout était proprement ficelé, emballé et prêt à livrer : nos trois milliards, plus les trois cents petits millions pour faire plaisir à Longo.

Ce soir-là, au comble de la joie, Reichenberger se laissa aller jusqu'à m'inviter chez lui. En compagnie, à vrai dire, de son conseil d'administration au grand complet. L'on but abondamment à l'événement qui marquait la naissance de la nouvelle alliance financière entre l'Allemagne et l'Arabie. On but à bien d'autres choses encore. On but même tant que la plupart des participants à cette petite fête étaient complètement lessivés dès avant minuit. Tous, sauf moi.

Et je remerciais Dieu de m'avoir donné un estomac capable de résister au schnaps. Car, quand j'arrivais le lendemain matin à la Leipziger Bank, il était évident que quelque chose n'allait pas du tout. Reichenberger m'informa de la catastrophe : la banque pilote de New York avait confirmé sa réponse. Négative. Juste après, les Canadiens avaient dit, en d'autres termes, exactement la même chose. Suivis de peu par les Japonais. Les derniers furent les Britanniques, battus d'une courte tête par les Iraniens. Il ne restait que les quatre Européens : Suisses, Français, Belges et Hollandais. Le paquet bien ficelé n'était plus qu'une bouillie, le pool s'était désintégré. Pourquoi ?

Je n'eus pas besoin de beaucoup me creuser la tête pour comprendre ce qui s'était passé, et en tirer une conclusion. Et cette conclusion était fort simple : il ne faut pas chercher la bagarre contre la « bande à Aldrich » et espérer gagner au premier round. L'épreuve de force était engagée, et les camps s'étaient clairement délimités. Dans le nouveau champ clos de la finance internationale qui s'était constitué autour des nouvelles fortunes pétrolières, il y avait désormais deux équipes en présence, résolues à se battre à mort : d'un côté, Wall Street et ses satellites ou ses obligés. De l'autre côté, les Européens armés de leurs nouvelles devises fortes. L'enjeu n'était rien d'autre que les montagnes de pétrodollars des Arabes, et le droit que le vainqueur aurait de les gérer et de s'en servir à son profit.

En torpillant le « truc italien », Aldrich et les Américains savaient fort bien qu'ils jouaient un jeu dangereux. Car si l'Italie faisait enfin faillite, Wall Street la suivrait de très près. D'un autre côté, si New York n'arrivait pas à se renflouer le plus vite possible avec les dollars du Moyen-Orient, le désastre était tout aussi inévitable. Ils avaient donc choisi de jouer leur va-tout, quitte à faire de la corde raide au-dessus d'un gouffre. Et d'entraîner, au besoin, le monde entier dans leur chute.

C'est alors qu'une autre pensée me traversa l'esprit sans, je l'avoue, me faire tellement plaisir : dans la partie qui démarrait ainsi sur un coup de Trafalgar, je jouais le rôle non prémédité de l'arbitre, de l'homme clé. Car que se passerait-il si je rentrais à Ryad, et racontais tout aux Saoudiens, sans omettre un mot ni un détail ? Les Saoudiens sont des gens très susceptibles, et il y a gros à parier que mon histoire leur déplairait souverainement. Ils n'apprécient pas du tout qu'on les manipule, qu'on traite leur nationalisme à la légère, ni surtout qu'on les exploite. Que se passerait-il s'ils se vexaient ? Qu'arriverait-il s'ils décidaient de ne plus donner un sou aux Américains, s'ils retiraient tous leurs milliards déjà en dépôt chez Aldrich et ses amis ? Le marché financier de New York était déjà serré en décembre 1978, qu'est-ce qu'il deviendrait six mois plus tard, dans ces conditions ? Et pourquoi pas, tant qu'on y était, jouer le même tour aux Anglais et à la livre ? Les îles britanniques n'auraient sans doute plus qu'à couler corps et biens, et ce ne serait pas Aldrich qui irait les tirer de là !

N'allez pas croire que je sois particulièrement vindicatif. Je ne me laisse pas non plus griser par l'argent, ni par la puissance qu'il confère. Mais vous avouerez qu'il y avait de quoi être irrité, pour ne pas dire plus, et qu'Aldrich et ses amis avaient tort de sous-estimer William H. Hitchcock...

Pendant que je réfléchissais à tout cela, je me rendais parfaitement compte que j'étais encore plus mal vu de Reichenberger et de ses amis à lui. En ce matin de décembre, à Francfort, je suis convaincu qu'il m'aurait tué de ses propres mains avec une joie qui, quelques décennies plus tôt, lui aurait procuré un excellent avancement dans les S.S. Heureusement pour moi, il était trop occupé à rédiger une nouvelle série de télex annonçant aux derniers fidèles que « le projet d'emprunt Italien en euromarks est provisoirement remis à une date ultérieure ».

Reichenberger devait être convaincu que tout était de ma faute, et que c'est moi qui l'avait mis volontairement dans cette situation ridicule pour une raison obscure, ayant à voir avec quelque ruse des Américains ou des Arabes. En tout cas, il se considérait comme la seule victime de ce gâchis. Car quand on est le patron de la plus grande banque d'affaires d'Allemagne Fédérale, et qu'un pool bancaire de trois milliards de dollars vous claque dans les doigts à la dernière minute, au vu et au su de tout le monde, votre réputation en prend un coup. Les plus indifférents sourient, se demandent si vous n'êtes pas mûr pour la retraite. D'autant que – à l'insistance de Reichenberger – c'était le nom de la Leipziger Bank et le sien qui figuraient ostensiblement au bas de tous les télex, qui ornaient en majuscules tous les projets de contrats. Le malheureux avait, en effet, de quoi s'arracher les cheveux.

Quant à moi, il ne me restait qu'à me changer les idées et, surtout, à me les éclaircir avant de rentrer à Ryad et d'y préparer la contre-offensive. Tout bien considéré, je me dis que des petites vacances seraient les bienvenues. C'est ainsi que je me décidais à pousser une pointe jusqu'à Zurich. Là-bas, je le savais, j'y trouverais des distractions. Mais j'éviterais soigneusement d'y rencontrer les « gnômes ».

CHAPITRE 11

Il y avait exactement quatorze Hartmann dans l'annuaire du téléphone de Zurich. Heureusement, un seul d'entre eux avait son nom suivi de la mention « Professeur » et, par un heureux concours de circonstances, portait aussi le nom de Seligmann relié au sien par un tiret. Les Suisses sont ainsi : précis au point de toujours mentionner le nom de jeune fille de l'épouse d'un abonné. Bénissant les Suisses, j'appelais le numéro indiqué.

Ce fut elle qui me répondit. Je lui dis que je comptais passer par Zurich, où je ne resterais qu'une nuit. Pourrions nous ?...

Oui, me dit-elle, mais elle n'aurait pas beaucoup de temps à me consacrer. Son père et elle partaient pour Téhéran le 6 décembre, et elle avait énormément à faire. Si je voulais venir prendre un verre chez eux... Ce n'était pas loin de l'Institut, précisa-t-elle, sur la colline à l'est du lac. Sept heures ? D'accord.

Qu'est-ce qui qui constitue une coïncidence ? Des tas d'éléments. Il y faut plus que le seul hasard. Ainsi, tenez, prenez ce voyage que j'étais en train de faire à la fin de 1978. D'abord, je rencontre Ursula Hartmann, ensuite Randolph Aldrich. Aucune de ces deux rencontres n'avait été préparée ni même vaguement attendue. Et le même genre de choses m'était arrivé cent, que dis-je, mille fois. Et vous savez pourquoi ? Savez-vous, par exemple, quelle est la proportion de la population terrestre que vous avez une chance de rencontrer dans des endroits comme le Hassler à Rome, le Frankfurterhof en Allemagne, le Claridge à Londres ou le Beverly Hills Hotel ? Elle est si minuscule qu'on pourrait la qualifier de négligeable, en termes de statistiques, si ceux qui la composent n'étaient précisément les moins négligeables des habitants de notre planète. Pour entrer dans ces endroits-là, pour faire partie de ce club très fermé, il faut remplir des conditions très strictes : avoir de l'argent, beaucoup ; de la célébrité, au moins autant ; du pouvoir politique, scientifique, bref posséder ce que le commun des mortels ne peut rêver avoir, et qui fait que les portiers s'inclineront avec respect et que le réceptionniste ne vous répondra jamais que c'est complet. C'est à peu près la même chose dans la section de première classe des vols Los Angeles-Tokyo ou Londres-Johannesbourg. C'est pourquoi, quand vous avez l'habitude ou l'obligation de hanter ces endroits-là, vous êtes sûr d'y rencontrer immanquablement des amis, ou des amis d'amis, ou à tout le moins des gens plus ou moins directement en rapport avec ce que vous êtes venu faire dans ces lieux exotiques.

Vous m'excuserez d'avoir fait une si longue digression, mais je n'ai pas pu m'empêcher de la faire, car ces deux rencontres « par hasard » allaient prendre, sans que je le sache encore une place extrêment importante dans ma vie.

Toutefois, je ne pensais ni au hasard ni aux coïncidences quand je raccrochais après ma conversation avec Zurich. Ce qui me turlupinait bien davantage, c'était la réaction d'Ursula Hartmann. Pourquoi diable avait-elle été si facilement d'accord pour que je vienne prendre un verre chez son père ? Ce qui s'était passé entre nous à Rome avait peut-être pu nous amuser pour un moment – encore que je ne voie pas ce que ça avait de très drôle – mais ce n'était pas précisément le genre de choses qui justifie une présentation à la famille, avec courbettes et bouquets de fleurs...

D'un autre côté, elle était peut-être un peu... comment dirais-je, dérangée. Pas vraiment dérangée, mais plutôt dans le genre à avoir des fantasmes. Il lui fallait peut-être de la mise en scène pour prendre son pied. Après tout, cela arrive à des gens très bien d'avoir des problèmes de ce côté-là, non ?

Aussi, j'allai prendre mon avion pour Zurich, déposer ma valise à l'hôtel, prendre une douche. Un taxi m'emmena sur la colline au-dessus du lac, et j'appuyai sur le bouton de sonnette à sept heures pile. Il avait commencé à neiger, et cela m'avait mis d'excellente humeur. Sous la neige, le monde parait toujours plus propre, plus paisible. Et dans mon esprit de Californien féru de clichés, la neige est inséparable de la Suisse et de ses affiches touristiques. Aussi, pour la première fois depuis longtemps, je me sentais en paix avec moi-même, le monde en général et la Suisse en particulier. A quoi tiennent les choses...

Cette béatitude fut de courte durée, car je commençais à me sentir plutôt mal à l'aise dès que j'eus mis le pied dans la maison. Le professeur lui-même vint m'ouvrir la porte. Je n'avais fait que l'apercevoir très rapidement à Rome, au bar du Hassler. Maintenant que je le voyais de face et de près, je me rendis compte qu'il était affligé d'un tic extrêmement gênant : l'homme ne vous regardait pas, il vous dévisageait, il avait les yeux fixés sur vous comme avec de la colle forte. Sa poignée de main était aussi déconcertante : il vous attrapait la main, la pressait une fraction de seconde, et la lâchait comme si cela le brûlait. Il avait de longs cheveux blancs, de gros sourcils touffus, était plus petit que moi d'une bonne tête, et avait au moins vingt ans de plus.

La maison, elle, ne faisait rien pour me donner la joie de vivre. Il y faisait sombre et cela sentait le renfermé. Partout où je pouvais porter mes yeux, il y avait des rayons de bibliothèque bourrés de livres, pleins à craquer.

Ursula était dans le salon, assise sur un canapé couvert d'un velours rouge sombre comme je ne croyais plus qu'on en faisait. Tout était propre, d'une propreté suisse et méticuleuse, mais l'atmosphère était étouffante. Elle me reçut comme une princesse, me toucha brièvement la main et fit un geste pour m'ordonner de prendre place à sa gauche. Elle ne portait plus, heureusement, son uniforme de pensionnaire, mais avait revêtu pour la circonstance une robe de coktail noire, boutonnée jusqu'au cou. Malgré tout, elle était plus que belle, elle était époustouflante.

— J'ai parlé de vous à mon père, dit-elle quand j'eus pris place, et nous sommes très heureux que vous ayez pu nous rendre visite.

Le professeur avait toujours les yeux rivés sur moi.

— Père, reprit-elle, je suis sûre que M. Hitchcock aimerait boire quelque chose. Nous ne buvons que du vermouth, ajouta-t-elle en se tournant vers moi. J'espère que cela vous conviendra ?

— Certainement, dis-je, car il n'y a rien au monde que je déteste plus que le vermouth.

Le professeur fit le service, et nous nous retrouvâmes tous assis sans rien dire.

— Monsieur Hitchcock, dit soudain le professeur sans pour autant cesser de me dévisager, ma fille m'a dit que vous habitez le Moyen-Orient. A Ryad, je crois ?

– A Ryad, en effet, bien que je n'y passe guère de temps.
– Comment y est le climat, à cette époque de l'année ?
– Froid et sec, répondis-je avec une grande précision.
– Et connaissez-vous Téhéran ?
– J'y suis allé.
– Comment y est le climat, à cette époque de l'année ?
– Froid et sec.
– Avez-vous été à Abadan ?
– Oui monsieur.
– Et comment y est le climat, à cette époque de l'année ?
– Chaud. Mais sec.

Pour ceux qui ne me croiraient pas, je ne fais que rapporter cette conversation mot à mot. Il faut avoir passé une soirée chez des Zurichois pour savoir ce que c'est que la rigolade.

– Nous partons pour l'Iran, déclara ensuite le professeur d'un ton qui n'appelait pas de commentaires. Dites-moi, Monsieur Hitchcock, que pensez-vous de l'Iran ?

– C'est un pays fort intéressant. Il y a de nombreux sites archéologiques remarquables.

– Ce n'est pas ce que je voulais dire, reprit le professeur. Que pensez-vous du régime iranien.

– Ce n'est pas le plus libéral qu'on puisse rêver. Mais le Shah doit savoir ce qu'il fait, je pense.

– Et connaissez-vous le Shah ?

Je m'attendais à ce qu'il me demande sa température. Comme rien ne venait, je me mis donc en devoir de répondre.

– Je l'ai rencontré une fois, assez brièvement.

Ce n'était pas un mensonge : j'avais en effet été invité à une réception de deux cents personnes au Savoy, à Londres, donnée en son honneur par un banquier du temps où l'Angleterre espérait encore lui rafler quelques dollars.

– Et qu'en pensez-vous ? insista le professeur dont le regard pénétrait maintenant jusqu'au tréfonds de mon âme.

– C'est sans doute un homme fort intelligent.

Le professeur hocha la tête devant la profondeur de mon jugement.

– Est-il stable ? reprit-il.
– Du point de vue mental ? demandai-je.
– Oui, précisa le professeur.
– J'ose l'espérer, dis-je. Pourquoi ?
– Père, intervint soudain Ursula, je crois que le verre de M. Hitchcock est vide.

A ce moment-là, on sonna à la porte. Le professeur

alla ouvrir. Ursula resta à côté de moi sur le canapé.

— Vous ne vous ennuyez pas trop ? demanda-t-elle d'une voix qui, pour la première fois depuis mon arrivée, avait l'air normal.

— Pas du tout, mentis-je. Mais il faudrait peut-être que...

— Où êtes-vous descendu ? coupa-t-elle.

Je lui donnais le nom de mon hôtel tandis que le professeur rentrait du vestibule en compagnie de l'Errol Flynn blond qu'elle m'avait dit être israélien.

— Permettez-moi, dit le professeur, de vous présenter un de mes collègues, le professeur Ben-Levi.

Ben-Levi parlait un excellent anglais avec l'accent d'Oxford, et son arrivée dégela considérablement l'atmosphère. Il me dit combien il était heureux de faire ma connaissance, en profita pour me demander des tuyaux boursiers, se répandit en commentaires dithyrambiques — et fort pertinents — sur l'intérêt des fouilles archéologiques en cours en Iran, tout en envoyant à Ursula des regards un peu trop fréquents et un peu trop admiratifs pour mon goût. Mais Ben-Levi était, quoi que j'en pense, un homme charmant, un causeur brillant et on ne pouvait s'empêcher d'éprouver de la sympathie envers lui. Quand il en arriva à évoquer les Etats-Unis — il adorait New York, encore plus la Californie affirma-t-il — il me donna l'occasion de briller à mon tour en parlant de toutes les stars que j'étais censé connaître intimement. J'étais fort content de lui.

— Au fait, dit-il, il paraît que vous travaillez à Ryad, Monsieur Hitchcock. Mais puis-je vous appeler Bill ?

— Bien sûr, le rassurai-je.

— C'est un endroit fascinant, paraît-il.

— C'est beaucoup dire.

— Evidemment, reprit Ben-Levi, je ne suis guère en mesure d'en juger par moi-même. Mais vous savez qu'on trouve toujours qu'un endroit est fascinant quand on ne peut pas y aller, ce qui est notre cas à nous autres. Et ce Khaled, dites-moi. Croyez-vous qu'il va durer ?

— Autant que j'en sache, répondis-je. il a l'air solidement assis sur son trône.

— On parle pourtant beaucoup de tous ces jeunes Turcs qui lui en voudraient. J'ai entendu dire des choses sur un certain Abdullah, un fils de Fayçal je crois ?

— Je crois pouvoir dire qu'ils font beaucoup plus de bruit que de mal.

— Tant mieux pour Khaled, dit Ben-Levi. Et le Shah ? Croyez-vous qu'il va durer, lui ?

— Franchement, je n'en ai pas la moindre idée.

Ce que je ne dis pas, c'est qu'à l'époque je m'en fichais éperdument.

— J'ai l'impression qu'il en a encore pour un bon bout de temps, reprit-il. Il n'est pas encore si vieux que ça, après tout. Et il a surtout une armée qui lui est toute dévouée, et admirablement équipée. Ils ont même plusieurs de ces nouveaux chasseurs-bombardiers, les F-5F. C'est parait-il un avion absolument fabuleux. J'ai entendu dire que les Etats-Unis allaient encore lui en livrer une cinquantaine cette année. Est-ce vrai ?

— J'ignore tout de ce genre de choses, lui dis-je. Mais comment se fait-il qu'un physicien s'intéresse tant aux avions de chasse ?

Ben-Levi eut un petit rire de bonne humeur :

— Dans notre pays, c'est la moindre des choses ! Tous, tant que nous sommes, nous avons en permanence à nous intéresser à tout ce qui touche notre armée. Je suis moi-même pilote, depuis très longtemps. Et on me laisse encore aller faire un petit tour de temps en temps au-dessus du désert. J'adore ça. Mais parlons un peu de choses qui vous sont plus familières. Comment vont les banques, en Amérique ?

— Elles ont des problèmes pour le moment. Mais elles s'en sortiront, comme toujours. Pourquoi me demandez-vous ça ? ajoutai-je avec une petite pointe d'agacement.

— Il est tout à fait normal, vous savez, que nous nous intéressions à ce qui se passe chez vous et que nous nous inquiétions de votre prospérité. Il y a beaucoup d'Israéliens qui redoutent une crise aux Etats-Unis. Sans le dollar, nous aurions les plus graves ennuis. Il y va de notre survie, dirais-je.

— Mon cher, lui répliquai-je en espérant lui clouer le bec, vous n'avez aucune inquiétude à vous faire de ce côté-là. Le soutien de l'Amérique est totalement acquis à Israël. Enfin, presque.

— Presque ? Que voulez-vous dire ?

— Ce que je veux dire, c'est que malgré tout ce que nous avons proclamé, fait et promis, s'il arrivait un moment où le salut du pays est en cause, il est évident que les Américains penseraient d'abord à assurer la survie de leur propre nation. Il s'agit là d'une notion que vous autres Israéliens pouvez comprendre mieux que personne.

— Certainement, approuva Ben-Levi. Mais qu'est-ce que cela implique, en pratique ?

— C'est fort simple. Dans le monde actuel, il n'y a plus que deux choses qui comptent : l'argent et le pétrole. Des deux, c'est encore le pétrole qui compte le plus car sans énergie, sans pétrole, notre économie s'effondrerait, donc nous n'aurions plus d'argent. Et ça, c'est bien la dernière chose qu'un Américain accepterait d'envisager. L'argent, c'est comme son propre sang. Que voulez-vous, nous sommes devenus d'affreux matérialistes, comme vous l'avez sans doute entendu dire...

– En d'autres termes, résuma Ben-Levi, si un jour vous aviez à choisir entre le pétrole et Israël, vous n'hésiteriez pas. Vous choisiriez le pétrole.

– Précisément.

Il garda le silence pour un moment, considérant la portée de ce que je venais de dire. Mais le silence ne dura guère.

– Je comprends fort bien, reprit-il, et je ne pourrais pas vous le reprocher. Seulement, voyez-vous, nous autres Israéliens ne pouvons pas, ne devons pas faire ce genre de choix.

– Allons, allons, lui lançai-je, soyez logique ! Vous venez vous-même de dire que sans l'argent des Américains, votre pays serait voué à la destruction. Vous avez autant besoin de nos dollars que nous avons besoin du pétrole des Arabes.

– Permettez-moi de vous corriger, mon cher. Je vous ai dit qu'il y avait des Israéliens qui pensaient comme cela. Pas moi, et je ne suis pas le seul.

– Alors, qu'est-ce que vous pensez, vous ?

Pendant tout l'échange précédent, le Professeur Hartmann et sa fille n'avaient pas ouvert la bouche. Ils étaient assis au bord de leurs sièges, littéralement pendus aux lèvres de Ben-Levi et attendaient avec anxiété ce qu'il allait dire.

– Ce que je pense, ce que je crois ? reprit Ben-Levi. C'est que ma patrie n'est pas bâtie sur l'argent ni sur le pétrole. Ma patrie est fondée sur un peuple, sur une religion. Pour des siècles, des millénaires, les Juifs ont vécu en Israël, y ont prospéré, sans dollars et sans pétrole. S'il le fallait un jour, nous pourrions à nouveau vivre ainsi.

Il était loin d'être le premier Juif à tenir de tels propos en ma présence. Je m'attendais à quelque chose de plus original et, franchement, il commençait à m'énerver. Ostensiblement, je jetai un coup d'œil à ma montre. Le Professeur Ben-Levi comprit l'allusion et regarda aussi la sienne, affecta un mouvement de surprise devant l'heure qui n'était guère tardive et se leva précipitamment. Une minute plus tard, il était parti.

J'étais bien obligé d'en faire autant, et Ursula m'appela un taxi par téléphone. Le taxi arriva moins de cinq minutes après. A huit heures et demie, j'étais de retour à l'hôtel.

Elle m'appela à dix heures. Elle aurait souhaité venir, mais c'était absolument impossible. Son père avait besoin d'elle pour faire les valises, il fallait qu'elle vérifie tout dans la maison avant de la fermer. Elle était désolée, vraiment désolée, et elle espérait que nous pourrions nous revoir quand nous serions tous deux en Orient. Elle me précisa enfin qu'elle laisserait son adresse à l'ambassade de Suisse à Téhéran.

Et c'est ainsi que je passais ma soirée du 5 décembre 1978 à Zurich.

Et me couchant, j'avais l'impression désagréable que, je ne savais ni comment ni pourquoi, j'avais été attiré délibérément dans quelque piège. Mais par qui ? Et pour quoi ? L'impression s'était évanouie le lendemain matin, et je haussais les épaules pour en chasser les derniers relents. Après tout, quoi de plus inoffensif que des physiciens, des savants poussiéreux ? Et une fille comme Ursula, à laquelle je trouvais inquiétant de penser beaucoup plus qu'il n'était raisonnable.

CHAPITRE 12

Quand vous arrivez à Ryad pour la première fois, vous parvenez à vous convaincre que c'est exotique, donc pittoresque. La deuxième fois, il n'y a plus moyen de se faire la moindre illusion : il s'agit bien, comme vous n'osiez pas vous l'avouer, d'un des endroits les plus laids et les plus sinistres au monde. Ryad est bâtie en plein milieu du désert. La ville est un assemblage hétéroclite de masures innommables et de buildings flambants neufs piquetés au hasard dans un réseau de pistes de sable et de chaussées mal goudronnées. Elle est peuplée de nomades, encore tout ébahis de se retrouver dans une telle métropole et n'ayant pas voulu se séparer de leurs chiens et de leurs chèvres ; et c'est l'armée qui s'y trouve officieusement investie de la lourde responsabilité de suppléer à l'absence de tout système de ramassage des ordures. Qui, dans ces conditions, serait assez idiot, ou aurait des raisons assez impérieuses pour retourner là-bas de gaieté de cœur ?

Moi. A onze heures du matin, le 6 décembre 1978, j'étais dans un avion qui m'emmenait à Ryad. De Zurich, avant de partir, j'avais câblé au prince Al-Kuraishi en l'informant, à mots couverts, que je rentrais en Arabie Saoudite pour procéder à des consultations. J'aurais préféré passer la journée à méditer sur mon avenir qui, après un fiasco aussi éclatant que celui de mon « truc italien », devait logiquement aller se poursuivre fort loin de l'aéroport de Ryad. Selon toute vraisemblance, à une vingtaine de milliers de kilomètres de là, du côté de San Francisco.

Mes erreurs de jugement auraient dû me faire mettre irrémédiablement en tête de la liste des ennemis publics du royaume, si tant est qu'une telle liste existe. Quand je débarquai, je m'attendais au pire. Toutefois, ou bien la liste n'existait pas, ou bien on avait omis – par indulgence ou par ignorance – de m'y faire figurer car je ne fus pas jeté aux fers. Certes, le prince n'était pas venu m'attendre à l'aéroport pour m'y souhaiter la bienvenue. Mais il avait envoyé sa limousine et son chauffeur qui m'acceuillirent directement sur la piste, au pied de l'avion. Le chauffeur me remit incontinent une note du prince m'expliquant la raison de son absence : il devait assister à une réunion prévue pour midi au ministère du Plan, où je devais aller le rejoindre.

Le ministère du Plan était installé en plein centre de la ville, dans un bâtiment d'au moins cent mètres de long sur une hauteur de deux niveaux. Il constituait un excellent exemple de l'idée qu'on se fait en Arabie de l'architecture fonctionnelle. En entrant, on se trouve dans un hall de réception qui occupe la totalité du rez-de-chaussée. Cette immensité parfaitement vide ne comporte aucune décoration, mais les murs, le sol et les piliers en sont recouverts d'un marbre rose d'un effet stupéfiant. Tout au bout, au pied d'un majestueux escalier de marbre, on ne voit qu'un bureau Knoll derrière lequel est installé un secrétaire-réceptionniste. L'ensemble est vraiment d'une rare sobriété. Quand je parvins enfin au bout de ce désert climatisé, je m'annonçai au secrétaire qui, sans dire un mot, m'indiqua l'escalier derrière lui d'un geste plein de noblesse. J'y portai donc mes pas.

En haut des marches, je trouvai un autre hall de réception aux dimensions moins grandioses, dont la petitesse relative était néanmoins compensée par une riche garniture de tapis entassés sur plusieurs épaisseurs. J'y vis tout de suite mon prince, qui enfonçait jusqu'à mi-jambe. Il me repéra lui aussi immédiatement, ce qui n'était guère difficile car il n'y avait pas grand monde. Quand je le rejoignis, il me présenta aux deux personnes avec qui il parlait. L'un deux était le Cheik Ahmed Zaki Yamani, ministre du Pétrole ; l'autre le Prince héritier Fahad, que j'avais déjà rencontré et qui voulut bien m'en manifester quelque contentement. Le prince Al-Kuraishi m'expliqua brièvement que nous allions participer à une réunion du Conseil des Vingt

– le conseil privé du royaume d'Arabie Saoudite. Nous avions eu à peine le temps d'échanger une vingtaine de paroles qu'un grand silence s'abattit sur la pièce. Le roi Khaled venait d'arriver.

Encadré de quatre gardes du corps armés jusqu'aux dents, le roi traversa le hall sans s'arrêter pour gagner la salle de conférence qui lui était contiguë, et nous nous y engouffrâmes à sa suite. Je vis tout de suite que les places étaient marquées autour de la grande table : j'étais à côté d'Al-Kuraishi, à quatre places du roi. Khaled resta debout jusqu'à ce qu'on eût refermé les deux vantaux de la porte. Jusqu'à ce qu'il s'asseye, nul ne dit un mot ni ne fit un geste. Alors, seulement, dans un grand froissement de robes, tout le monde imita le roi. Pour la première fois de ma vie, je regrettais d'être en complet-veston.

Le roi prit tout de suite la parole, et s'exprima en arabe. Mes connaissances de la langue du Prophète sont assez limitées, et se bornent à une phrase voulant dire quelque chose comme : « Je suis très heureux, Monsieur, de faire votre connaissance. » Je ne sus en reconnaître les sonorités ni dans les propos liminaires proférés par le roi, ni dans le discours du Prince Fahad qui garda la parole beaucoup plus longtemps. Le prince héritier fut suivi du Cheik Yamani. Le ministre du Plan parla ensuite – sans que je puisse vous dire son nom, car je l'ai oublié. Enfin, Al-Kuraishi fut admis à présenter son point de vue. Le tout avait pris une bonne demi-heure. Alors, les portes se rouvrirent, et vingt et un serviteurs – un pour chaque participant – entrèrent en procession et servirent le thé. Pendant cet intermède, je compris que le protocole autorisait les apartés et me penchai vers Al-Kuraishi.

– De quoi, lui demandai-je, est-il question ?

– Le ministre du Plan est sur le tapis, répondit-il sans se rendre compte du déplorable jeu de mots qu'il venait de faire. Les actions entreprises par son ministère affectent tous les secteurs de l'économie. C'est pourquoi l'on a convoqué le Conseil des Vingt pour lui demander de s'expliquer. Comme vous le voyez, nous pratiquons la démocratie. A notre niveau, bien entendu.

– Et qu'a-t-il donc fait de mal ?

– Tout, répondit le prince. Notre programme de développement économique est dans un état lamentable.

– Pourtant, interrompis-je, avec les énormes fonds dont vous disposez...

– C'est précisément là le problème, répliqua le prince. Nous n'avons pas besoin de gagner de l'argent, nous avons le besoin impératif de le dépenser, de l'investir. Vite et efficacement, afin de devenir le plus vite et le mieux possible un Etat totalement indépendant à l'économie diversifiée. C'est en cela que nos efforts sont un échec complet.

Je n'eus pas le temps de lui en demander davantage, car il me fit signe de me taire. Le silence était à nouveau revenu dans la pièce, et le prince héritier avait pris la présidence de la réunion à la demande du roi. A un signal de lui, les vingt et un serviteurs avaient disparu, remplacés par deux assistants venus prendre place derrière Fahad, des dossiers à la main. Le prince fit un signe, et l'un de ces dossiers fut placé devant lui, ouvert à l'endroit convenable. Il se mit à en lire des extraits, toujours en arabe, en pointant un doigt accusateur vers le ministre du Plan — si seulement je pouvais me rappeler son nom — assis en face de lui. Je ne comprenais toujours pas davantage l'arabe, mais la signification de ce que le prince était en train de dire était assez claire pour se passer de traduction.

Fahad fit un nouveau signe de la main. La porte de la salle s'ouvrit alors comme par enchantement, et je vis entrer deux nouveaux venus habillés à l'occidentale. On ne leur offrit pas de sièges, et ils restèrent debout au bas bout de la table, la mine respectueuse et inquiète. Fahad s'adressa alors à eux en anglais, un anglais impeccable à peine teinté d'une pointe d'accent américain.

— M. Jones, dit-il, vous êtes président du Multinational Research Institute. Et vous, M. Rogers, dirigez la firme Arthur D. Rand Associates ?

— Oui Monsieur, répondirent-ils avec ensemble.

Ces deux hommes représentaient deux des plus célèbres instituts de recherche des Etats-Unis, ces fameux « réservoirs à cerveaux » possédant, en guise de stock et de personnel de production, des milliers de scientifiques, d'ingénieurs, d'économistes, de spécialistes de toutes les disciplines imaginables. Ces entreprises très spéciales étaient les super-conseils des superpouvoirs économiques et politiques de l'Occident, allant d'IBM et de la British Petroleum au Pentagone et à des gouvernements étrangers. C'était des gens comme eux qui écrivaient les scénarios et les dialogues que jouaient, sur le devant de la scène, ceux qui étaient censés prendre les décisions.

— Ce sont vos entreprises qui sont responsables de la conception de notre plan quinquennal, reprit Fahad. Est-ce exact ?

— Pas tout à fait, répondit Rogers. Nos collaborateurs ne sont intervenus qu'en tant que conseils, à titre purement consultatif. La responsabilité de la décision...

Fahad l'interrompit d'un geste d'impatience méprisante. Ce

genre de répliques pouvait, à la rigueur, prendre encore à Palo Alto ou même à Washington, mais pas ici. Sur un autre signe du prince, un des assistants lui donna un document.

— Ceci, dit Fahad, est un document que vous devez reconnaître. Il s'agit de la proposition que vous nous avez remise conjointement à la fin de 1975. Voulez-vous que je vous en lise quelques passages ?

— Ce n'est pas nécessaire, répondit Rogers.

— Je crois que si, répliqua le prince. En haut de la page 36, Résumé, Paragraphe 1, je cite : « Nous nous engageons à formuler, superviser et modifier en tant que besoin un plan de développement économique pour le compte du Royaume d'Arabie Saoudite. Ce plan budgètera l'investissement d'une somme totale de cent quarante milliards de dollars, répartie sur une période quinquennale allant de 1976 à 1980 inclus, et devra...

— Vous voudrez bien remarquer, Monsieur, interrompit Jones, qu'il n'est parlé nulle part de notre responsabilité en ce qui concerne l'application de ce plan. Nous pouvons déterminer les solutions à adopter et en suggérer la mise en œuvre. Il n'est pas de notre ressort de forcer vos gens à travailler, conclut Jones, rouge de fureur.

Fahad l'avait écouté et regardé sans ciller. Quand il reprit la parole, il avait toujours le même ton calme :

— Le plan que vous nous avez recommandé prévoit que l'Arabie Saoudite doit investir cent quarante milliards de dollars en cinq ans pour assurer le développement du pays, des villes, de l'industrie, de l'agriculture et de l'éducation nationale. A ce jour, quel est le montant de ces investissements qui a été réalisé ?

— Je ne sais pas exactement, répondit Jones. En fait, je ne sais même pas si...

— En effet, M. Jones, vous n'en savez rien, coupa Fahad. Le ministre du Plan n'en sait rien non plus. Il semble qu'il n'y ait que moi qui le sache, et je peux vous le dire très exactement. Il n'y en a pas eu la moitié. Pas même un cinquième. Alors que trois années du plan sont déjà écoulées. Monsieur Hitchcock, reprit-il en se tournant soudain vers moi, que pensez-vous d'un plan exécuté de cette façon ?

— Il est exécrable, répondis-je, le cœur battant comme un gamin à qui l'inspecteur d'académie vient de poser une question.

— Ce plan nous a néanmoins coûté plus de cent millions de dollars, poursuivit Fahad. Vous êtes américain. Que feriez-vous dans votre pays, avec les responsables d'un échec comme celui-ci ?

— Ils seraient congédiés.
— Exactement. Et c'est bien ce que je compte faire sur-le-champ.

Il jeta un regard froid vers mes deux compatriotes, toujours plantés commes des piquets au bout de la table et qui étaient devenus blancs comme des linges.

— Emmenez-les, dit-il enfin avec un signe de la main.

Deux gardes surgirent du néant et poussèrent hors de la salle les deux hommes, qui disparurent en un clin d'œil. A part moi, personne dans la pièce ne leur accorda même un dernier regard. Ils ne comptaient déjà plus. Ils n'étaient que des serviteurs qui avaient cessé d'être utiles. Des travailleurs immigrés.

Fahad reprit alors la parole en revenant à l'arabe. Au bout d'une dizaine de minutes, le ministre du Plan — c'est quand même irritant de ne pas retrouver son nom ! — se leva brusquement et quitta la pièce. Il faut lui rendre justice — même anonymement : l'homme était peut-être un mauvais ministre, mais il faisait preuve d'un sens de la dignité qui avait cruellement fait défaut aux deux Américains. Un vote suivit son départ. Il fut unanime, à une exception près : le prince Abdullah, fils du feu roi Fayçal et ministre de la Dessalination, ne leva pas la main. Il était assis en face de moi, affectant d'ignorer la présence de tous ceux qui l'entouraient, qui le lui rendaient d'ailleurs bien.

Le vote, apparemment, clôturait le débat car en un clin d'œil tout fut fini. Le roi se leva, et tout le monde avec lui pour le suivre hors de la salle. Al-Kuraishi me fit signe de rester. Quand la pièce se fut vidée, trois autres personnages étaient demeurés eux aussi : Fahad, Yamani et un autre Cheik que je ne connaissais pas. Al-Kuraishi me le présenta : c'était le Cheik Ibn Addul Aziz, ministres des Armées de terre et de l'air. J'avais entamé ma seule et unique phrase d'arabe quand il m'interrompit dans un anglais d'Oxford :

— Vous êtes un homme direct, Monsieur Hitchcock. Nous aussi. Cela me fera grand plaisir que nous travaillions ensemble.

J'en étais encore à me demander ce qu'il avait bien pu vouloir dire quand le prince Fahad nous rejoignit.

— Veuillez m'excuser, me dit-il, de vous avoir traîné dans cette affaire sans que j'aie pu vous en expliquer les raisons. Mais il fallait trancher au plus vite. Et nous ne voulions pas que notre décision, motivée uniquement pour des raisons de gestion comme vous avez pu le voir, puisse en aucun cas être considérée comme un affront envers les Etats-Unis. Nous n'avons nullement l'intention de modifier notre politique envers votre pays, ni de nous priver des services de conseillers américains. Il faut seulement que nous changions de méthode. J'espère que vous ne manquerez pas de préciser tout cela quand vous en parlerez autour de vous.

Astucieux, pensais-je, astucieux et même futé. Mon standing n'en souffrirait d'ailleurs pas si, dans certains milieux, on en arrivait à me surnommer le « Bourreau de Ryad ». A moins, bien entendu, que ma tête ne soit la prochaine à devoir rouler sur le billot...

Fahad avait deviné mes pensées, car il reprit :

— Dans quelques minutes, je vous expliquerai la nouvelle orientation que nous comptons donner à notre politique dans ces domaines. Elle implique une extension de vos responsabilités de conseiller auprès de notre gouvernement, à condition naturellement que vous envisagiez de rester parmi nous. Nous avons besoin, M. Hitchcock, grand besoin d'hommes capables de prendre rapidement des décisions, et sachant les appliquer sans hésiter. Car nous devrons désormais agir vite, très vite pour éviter de nous trouver face à des situations déplaisantes, ajouta-t-il après une légère pause, tant à l'intérieur de notre pays qu'en provenance de l'étranger. Asseyons-nous donc, fit-il en faisant signe aux autres.

Fahad prit place à la tête de la table. Il me fit signe de m'asseoir à sa droite. Al-Kuraishi prit le fauteuil à côté de moi. Les Cheiks Yamani et Abdul Aziz s'installèrent en face.

— Venons en tout de suite au cœur du sujet, reprit Fahad en s'adressant toujours à moi. Comme vous venez de vous en rendre compte, nous avons pris un retard considérable sur tous nos programmes d'équipement. Les jeunes s'en impatientent, et les mouvements étudiants font une agitation continuelle au nom du « progrès ». Car notre politique de les envoyer faire leurs études à l'étranger n'a pas que des bons côtés. Ils y prennent des idées, des habitudes en porte à faux avec l'état de notre société. Le malheur, c'est qu'ils sont soutenus dans leurs revendications par un de ceux qui ont, tout à l'heure, pris part à notre conseil — vous l'avez rencontré, je crois. Et ce n'est pas tout. Nous avons chez nous de nombreux Palestiniens. Ils avaient besoin d'un abri, de travail, et nous avons certes du travail à offrir. Ce sont des gens capables. Mais ils sont politisés, radicalisés même. En bref, il n'est plus temps maintenant de planifier ni d'étudier. Il faut agir et réaliser, avant qu'il ne soit trop tard.

Vous vous demandez sans doute, poursuivit Fahad, pourquoi je vous raconte tout cela. N'en soyez pas surpris, d'autant que votre ambassade est parfaitement au courant. L'Amérique est notre amie, elle peut, elle doit même être informée de nos joies comme de nos peines. Ce qui est plus grave, c'est que d'autres pays sont également au courant de nos problèmes et de leur évolution. Parmi ces pays, je mentionnerai tout d'abord notre puissant voisin du nord, l'Iran, et l'homme qui en dirige les destinées. Le Shah vieillit, il s'impatiente de n'avoir pas satisfait toutes ses ambitions. C'est un homme dangereux, et s'il l'est pour nous, il l'est aussi pour vous.

Je ne pense pas, continua le prince héritier, qu'il y ait quelqu'un chez vous qui puisse accepter d'un cœur léger de voir notre pays devenir la victime d'une subversion interne, pas plus que d'une invasion venant du nord. Les conséquences économiques de notre chute seraient désastreuses pour l'Occident tout entier, et je ne crois pas qu'il soit besoin d'entrer dans les détails, ils vous sont connus. Voyons plutôt ce qu'il faut faire. D'abord et avant tout, il nous faut accélérer sans délai le rythme, et augmenter considérablement les proportions de nos achats d'armements à votre pays. Ceci est un impératif de toute première priorité. Il nous faut également accroître le nombre des techniciens venant de chez vous nous aider à mettre en place ce dispositif militaire. Et cela, maintenant. Pas dans un an ou deux, mais immédiatement.

– Pardonnez-moi, interrompis-je, mais je ne vois pas en quoi le problème de la livraison d'armes puisse être insurmontable. Je connais nos gens, et...

– Erreur coupa le prince. Abdul, expliquez-lui.

– Le problème, dit alors le Cheik Abdul Aziz, n'est pas dans l'enregistrement des commandes, mais bien dans la livraison. Nous avons, par exemple, signé un marché pour l'acquisition de cent vingt intercepteurs F-16. La commande a été signée il y a cinq ans, mais les premiers appareils ne seront livrés qu'en 1981. Ce n'est pas possible... Il nous les faut au plus tard l'année prochaine, et il nous les faut tous.

– Il y a certainement quelqu'un du Pentagone qui doit pouvoir intervenir, objectai-je.

– Je viens de passer trois jours avec des gens du Pentagone, reprit le Cheik, et ils sont encore à Ryad. Ils ont été très aimables, m'ont écouté, mais me répondent toujours la même chose : ils n'y peuvent rien, ils ont les mains liées. La capacité de production est, paraît-il, limitée. Mais il n'y a pas que les avions, M. Hitchcock. C'est la même chose pour tout le reste : les missiles, les chars, que sais-je...

— Nous verrons les détails plus tard, interrompit Fahad. Vous n'avez pas répondu à la question de M. Hitchcock : pourquoi les livraisons sont-elles aussi lentes ?

— Parce que l'Amérique a promis ces mêmes armes à l'Iran, à Israël, à la Jordanie, à la Turquie, à la Corée. La liste en est interminable. La différence est que ces autres pays reçoivent leurs armes, alors que nous, nous devons attendre.

— Mais enfin, repris-je, je ne comprends toujours pas. N'y a-t-il pas eu des délais de livraison clairement indiqués au moment de la signature des marchés ?

— Bien sûr, répondit le ministre des Armées, mais notre situation était différente à ce moment-là. Nous pensions également, à l'époque, que ces questions pourraient être réglées avec une certaine souplesse.

— Je vous ai promis de ne rien laisser dans l'ombre, reprit le prince Fahad, et je vais vous dire exactement ce que le Cheik Abdul entend par « souplesse ». Nous pensions, en fait, que les conditions de livraison pouvaient être « réglées à l'amiable » en quelque sorte. C'est du moins ce que nous avaient promis nos agents et représentants — vous savez qui je veux dire et je ne citerai pas de noms — par l'intermédiaire de qui nous négocions nos achats d'armes dans le monde entier. Ces gens travaillaient à la commission, ce qui est parfaitement normal. Ne vous méprenez pas : ils ont fort bien fait leur travail, et je ne songe nullement à les critiquer. Leurs méthodes étaient parfaitement efficaces et nous ont donné entière satisfaction jusqu'à ce qu'éclatent des affaires comme Loockheed ou Northrop, et que votre Congrès s'en mêle. C'est à compter de ce moment-là que nos fournisseurs américains n'ont plus fait preuve de « souplesse ».

— Je vois, dis-je. Et cette fois, je comprenais en effet fort bien.

— La conséquence de tout cela, poursuivit Fahad, c'est que nous ne pouvons plus nous servir de nos agents. Dans votre pays, du moins, ils ont été discrédités, on les considère comme des colporteurs de souks, qui ne savent faire des affaires qu'à coups de pots de vin et de pratiques douteuses. Or, nous ne pouvons quand même pas, conclut-il en englobant d'un geste large ses deux cousins et lui-même, aller marchander nous-mêmes avec des étrangers.

Proférés par quelques Lords au temps de la splendeur de l'Empire Britannique, ces mots auraient quand même fait sursauter des auditeurs non prévenus. Ici, à Ryad, en 1978, ils ne faisaient qu'exprimer une réalité dont je ne songeais pas un instant à me choquer.

– Par conséquent, reprit Fahad, nous aimerions que vous agissiez auprès de nous non seulement dans un rôle de conseiller mais parfois aussi d'intermédiaire, en ce qui concerne certains aspects de la politique que nous entendons mener désormais et dont vous aurez connaissance. Etes-vous d'accord ?

– Oui, répondis-je.

– Bien, approuva-t-il.

Le prince héritier prit alors le dossier qui, depuis le début de nos palabres, était resté devant lui, l'ouvrit et en sortit une liasse :

– Ceci, dit-il en me la tendant, expose les grandes lignes de la politique que nous entendons mener dorénavant. Cette étude a été réalisée conjointement par le Cheik Yamani et moi-même, et a reçu l'approbation de notre roi Khaled. Vous allez en prendre connaissance sans tarder et avec attention. Si vous avez des questions, je suis à votre disposition pour y répondre. Je n'ai pas besoin de vous rappeler que ce document est confidentiel, et doit rester secret. Absolument secret, ajouta-t-il en me jetant un regard qui en disait long.

Je n'eus pas à faire un grand effort d'imagination pour comprendre son message muet, et je pris le dossier de ses mains.

La réunion étant terminée, tout le monde se leva, je saluai le prince héritier, le Cheik Yamani et le ministre des Armées et quittai le ministère avec Al-Kuraishi.

Quand nous arrivâmes à la porte, je m'attendais à monter dans la voiture du prince pour qu'il me renconduise au Hilton. Il n'en fut rien. Deux Cadillacs Fleetwood flambantes neuves étincelaient au soleil. L'une des deux était flanquée de deux hommes. Apparemment, elle m'était destinée.

– Votre chauffeur, me dit le prince, s'appelle Abdul. L'autre se nomme Hamdan. Ils sont tous les deux à votre service, et vous pouvez en disposer jour et nuit. Hamdan et ses collègues sont chargés d'assurer votre tranquillité à l'hôtel. Nous avons mis tout le dernier étage de l'Intercontinental à votre disposition. J'espère que vous y serez confortablement installé.

Il me serra la main, et me laissa en compagnie d'Abdul et de Hamdan, du dossier du prince héritier, et d'un intense sentiment de jubilation. Selon toutes les apparences, Bill Hitchcock était enfin devenu quelqu'un.

CHAPITRE 13

Mon arrivée à l'Intercontinental donna lieu à un cérémonial approprié à ma nouvelle dignité. Le directeur, entouré d'une demi-douzaine de larbins, me fit presque porter en triomphe dans le hall jusqu'aux ascenseurs. Hamdan et ses amis prirent ensuite le relai. Le dernier étage était interdit aux intrus.

Ce qui m'y attendait aurait sans doute reçu l'approbation d'Howard Hughes lui-même, pour qui vivre dans la retraite n'était concevable que dans le luxe le plus ostentatoire. Le dernier étage de l'Intercontinental de Ryad n'avait certes rien de commun avec une cellule monastique, et évoquait plutôt les fastes d'un bordel de Bangkok. Ma comparaison, à tout prendre, est plutôt déplacée car, en Arabie, on ne voit de femmes nulle part. Mêmes les femmes de chambre sont du sexe masculin. A part cela, il ne manquait rien sauf l'alcool. Mais j'avais pris mes précautions.

Pour effacer les fatigues conjuguées de mon voyage en avion et de la conférence impromptue je pris une longue douche, changeai de vêtements, commandai un déjeuner et sortis une bouteille de scotch de ma valise. Alors, je m'assis pour étudier le document ultra-secret que m'avait remis le prince Fahad.

C'était non seulement ultra-secret, c'était super-sensationnel. Ce qui était envisagé, en deux mots, n'était rien moins que le retrait de l'Arabie Saoudite de l'OPEP. L'alliance pétrolière faisait place à une alliance américano-saoudienne, ni plus ni moins. L'Arabie envisageait purement et simplement de se placer entièrement et immédiatement sous la protection du parapluie américain, économiquement, politiquement et militairement. Surtout militairement. Les Saoudiens étaient assez lucides pour se rendre compte qu'un tel bouleversement d'alliances ne pouvait, au début tout au moins, qu'éveiller des doutes sur leur sincérité, tant à Washington qu'à Wall Street. C'est pourquoi ils envisageaient d'y remédier par une campagne inspirée des principes les plus solides de l'Amérique, les seuls pouvant les faire prendre au sérieux : acheter leur alliance. Non pas en couvrant d'or la conscience des hommes politiques. Comme le prince Fahad me l'avait fait judicieusement remarquer quelques heures auparavant, les méthodes dites libanaises avaient perdu leur efficacité de manière infiniment regrettable. Ce qu'ils comptaient faire était plus simple et plus productif : battre le capitalisme américain à son propre jeu, noyer ses milliards sous leurs milliards. Après avoir ainsi fait la preuve de leur bonne volonté, ils pourraient exiger le renvoi de l'ascenseur.

Pourquoi un revirement aussi soudain et aussi radical ? Fahad en avait rapidement esquissé les principales raisons pendant notre réunion au ministère du Plan : le développement économique et militaire de l'Arabie était un échec, laissant le gouvernement du roi Khaled exposé sans défenses sérieuses aux risques tant intérieurs qu'extérieurs.

Le document donnait des détails, citait des chiffres, des échéances. Sans les reprendre in extenso, rappelons-en seulement les principaux éléments. A ce jour, l'Arabie se retrouvait virtuellement sans armée et sans développement économique, mais affligée par contre d'un surplus de liquidités dépassant trois cents milliards de dollars, ce qui était assez pour tenter la cupidité du Shah tout autant que celle du prince Abdullah et de sa bande de révolutionnaires. La conjugaison de la fâcheuse incapacité des responsables du Plan avec l'accroissement constant de la consommation du pétrole par les nations industrialisées, et l'augmentation continuelle de son prix, était responsable de cette situation explosive. L'alliance inconditionnelle avec les Etats-Unis devait prévenir la mise à feu du baril de poudre.

La deuxième partie de l'étude de Fahad considérait les modalités d'utilisation de ce volant de trésorerie de trois cents milliards. Il prévoyait, par exemple, d'investir en 1979 seulement la somme de vingt-quatre milliards pour du matériel de guerre, autrement dit de dépenser en un an ce que le Shah avait fait en dix !

Mais toutes ces belles intentions ne serviraient à rien si, comme l'avait fait observer plus tôt le ministre des Armées, les commandes placées aux Etats-Unis n'étaient pas suivies de livraisons. Il fallait donc obtenir que les principes de la politique étrangère de Washington soient infléchis pour favoriser les objectifs de l'alliance saoudienne. C'est là que le projet de Fahad devenait vraiment passionnant, du moins en ce qui me concernait personnellement. Car il s'agissait d'un exposé des méthodes à mettre en œuvre pour obtenir cet infléchissement.

Ces méthodes pouvaient se résumer à ceci : transférer massivement – et quand je dis massivement, vous pouvez me croire, c'était massif ! – les avoirs saoudiens encore placés dans les principaux centres financiers mondiaux pour les placer à New York. Jusqu'à présent, les Saoudiens avaient agi avec une prudence que je n'avais pu qu'approuver, et avaient judicieusement réparti leurs risques. Leurs liquidités avaient pris le chemin de Zurich, Londres, Paris, Francfort, Bruxelles, Amsterdam, Singapour, et j'en passe, et se trouvaient transformées en marks, en livres, en francs, en roupies, que sais-je encore. La liste en était interminable, et je la connaissais par cœur. A partir de 1979, tout cela allait changer : ce serait du dollar, encore du dollar, et ce ne serait plus que Wall Street. J'étais chargé de vider les tirelires pour remplir le coffre.

Malgré les dangers que cette manœuvre impliquait, les raisons qui l'inspiraient en étaient claires et parfaitement logiques. A partir du moment où ce flot de dollars commencerait à se déverser sur la place de New York – avec la perspective d'une continuation encore plus impressionnante – les heureux bénéficiaires s'empresseraient de faire exactement ce dont les Saoudiens avaient besoin : ils iraient faire le siège du gouvernement. Ou plutôt – le système, rappelez-vous ! – ils ordonneraient à leurs gens de s'occuper de l'Arabie comme elle le méritait.

Je ne pouvais douter un seul instant que mon vieux copain Randolph Aldrich de la First National Bank of America, serait le premier à intervenir auprès du Pentagone, du Département d'Etat et de la Maison-Blanche. Je pouvais même prédire que si, dans la foulée, nous prêtions quelques milliards à la municipalité de New York, nous y verrions vite les politiciens juifs les plus influents se tourner vers La Mecque matin et soir pour faire leurs prières.

Et ce n'était pas tout. Le projet de Fahad comportait un dernier argument, sans doute encore plus décisif. L'Arabie allait proposer à l'OPEP un gel du prix du pétrole pour trois ans, en sachant pertinemment que les autres membres du cartel s'empresseraient de refuser avec indignation. L'Arabie, alors, s'en retirerait avec éclat et conclurait un accord à long terme avec les Etats-Unis. Les termes de cet accord porteraient précisément sur ce gel, ou plutôt sur une garantie des prix, cette garantie étant bilatérale : les Saoudiens s'engageraient à ne pas les augmenter, tandis que les Américains s'engageraient à ne pas les faire baisser. C'était une des plus belles opérations de relations publiques qu'on puisse concevoir. En Amérique, le public hurlerait de joie et porterait les bons Saoudiens aux nues. Et l'opinion viendrait ainsi prêter son renfort aux autres influences plus occultes garantissant à l'Arabie son soutien militaire et économique.

Quand j'eus enfin fini la lecture du document, et que j'en eus repris quelques passages pour mieux m'en pénétrer, il était déjà près de cinq heures, l'heure des cocktails. Sans réfléchir, j'enfilai ma veste et me préparai à descendre au bar quand l'horrible vérité vint une fois de plus me frapper en plein visage : il n'y avait pas de bar dans un rayon de plusieurs milliers de kilomètres. Il n'y avait pas de femmes non plus. Rien. Nulle part. Il ne me restait qu'à implorer Dieu pour qu'Il fasse un miracle.

Allah entendit mon cri de désespoir. Le téléphone sonna.

– Bill ! entendis-je. C'est toi ?

– Oui, répondis-je sans trop savoir qui c'était.

– C'est moi, Reggie. Reggie Hamilton.

Je n'avais plus revu Reggie depuis ce déjeuner mémorable au Bohemian Club à San Francisco, où il m'avait présenté au prince Al-Kuraishi.

– Reggie ! m'écriai-je. Tu ne peux pas savoir ce que ça me fait plaisir d'entendre ta voix ! Où es-tu ?

– Ici, en ville.

– Et qu'est-ce que tu fabriques ?

– Toujours la même chose. Je conseille l'Arabie pour son pétrole.

– Viens me voir, vieux frère, tout de suite. J'en ai des choses à te raconter !

– Tu ne préfèrerais pas plutôt venir nous voir ?

– Nous ? Qui ça, nous ?

– Je suis installé ici avec ma femme. On a loué une maison.

– Je ne demande pas mieux, si mes zèbres me laissent sortir d'ici.

– Te laissent sortir ? Qu'est-ce qui t'arrive ? demanda Reggie d'un ton inquiet.

– Je bénéficie d'une escorte pour me protéger.

– C'est bon ou c'est pas bon ?

– J'imagine que c'est plutôt bon, pour le moment du moins. Donne-moi ton adresse, mon chauffeur saura bien se débrouiller.

– Bill, ça se voit que tu ne connais pas encore le coin. Il n'y a pas d'adresse, ici. Je vais venir te chercher dans une demi-heure, ça te va ?

En raccrochant, je poussai un gros soupir de soulagement à la pensée que je n'aurais pas à passer la soirée en ma seule compagnie. Mais ma joie était plutôt douchée à la pensée qu'il ne s'agissait sans doute pas de vulgaires retrouvailles entre deux vieux amis. Car Reggie Hamilton faisait partie de la crème des chercheurs attachés au Multinational Research Institute, celui-là même dont j'avais, pas plus tard que ce matin, exécuté par procuration le grand patron, M. Jones. A vrai dire, j'étais un peu inquiet.

Quand je sortis de mon appartement, l'homme de garde à la porte resta paisiblement assis et ne parut pas remarquer que je m'en allais. Mais quand je quittai l'ascenseur dans le hall de réception, Hamdan vint me proposer ses services. Je lui dis que j'allais dîner chez des amis, et qu'on venait me chercher en voiture. Fort bien, répondit-il. Le chauffeur et lui nous suivraient dans la limousine afin que je dispose de mon moyen de transport pour rentrer. J'eus beau lui dire et lui répéter que ce n'était pas la peine, et que mon ami me raccompagnerait, il ne voulut rien savoir, et j'abandonnai. Après tout, je n'avais rien à cacher.

Reggie arriva en Mercedes. Il nous emmena d'une main sûre jusqu'à une sorte de banlieue résidentielle où on aurait juré se trouver à Palm Springs ou Phœnix. Les maisons étaient rigoureusement les mêmes, le ciel aussi. Par contre, on était un peu surpris de voir les chaussées en terre et les gazons de sable où s'étiolait, ça et là, une touffe d'herbe grisâtre. Avec un clin d'œil, Reggie me conseilla d'attendre d'avoir vu l'intérieur : l'illusion serait complète.

Sa femme, Pat, nous attendait à la porte. Je la connaissais peu, et n'eus pas envie de renouer des liens qui n'avaient jamais été très serrés. Elle était fade et assez chipie. Son « intérieur » était d'une banalité à faire pleurer. Elle avait réussi à recréer, en plein milieu de l'Arabie, ce qu'il y avait de plus déprimant dans le mauvais goût de l'Amérique. Je dis quelques mots polis. Reggie ne dit rien : il était marié avec elle depuis vingt-quatre ans, et avait abandonné la lutte. Par contre, il me manifesta chaleureusement son appréciation de la bouteille de Chivas Regal que j'exhibais. Pat en profita pour disparaître dans la cuisine, et

Reggie nous versa deux doses à saouler un général ougandais.

– Reggie, lui dis-je après en avoir avalé une bonne lampée, je suis désolé pour ce matin. Tu n'as pas d'ennuis, toi au moins ?

– Moi ? dit-il en riant. Pas le moins du monde. Je travaille avec Yamani, au ministère du Pétrole. Quant aux autres andouilles, ils n'ont eu que ce qu'ils méritaient. Je leur prédisais depuis longtemps qu'ils se préparaient un triste avenir, avec les idioties qu'ils voulaient faire avaler aux Saoudiens. Ces jeunes, ils croient toujours tout savoir mieux que tout le monde !

– Alors, hasardai-je, tu es au courant de ce qui se prépare ?

– Plutôt, oui.

Reggie alla chercher des papiers dans un tiroir de son bureau, à l'autre bout de la pièce. Quand il me les tendit, je reconnus instantanément une copie du document ultra-secret du prince Fahad.

– J'aurais dû m'en douter, soupirai-je. C'est de toi ?

– Pas tout. Mais cela fait des années que nous en parlons. Yamani et moi. Depuis 1975, il fait de l'obstruction à chaque réunion de l'OPEP. Les autres le haïssent, et surtout les Iraniens. Les Lybiens presque autant, d'ailleurs. Jusqu'à présent, les seuls qui prennent son parti sont les Koweïtiens. Il y a d'ailleurs des chances pour que le Koweït quitte lui aussi l'OPEP ce qui flanquerait complètement le cartel en l'air. Quand ça se passera, tu peux te douter que l'Iran, l'Irak et la Lybie vont gueuler comme des perdus.

J'allais répondre quelque chose de pertinent quand je remarquai du mouvement dans la rue. Ma Cadillac, avec Abdul et Hamdan, était venue se garer derrière la Mercedes de Reggie tout de suite après notre arrivée. Maintenant, une autre voiture manœuvrait pour se garer devant.

– Qu'est-ce que c'est ? demandai-je. Ami ou ennemi ?

– C'est selon, répondit Reggie avec un air penaud. J'aurais dû te dire que je t'avais attiré dans un piège. C'est le Général Falk qui est en train d'arriver.

– La dernière fois que je l'ai vu, fis-je observer, il n'était que Colonel.

– Il a eu de l'avancement.

– Et il est au courant de tout ça, lui aussi ? demandai-je incrédule et même, avouons-le, un peu vexé.

– Complètement, totalement et entièrement. Il remplit exactement le même rôle que moi auprès du ministre des Armées, le Cheik Abdul Aziz.

– Autrement dit, explosai-je, ce n'est pas le prince Fahad qui m'a donné de l'avancement ce matin, c'est vous deux ! Et moi, je ne suis que votre couverture ! C'est moi qui vais faire la putain à votre place !

– A part ce que tu viens de dire sur le fait de faire la putain, c'est plus ou moins l'idée générale, en effet, approuva Reggie avec un sourire épanoui.

– Et si je comprends bien, repris-je en affectant le dégoût le plus profond, l'autre fumier et toi vous m'aviez déjà pris dans votre collimateur quand tu es venu avec Al-Kuraishi me proposer le job, à San Francisco ?

– On commençait à y penser, je l'admets, répondit Reggie sans en paraître autrement gêné.

J'allais répondre par une grossièreté quand la porte sonna Pat sortit de sa cuisine pour aller ouvrir, et je sentis fondre ma fureur. Car Falk n'avait pas amené de fleurs mais une bouteille de whisky. Pat la prit avec un air pincé et retourna à ses fourneaux.

– Reggie, commença Falk, pourquoi est-ce que tu habites toujours un pareil taudis ?

Je n'avais pas osé le dire moi-même, mais il était évident que cette maisonnette sinistre ne convenait guère au standing de l'adjoint préféré du Cheik Yamani. Tandis que Reggie expliquait, l'air gêné, que Pat s'y trouvait bien, Falk m'empoigna la main et la secoua avec cordialité.

– Dr. Hitchcock, content de vous revoir ! Félicitations pour votre promotion !

– Les miennes aussi, répondis-je sans relever. Reggie vient de m'apprendre que vous êtes général.

– Et si tout marche comme on veut, répondit-il bruyamment, les Saoudiens vont même me nommer amiral ! Pas vrai. Reggie ?

Sans attendre de réponse, il envoya une grande claque sur le dos de Reggie et disparut dans la cuisine, d'où sortit un instant plus tard un cri d'indignation. Le vaillant général avait probablement laissé sa main errer sur le postérieur osseux de son hôtesse, ce que je ne pus m'empêcher de saluer d'un sourire Reggie me le rendit, ce qui prouvait au moins qu'il avait les idées larges, et qu'il comprenait à quelles extrémités coupables pouvait mener l'abstinence forcée à laquelle l'Arabie contraignait ses fidèles serviteurs.

Falk sortit de la cuisine avec un verre à orangeade rempli à ras bord de son breuvage préféré, le bourbon. Il s'assit à côté de moi et attaqua sans plus de préambules :

– Alors, Hitchcock. Quand est-ce qu'on commence ?

J'envoyai un coup d'œil interrogatif à Reggie. Il me fit signe que je pouvais y aller.

– En janvier, dis-je. Il me faut le temps d'organiser un peu le travail, au Fonds Monétaire.

– Encore un mois à s'emmerder ici ! soupira Falk.

– Qu'est-ce que vous voulez dire ?

– Instructions formelles. Aucune action de notre part – vous savez les livraisons d'armes – jusqu'à votre feu vert. Valable même pour Abdul Aziz.

Falk retombait instinctivement dans la concision qui rend les notes de service du Pentagone des petits chefs-d'œuvres de la littérature de tous les temps.

– Et pourquoi ça ? demandai-je de mon air le plus naïf.

– Vous ne savez donc vraiment pas de quoi il retourne ? demanda Falk en retrouvant soudain l'usage des verbes. Ça fait des années que je me casse le tronc à essayer de convaincre ces enfoirés du Pentagone. Qu'ils disent à ces Israéliens, à ces Egyptiens, à ces Iraniens d'aller se faire foutre. C'est ici, en Arabie, que ça se passe. C'est aux Saoudiens qu'il faut donner ce qu'ils demandent. Et pas demain ni après-demain, tout de suite. Mais non. Ces cons-là, tous tant qu'ils sont, ils ne veulent même pas écouter. Et pourquoi ? Parce qu'ils sont tous achetés. Oui, des vendus ! Je vous jure c'est pas facile de nos jours d'être un vieux soldat intègre !

J'aurais volontiers parié le montant de la pension alimentaire que je verse à ma femme – c'est-à-dire une somme qui, même en Arabie, attirerait un murmure de respect – que le vieux soldat intègre avait quelques petits millions bien planqués quelque part en Suisse. Mais ce n'était pas à moi de critiquer les derniers défenseurs de l'esprit d'entreprise..

– Vous voulez savoir contre quoi il faut que je me bagarre ? demanda-t-il en sachant parfaitement qu'il allait y répondre de toute façon. Contre la plus puissante mafia qu'on ait jamais vu dans l'histoire des Etats-Unis. Le Shah a acheté tout le monde, depuis la famille Kennedy au grand complet jusqu'au Sénat. Il les a couverts de dollars, par millions ! Nom de Dieu, ajouta-t-il hors de lui, il y avait même une époque où on n'osait pas envoyer ici des surplus de 1945 sans avoir demandé la permission à Téhéran, ou sans demander au Caire ou à Tel-Aviv s'ils n'en avaient pas besoin !

– Et vous croyez vraiment que les choses peuvent changer si vite que ça ? demandai-je.

– Tu parles ! affirma-t-il. Du moins si j'en crois ce que me dit le Cheik Abdul. Vous les tartinez de fric, Hitchcock. Reggie les noie dans le pétrole. Et mon boulot devient un vrai plaisir. A nous trois, il ne faudra pas longtemps pour que l'Arabie se mette à ressembler à l'Allemagne de 1939.

Le brave général avait sûrement un don sans pareil pour donner aux choses une perspective inédite et imagée. Il fallait vraiment des hommes comme lui pour défendre l'Occident et les libertés démocratiques.

— Falk, lui dis-je en reprenant mon sérieux, la dernière fois que nous nous sommes vus, vous me disiez qu'il fallait se méfier du prince Abdullah, et qu'il mijotait quelque chose. Est-ce que ses projets prennent corps ?

— Plutôt, et exactement comme je le prévoyais. Il racole les Palestiniens à tour de bras. Je ne lui donne pas un an pour que ses troupes dominent l'armée saoudienne à cinq contre un.

— C'est exact, approuva Reggie. Et il n'y a pas que les Palestiniens, les Yéménites sont aussi dans le coup.

— Explique-moi un peu ça, dis-je. Je ne te suis plus.

- Alors, écoute commença Reggie de son ton le plus doctoral. A la base, les économistes et les planificateurs se sont complètement foutus dedans. Parce que, pour assurer le développement économique et social d'un pays, il ne suffit pas d'avoir du capital. Il faut aussi de la main-d'œuvre. L'Arabie Saoudite a du capital à revendre mais pas de main-d'œuvre. D'abord, parce que la moitié de la population ne compte pas : les femmes. Cela nous laisse donc à peine deux millions et demi d'hommes pour constituer le total de la population active. Mais ces hommes-là se refusent absolument à faire des travaux qu'ils considèrent infamants. On n'y peut rien, cela fait partie de la tradition des Bédouins. Ce qui ne veut pas dire qu'ils sont opposés au capitalisme, ni qu'ils n'y comprennent rien, bien au contraire, car ce sont des commerçants de première force. Ici, tout le monde ne rêve que d'avoir sa boutique. Mais s'il s'agit d'aller travailler de ses mains, sur un chantier ou dans un port, il n'en est pas question. C'est pourquoi le développement de l'Arabie, en tant que nation industrialisée, doit reposer sur la main-d'œuvre immigrée. Ce n'est pas neuf, et tous les pays industrialisés ont dû, bon gré mal gré, en passer par là depuis vingt ou trente ans. Aussi, l'Arabie est-elle allée chercher sa main-d'œuvre là où elle se trouvait. Chez les Palestiniens, qui ont fourni l'élite, les techniciens. Et au Yémen, pour trouver les manœuvres et les balayeurs. Tout le succès du plan quinquennal dépendait donc des immigrés.

– Ce n'est peut-être pas très sain, fis-je observer, mais pourquoi pas ? On a vu d'autres exemples...

– Je vais vous dire pourquoi pas, coupa Falk. Tous ces immigrés ne sont qu'une bande de radicaux et de révolutionnaires, travaillés par la Lybie qui est travaillée par les Russes et par les Cubains. Et Abdullah veut jouer au plus malin avec tout le monde, et prendre la tête de tous ces mécontents, s'en servir pour se débarrasser de toute la bande – Khaled, Fahad, Yamani, Aziz et les autres – et établir ici une république populaire où il jouerait le rôle d'un nouveau Nasser. C'est vrai ou pas ? dit-il à l'adresse de Reggie.

– Exact, approuva Reggie. Et c'est là que le cercle vicieux se referme. Si on arrête l'immigration ou qu'on renvoie les étrangers chez eux, il n'y a plus d'industrialisation. Si on les garde et qu'on continue à en faire venir, on prépare une révolution.

– Combien y en a-t-il pour le moment ? demandai-je.

– Près d'un million, dit Reggie. Le plan quinquennal en prévoyait cinq cent mille de plus.

– Et c'est pour ça que le plan a été sabordé ce matin ?

– Exactement. Mais le premier million est toujours là.

Plus le Shah d'Iran à la frontière nord, pensais-je.

Pat émergea alors de la cuisine, portant un plateau de sandwiches et de canapés absolument immangeables. On en profita néanmoins pour prendre une petite récréation et remplir nos verres. Elle voulut se mêler à la conversation, et me demanda des nouvelles de ma femme. Je coupai court.

– Il va falloir que je m'en aille, dis-je en regardant ostensiblement ma montre. Si nous essayions de mettre au point un emploi du temps ? Comme nous sommes tous dans le coup...

Cela ne prit même pas une demi-heure : Reggie avait tout prévu et en avait déjà préparé un. Le général Falk n'était pas non plus aussi épais qu'il voulait bien s'en donner l'air, et fit même preuve d'une étonnante agilité d'esprit quand il fut question d'autres choses que de l'exposé de ses théories fascistes. Nous finîmes par tomber d'accord qu'il fallait compter six à sept semaines de travaux préparatoires avant d'attaquer le programme défini dans le projet Fahad-Reggie. Nous tombâmes également d'accord sur le fait que ce que nous avions prévu était conforme à la lettre et à l'esprit de ce que nos patrons respectifs – le ministre du Pétrole, celui des Armées et le prince héritier – attendaient de nous.

Pat sortit à nouveau de sa cuisine au moment où Falk et moi nous apprêtions à partir. Elle nous annonça que le jour de l'an était dans trois semaines, et qu'elle nous invitait à passer le réveillon avec eux. Avec amabilité, j'évitai de m'engager.

Mais quand j'eus passé ces trois semaines à travailler douze heures par jour pour répartir nos dépôts bancaires sur de nouvelles bases, modifier les dates d'échéance, conférer avec Fahad, Yamani et Abdul Aziz, sans parler des monceaux de paperasses que tout cela entraînait, et le reste de mes soirées enfermé tout seul à l'Intercontinental, je capitulai. J'allai réveillonner chez Reggie. Lui et Pat représentaient le seul simulacre de famille que j'avais dans cette partie du monde et tout valait mieux que la solitude Si seulement Ursula avait été là ! Mais Ursula n'était pas là...

Je ne suis pas prêt d'oublier le toast que le brave général Falk porta à minuit à la santé de la nouvelle année, avec toute la subtilité et la recherche littéraire que l'on est en droit d'attendre d'un ancien demi de mêlée de l'équipe de West-Point[1] :

– Messieurs ! brailla-t-il en levant son verre débordant. à 1979 ! On est partis pour le championnat... ou on crève !

Sur le moment, je n'y avais vu qu'un bafouillage de vieux soldat avec un verre dans le nez, qui mélangeait le sport de sa jeunesse avec un héroïsme de bibliothèque de gare.

1. West-Point est le St Cyr des Etats-Unis.

1979

CHAPITRE 14

Le 18 janvier 1979, à onze heures du matin, un Bœing 707 de l'armée de l'air royale saoudienne décolla de Ryad pour Téhéran. Il y emmenait l'équipe des négociateurs chargés, avec l'approbation du conseil royal, d'entreprendre les pourparlers préliminaires à la mise en place de la nouvelle politique étrangère du royaume. Ils étaient placés sous la direction conjointe de deux des membres du triumvirat exerçant désormais le pouvoir en Arabie, le prince héritier Fahad et le Cheik Yamani, ministre du Pétrole. Le troisième, le Cheik Abdul Aziz, ministre des Armées, était resté à Ryad.

Mes nouvelles fonctions de conseiller financier des trois hommes justifiaient ma présence officielle au sein de la mission. Reggie Hamilton, conseiller privé du Cheik Yamani depuis 1972, en faisait également partie.

L'objet de cette mission était d'annoncer au Shah d'Iran et à son ministre du Pétrole, Jamshid Amouzegar, que l'Arabie allait donner une orientation radicalement nouvelle à sa politique pétrolière et entendait reprendre son indépendance. Une telle déclaration – formulée en termes aussi vagues et généraux que souhaitable - faisait partie d'une stratégie décidée par le prince Fahad, qui avait préféré attaquer par des conversations bi-latérales avec l'Iran plutôt que d'attendre la réunion plénière de l'OPEP qui devait se tenir en avril.

– Faisons, avait-il déclaré pendant notre dernière réunion qui avait eu lieu la veille à son palais, faisons comme si c'était l'Iran qui portait la responsabilité du démantèlement de l'OPEP en voulant nous imposer son intransigeance. Si nous convoquions une réunion plénière, nous risquerions de nous mettre tous les pays membres à dos. En nous y prenant ainsi, au contraire, nul ne saura jamais la vérité.

La manœuvre était habile. Depuis plusieurs années, le Shah avait insisté pour être le seul porte-parole de l'OPEP. Contrairement à l'Arabie Saoudite, en effet, l'Iran avait un besoin désespéré de continuellement accroître le volume de ses revenus pétroliers pour pouvoir financer les projets grandioses du Shah, en dépit de l'opposition sourde de nombreux pays producteurs qui doutaient de plus en plus de la capacité de résistance des économies occidentales à ces pressions devenues insoutenables pour beaucoup. Par ailleurs, Fahad préférait ne pas créer un affrontement direct avec le Shah et son ministre en public. Il y avait, en effet, un risque certain de les voir réagir de manière excessive pour ne pas perdre la face. Ces réactions pouvaient même prendre la forme d'une intervention militaire, et les Saoudiens n'étaient pas encore prêts, tant s'en fallait, pour ce genre de confrontation.

L'intérieur de l'avion était luxueusement aménagé et offrait de l'espace pour s'y déplacer. En fait, il s'agissait d'une copie conforme d'Air-Force-One, l'avion personnel du président des Etats-Unis, que Bœing s'était fait un plaisir d'offrir – sans supplément de prix – à son prestigieux client. Au lieu des rangées de sièges entassées comme dans les avions de ligne, il n'y avait que des groupes de fauteuils confortables disposés autour de tables, des canapés, un bar. A la différence de l'avion présidentiel, il n'y avait heureusement pas la foule bruyante des journalistes et des photographes en train de boire aux frais du contribuable.

Fahad s'était retiré et méditait. Mais Yamani était d'excellente humeur et plutôt bavard. Depuis un mois que duraient nos réunions au cours desquelles nous mettions au point, parfois jusque tard dans la nuit, les détails du grand projet, j'avais eu l'occasion de l'approcher souvent de près. A quarante-neuf ans, il était devenu l'un des hommes les plus puissants du royaume, et il le méritait amplement. Il possédait une classe naturelle le mettant à la hauteur de ses responsabilités. Yamani était originaire de La Mecque, où son père exerçait les doubles fonctions de professeur coranique et de juge. Dans cette tradition, il avait fait des études de droit – occidental toutefois – à l'Université du Caire d'abord, puis à New York et à Harvard, et avait su intimement assimiler et mêler harmonieusement cette dualité. En lui, l'Orient et l'Occident avaient produit une synthèse enrichie des deux influences, au lieu de s'y combattre. Il était capable d'analyser une symphonie de Mozart ou les œuvres de Camus, mais allait prier tous les jours à la mosquée et montait à cheval comme un Bédouin. A Londres, à Paris, à New York, il portait avec une élégance parfaite les chefs-d'œuvre de discrétion des tailleurs de Savile Row. Ici, toutefois, il s'était vêtu de la grande robe noire traditionnelle, l'aba, et du « ghutra », le voile blanc retenu par une épaisse cordelière noire. Ainsi accoutré, il était impressionnant. Mais il déployait toujours son charme proverbial.

Peu après le décollage, il était venu nous rejoindre à la table où je m'étais assis avec Reggie.

– Dites-moi, Dr. Hitchcock, avez-vous jamais rencontré le Shah ? me demanda-t-il après quelques échanges de politesses.

– Une fois, et fort brièvement, répondis-je. C'était à Londres, en 1972, à un dîner en son honneur au Savoy.

– Et Amouzegar ?

– Jamais.

– Vous n'avez rien perdu, dit-il. C'est un rustre et un grossier personnage, qui ne se complaît qu'à dire et faire des plaisanteries de mauvais goût. Et, dites-moi, poursuivit-il, vous avez fait des études à l'Institut des Affaires étrangères de Georgetown, je crois. Comment se fait-il que vous n'ayez pas poursuivi une carrière diplomatique ?

– Parce que j'ai entrepris d'autres études, répondis-je, des études économiques à Londres. J'ai subi, si je puis dire, l'influence de mon père qui était banquier. Il rêvait de me voir prendre sa suite. C'est ce que j'ai fait, en augmentant le petit capital et la banque qu'il m'avait laissés. J'ai tout revendu dix ans plus tard.

– En effet, j'ai appris que vous aviez pris une retraite très anticipée, dit-il avec un sourire. Et que pensez-vous de l'avenir du capitalisme, Dr. Hitchcock ?

– Extrêmement précaire.

– Je suis d'accord. Ce qui m'intéresse, c'est de savoir comment vous parvenez à cette conclusion.

– Voulez-vous que je vous l'explique simplement, ou en détails ?

– Simplement, répondit le Cheik en souriant.

Il paraissait connaître assez les économistes pour redouter leurs longs discours.

– Je vais essayer, répondis-je en lui rendant son sourire. A mon avis, on peut dire que le système capitaliste est entièrement basé sur la croissance économique. Car seule la perspective de l'accroissement de la rémunération du capital, ou de sa valeur nominale, attire les capitaux vers les investissements. Or, ce sont les investissements de capital qui font tourner le système. Si les possesseurs de ce capital ne peuvent espérer un tel accroissement de sa valeur ou de sa rémunération, donc s'il n'y a pas un niveau suffisant d'investissement, les pouvoirs publics doivent intervenir pour éviter le chômage qui, s'il prend des proportions trop importantes, peut éventuellement mener à une situation révolutionnaire. Le Portugal nous a donné récemment un exemple de cette évolution. Vous me suivez ?

Yamani hocha la tête.

– La Grande-Bretagne représente un autre exemple de cette évolution du capitalisme. A la fin de la guerre, la croissance économique s'y est ralentie pour pratiquement s'arrêter. Cet arrêt de la croissance a commencé par provoquer l'effondrement de la livre sterling, ce qui a eu pour conséquence une perte générale de confiance non seulement dans la monnaie, mais dans le potentiel de l'économie du Royaume-Uni à assurer une rémunération adéquate des capitaux. Aussi, les investisseurs anglais et étrangers ont réagi soit en retirant leurs capitaux, soit en évitant d'accroître des investissements à fonds perdus. Devant cet abaissement considérable du niveau des investissements privés, les pouvoirs publics ont dû intervenir et y ont suppléé en nationalisant des secteurs entiers de l'économie. Ils firent autre chose aussi : ils augmentèrent le volume fiduciaire pour donner à la population, en proie à un malaise croissant, l'illusion d'un accroissement de la richesse nationale. Le résultat ne se fit pas attendre, et l'Angleterre subit une inflation massive depuis des années. Les syndicats, qui ne s'étaient pas laissés duper par cette richesse illusoire, forcèrent le niveau des salaires à remonter plus vite que l'augmentation des prix. Il fallait, à ce point, que quelque chose craque. Ce quelque chose fut les classes moyennes. Le gouvernement devait taxer de plus en plus lourdement les « riches » pour satisfaire aux revendications des « pauvres ». Une fois les vrais « riches » disparus – soit ruinés, soit en exil – les « moyens » restèrent seuls à subir le poids de la fiscalité, et furent en conséquence dépouillés de leur épargne, et privés des moyens de la reconstituer. Du même coup, l'économie perdait sa principale source d'investissements privés, et se condamnait à sa perte. C'est ainsi que la conjugaison de la stagnation économique, de l'inflation galopante et d'une fiscalité abusive ont sonné le glas du capitalisme en Grande-Bretagne.

Yamani n'était pas seulement aimable, il était aussi patient et avait écouté ma longue tirade sans m'interrompre.

- Et l'Amérique ? demanda-t-il.

– Elle est engagée dans un processus similaire, quoique différent dans ses manifestations superficielles. Permettez-moi de me répéter : notre système est fondé sur la croissance. L'Amérique en vit, avec peut-être quelques variantes. Et pour en vivre, il lui faut des matières premières à bas prix, des capitaux abondants, des taux d'intérêt peu élevés et surtout, surtout, de l'énergie, énormément d'énergie bon marché. Nous n'avons plus rien de tout cela. Résultat : la croissance s'arrête. Il ne faudra par conséquent pas plus de dix ans pour que le capitalisme crève. Soit, comme au Portugal, par une révolution et l'adoption d'une société de forme différente. Soit comme en Angleterre, en s'enlisant dans une lente agonie et le nivellement par la médiocrité.

– Le processus n'est donc pas réversible ? Pour être plus précis, est-ce que nous sommes sur le point d'entreprendre, tant pour les capitaux que pour l'énergie, une action corrective permettant de redresser la situation et de la rendre à nouveau saine ?

– Je l'espère bien sincèrement, répondis-je.

– Moi aussi, dit Yamani avec conviction. Je pense maintenant, reprit-il, que vous avez pu vous convaincre que nous, c'est-à-dire le roi, le prince héritier et moi-même, sommes persuadés de la supériorité du capitalisme occidental, et qu'il n'existe aucune alternative valable. Nous ne pouvons qu'éprouver de la répugnance pour le collectivisme marxiste, et pas seulement pour son mépris de la liberté, sa médiocrité, son inefficacité bureaucratique. Ce qui nous en éloigne le plus, c'est son matérialisme athée. L'Arabie ne pourra jamais accepter le communisme, parce qu'il se veut sans Dieu.

– Je vous comprends parfaitement, lui dis-je. Malheureusement, j'ai peur que la plupart de mes compatriotes, pour ne pas parler des autres pays occidentaux, ne s'en rendent pas compte. Et si l'Amérique s'effondre à son tour, il n'y aurait plus rien pour arrêter les Russes au Moyen-Orient. Sauf, à la rigueur, le Shah d'Iran.

Je compris trop tard que j'avais eu tort de prononcer cette dernière phrase. Le Cheik Yamani me fixa d'un regard où brillait un éclat redoutable.

– Exactement ! dit-il avec un ricanement menaçant. C'est exactement ce que vous autres Américains avez cru depuis des années, et vous y croyez encore aujourd'hui ! C'est pire que stupide, c'est criminel ! Vous croyez vraiment que le Shah est le

« stabilisateur de l'Orient ». Vous croyez vraiment qu'un Iran fort empêchera indéfiniment la Russie de venir envahir toute la région. Vous croyez vraiment que la seule puissance capable de freiner la mainmise du communisme sur cette partie du monde est celle du Shah. Vous y croyez depuis le temps d'Eisenhower et de Foster Dulles. Et cette idiotie a été reprise par les Kennedy et toute leur famille, elle est devenue une doctrine, un dogme qui collait si bien avec les vues bornées et simplistes de Kissinger ! Vous êtes-vous jamais demandé ce qui se passerait dans la réalité ?

Yamani était devenu furieux. Jamais je ne l'avais vu si en colère.

– Regardez par le hublot ! me dit-il.

Il ne demandait pas, il ordonnait. J'obéis : l'avion venait de changer de cap, et remontait maintenant droit vers le nord au-dessus des eaux du Golfe Persique, dont il longeait la côte occidentale.

– Regardez ! reprit le Cheik. D'ici au fond du Golfe, sur plus de quatre cents kilomètres, il y a tous les principaux gisements pétroliers. Les nôtres, ceux du Koweït, de l'Irak, de l'Iran. Ils sont tous là, à quelques kilomètres de ce rivage que vous voyez au-dessous de vous. Celui qui prendrait le contrôle de cette côte s'assurerait le contrôle de plus de la moitié, je dis bien la moitié, de toutes les réserves pétrolières du monde Et si un dictateur comme ce Pahlevi en prenait le contrôle – et c'est ce qu'il a l'intention de faire, ne vous illusionnez pas – alors vous pouvez être certain que votre capitalisme crèvera tout aussi sûrement et tout aussi vite que s'il y avait là les blindés de l'Armée Rouge. Est-ce que vous me comprenez, au moins ?

– Oui, dis-je avec conviction.

– Alors, faites le nécessaire pour ouvrir les yeux de vos politiciens ! Nous sommes prêts à contribuer au sauvetage de votre système pour nous sauver nous-mêmes. Encore faut-il que vous y preniez votre part ! Et cela implique, et sans réserves entendez-vous, que votre pays cesse une bonne fois pour toutes de se faire des idées fausses sur le Shah d'Iran, et révise sa politique envers lui de fond en comble !

Le Cheik se leva brusquement.

– Vous pourrez juger par vous-même, ajouta-t-il, nous voyons Pahlevi demain. Alors, vous pourrez décider en toute connaissance de cause.

Il tourna les talons et repartit vers l'arrière de l'avion. J'avais compris que le Cheik Yamani venait de m'exposer les vraies raisons motivant la politique que l'Arabie allait suivre. Le prince héritier et lui engageaient une partie dont l'enjeu était la mort des vaincus.

Reggie avait assisté à notre conversation sans dire un mot. Après le départ du Cheik, il se tourna vers moi :

– Tu sais, il a raison.

– Sans doute, répondis-je. Mais je ne peux quand même pas arriver à croire que le Shah ait mis tout Washington dans sa poche.

– Tu vas voir... On y sera la semaine prochaine.

Je me tournai à nouveau vers le hublot. Sous mes yeux, la côte se déroulait, interminable, plate et brûlée.

– Yamani croit vraiment que le Shah est décidé à mettre la main sur tout ça par la force ? demandai-je pensivement.

– Oui, répondit Reggie. Et crois-moi, il sait ce qu'il dit.

– Pourtant, le Shah est-il vraiment capable de le faire ? Il a peut-être les moyens de gagner une ou deux batailles, mais pas plus. Nous interviendrons, il sera écrasé. Et si nous ne le faisons pas, les Russes seraient trop contents de le faire à notre place

– Cela dépend, dit Reggie.

– De quoi ? demandai-je, surpris.

– Du genre de guerre qui se déroulera.

– Qu'est-ce que tu racontes ? Il n'y a pas trente six sortes de guerre, voyons. Il n'y en a qu'une.

– Non, deux, dit-il posément. La conventionnelle. Et la nucléaire.

Stupéfait, je le regardai bouche bée.

– Allons, Reggie, tu déconnes ! Où est-ce que le Shah d'Iran irait pêcher des bombes atomiques ?

Reggie se contenta de lever les sourcils d'un air énigmatique et s'abstint de répondre à ma question. Une demi-heure plus tard, nous survolions Abadan. Et si j'avais alors eu l'idée de regarder par le hublot j'aurais pu, juste au-dessous de moi, voir cette réponse de mes propres yeux.

CHAPITRE **15**

Abadan, située à la pointe nord du Golfe Persique, est séparée de l'Irak à l'ouest par l'embouchure commune du Tigre et de l'Euphrate. Les champs de pétrole iraniens s'étendent au nord et à l'est de la ville. La raffinerie d'Abadan, qui constitue l'un des plus vastes ensembles du monde, avait été à l'origine construite par les Britanniques. Depuis, son exploitation avait été assurée par les compagnies pétrolières groupées dans le consortium pétrolier iranien, les « sept sœurs ». En 1979, le consortium était devenu iranien à cent pour cent.

Dès le début de la décennie, le Shah avait décidé de faire d'Abadan un centre économique sans précédent, et d'y installer la plus forte concentration industrielle de tout le Moyen-Orient. Il avait eu à choisir entre deux possibilités connues de tous ceux qui décident du développement économique d'une région ou d'un pays : soit transporter l'énergie disponible en abondance à Abadan jusqu'aux centres de population au nord de l'Iran. Soit bâtir un empire industriel directement sur les réserves d'énergie nécessaires à son fonctionnement, selon les modèles de la Ruhr ou de la région de Pittsburgh aux Etats-Unis. C'est cette dernière solution pour laquelle le Shah se décida d'opter. C'est pourquoi, sur des fondations recelant des ressources immenses de l'énergie alors la moins chère du monde, Abadan fut dotée d'une concentration massive de cimenteries, d'aciéries, d'usines de production d'aluminium. Ces industries lourdes, dont les usines étaient déjà en exploitation, ou en cours d'achèvement, puisaient leur énergie directement aux puits de gaz naturel à quelque distance de là, aux raffineries mitoyennes, ou encore aux centrales électriques dont les turbines à gaz étaient alimentées par ce que l'on faisait naguère brûler inutilement dans le désert. La position d'Abadan dans le golfe était idéale pour un tel développement industriel : grâce au port en eau profonde dont la ville disposait, elle pouvait recevoir ses matières premières par voie maritime, procéder à leur transformation et les réexpédier enfin, sous forme de semi-produits ou de produits finis, à destination des marchés mondiaux soit par mer, soit par le rail.

Tout cela, en vérité, est fort classique. Ce qui l'est moins est que le Shah avait également décidé d'implanter à Abadan les plus grosses centrales nucléaires de l'Iran. A première vue, ont peut en rire et s'étonner d'une décision apparemment absurde. Une nouvelle source d'énergie dans un endroit qui en regorge déjà ? Ce n'est pas aussi ridicule quand on considère la perspective dans laquelle la décision du Shah avait été prise. Comme nous avons entendu Tibrizi, son âme damnée, l'expliquer à Hanspeter Suter, le Shah avait l'intime conviction que, dès avant la fin du XXe siècle, les hommes se rendraient enfin compte que le pétrole devenait une ressource trop précieuse pour le gaspiller en source d'énergie. Quand enfin le monde en tirerait les conséquences, Abadan serait toujours équipée de son industrie, et elle disposerait toujours d'une abondante énergie pour alimenter ses usines. D'énergie nucléaire.

Les projets atomiques du Shah ne se limitaient toutefois pas à la seule région d'Abadan. L'Iran entier devait devenir le paradis de l'atome. Au cours de la seule période 1974 – 1976, il avait passé commande de six centrales atomiques : deux pour Abadan, deux pour Téhéran, une pour Ispahan, une enfin pour la région de la mer Caspienne – en grande partie pour faire la nique aux Russes. Ces marchés donnèrent lieu à des bagarres épiques, et la concurrence fut sauvage. Les Américains ne pouvaient pas s'empêcher de croire qu'ils devaient être les seuls à fournir de l'atome pacifique au Shah, les Britanniques plus modestement voulaient leur part du gâteau, les Allemands et les Français de même. Roche-Bollinger voulut s'y mêler et présenta sa soumission en 1974. Mais le Shah n'avait pas encore besoin des Suisses. Il lui fallait par contre s'assurer la coopération des quatres principales puissances occidentales.

Aussi, il accorda Téhéran aux Américains, Ispahan aux Anglais, la mer Caspienne aux Allemands – ce qui irrita plus encore les Russes qui avaient dû envahir l'Iran en 1941 pour en chasser les Allemands – et les Français eurent Abadan.

Tout le monde s'accorda à reconnaître que le Shah était un monarque sage, éclairé et doué d'une grande clairvoyance. Après tout, ne payait-il pas comptant ? On savait aussi que ces marchés n'étaient qu'un premier pas, qu'il y en aurait d'autres à venir, comme Roche-Bollinger allait en faire la découverte émerveillée en 1978. L'Iran était devenu un paradis pour les membres de ce club très fermé que sont les quelques entreprises occidentales constructrices de centrales nucléaires. Elles avaient englouti des milliards dans la recherche, il fallait les amortir. Chez elles, les perspectives étaient sombres, elles n'y avaient guère de débouchés. Les écologistes, les restrictions budgétaires les condamnaient. En Iran, au contraire, il n'y avait pas de problèmes : les écologistes auraient été fusillés s'ils avaient osé occuper un chantier de centrale, et l'argent coulait à flots. Aussi, chacun criait à l'envie : vive le Shah !

Mais le Shah ne se contentait pas d'entretenir de bonnes relations publiques tandis qu'il distribuait généreusement commandes et marchés. Il avait une idée derrière la tête, celle de faire un jour partie d'un club encore plus prestigieux. Il présidait déjà l'OPEP, qui lui conférait la puissance de l'énergie. Il lui fallait maintenant entrer dans celui des super-puissances, celui des nations possédant la bombe atomique.

Nous savons tous que cette ambition germe assez facilement dans l'imagination des chefs d'Etat, surtout de ceux qui disposent de ces merveilleuses centrales capables à la fois de produire de l'électricité et l'ingrédient fondamental à la bombe, le plutonium. Bon nombre d'entre eux ont déjà accédé à cette dignité, ouvertement ou non. Mais ils étaient encore assez peu nombreux pour vouloir garder la main sur la poignée de la porte et empêcher le premier venu de venir se mêler à eux. C'est ainsi qu'ils inventèrent un verrou, le traité de limitation des armes atomiques. Mais quel étrange verrou ! Car tandis que les puissances atomiques – celles qui possédaient la capacité de fabriquer des réacteurs – se gardaient le droit de les exporter à volonté pour des utilisations pacifiques, elles entendaient également conserver le droit de contrôler, par l'intermédiaire d'un organisme international, l'exploitation des usines de traitement des déchets, c'est-à-dire des usines produisant le plutonium. Pourquoi avoir inclus dans le traité une clause aussi bizarre, laissant en fait la porte ouverte à la fraude ou à l'arbitraire ? Pour mieux le comprendre, il faut remonter un peu en arrière et expliquer le fonctionnement d'un réacteur.

Prenons, si vous le voulez bien, l'exemple des réacteurs construits par Framatome près d'Abadan. Ces réacteurs, dits à « eau légère », sont conçus pour fonctionner avec de l'uranium enrichi à vingt pour cent. L'uranium est produit aux Etats-Unis où le minerai est traité et concentré de manière à obtenir une fission contrôlée. Il est conditionné sous forme de pastilles dures et noires, noyées dans des barres métalliques. Celles-ci sont plongées dans le noyau du réacteur, où la fission produit d'énormes quantités de chaleur. Le noyau réchauffe l'eau qui l'entoure, la vapeur entraîne des turbines qui produisent l'électricité. Le principe, comme on voit, en est fort simple.

Au bout de plusieurs mois d'utilisation, l'uranium se dissipe et perd de sa puissance. Des grues géantes retirent alors les barres du réacteur pour les déposer dans de vastes bassins de refroidissement, où l'oxyde d'uranium émet une intense lumière bleu saphir extrêmement spectaculaire provenant de la décomposition radioactive des déchets de fission. Parmi eux, il y en a – comme le césium ou le strontium dont la radioactivité se maintient pour des siècles – qui n'ont aucune utilisation connue. Mais il en est un autre d'une grande importance : c'est le plutonium.

Pour le récupérer, on l'expédie dans une usine de retraitement où on le sépare des autres déchets inutiles. Vue de l'extérieur, l'usine ressemble à un énorme blockhaus. A l'intérieur, on croit entrer dans un décor de science-fiction : c'est un enchevêtrement de mécanismes mystérieux, à l'aspect barbare, manipulés à distance par des hommes abrités derrière d'épaisses plaques de verre ou dans des cages. On n'y fait pourtant qu'appliquer, une fois encore, des principes fort simples. Les barres de carburant usées sont hachées menu avant d'être dissoutes dans de l'acide d'où l'on extrait le plutonium en suspension. La « soupe » qui reste est mise dans d'énormes marmites de béton, que l'on enterre quelque part en espérant qu'elles y resteront...

Ainsi, pour produire du plutonium, il suffit de posséder un réacteur et une usine de retraitement. Une fois l'oxyde de plutonium récupéré, on peut, si l'on veut, l'incorporer dans de nouvelles barres de carburant pour le remettre dans le réacteur. On peut aussi s'en servir pour fabriquer des bombes, dont il constitue l'élément explosif essentiel.

Dès le début, les puissances atomiques s'en étaient parfaitement rendu compte. C'est pourquoi, tandis qu'elles vendaient des réacteurs à qui voulait bien leur en acheter, elles s'étaient longtemps refusées à vendre des usines de retraitement, et exigeaient qu'on leur rende les barres de carburant usées. Mais l'accroissement du nombre des réacteurs en service dans le monde, et les dangers inhérents au transport des barres, finirent par rendre cette solution inapplicable. Elles durent donc consentir dans certains cas à exporter la technologie nécessaire à la construction de ces usines chez leurs clients, sous la condition expresse que l'exploitation en soit constamment placée sous la surveillance de l'Agence Internationale à l'Energie Atomique de Vienne, pour prévenir toute fuite de plutonium vers des applications clandestines et illicites.

En 1976, l'Iran reçut l'autorisation de s'équiper d'une usine de retraitement. L'Iran était, après tout, le plus gros client des puissances atomiques – les Etats-Unis, la France, l'Allemagne et la Grande-Bretagne – et ces fournisseurs espéraient que ses commandes de réacteurs seraient suivies de beaucoup d'autres, ce qui ferait rentrer des milliards de dollars dans leurs caisses. On pouvait bien faire une exception pour le Shah.

La construction d'une telle usine fut donc entreprise dans la zone industrielle d'Abadan, et l'usine fut prête à fonctionner à l'été de 1978. Avec ses deux réacteurs Framatome de six cents mégawats, l'Iran avait ainsi acquis la capacité de produire près de huit kilos de plutonium par semaine, c'est-à-dire la quantité nécessaire à la fabrication d'une bombe moyenne Naturellement, les inspecteurs de l'organisme international de Vienne étaient là pour prévenir une telle éventualité.

Et le 6 décembre 1978, le Professeur Hartmann, chef du département de physique nucléaire de l'Institut Polytechnique de Zurich, arriva à Abadan. Paré également des titres de Conseiller Technique de la société Roche-Bollinger, et de Conseiller près le ministère des Forces Armées de Berne. Accompagné aussi de sa fille Ursula.

Ils étaient venus de Zurich dans l'un des Concorde de l'Iran Air pour prendre, à Téhéran, un Bœing 737 qui faisait la liaison avec Abadan. Jusque-là, ils n'avaient pas bénéficié d'un traitement exceptionnel et étaient considérés comme des passagers ordinaires. Mais dès qu'ils posèrent le pied sur les bords du Golfe Persique, les choses changèrent. Ils furent accueillis à leur descente d'avion par le général Khatami, le Professeur Baraheni et quatre agents de la SAVAK qui faisaient la haie

Après les congratulations d'usage, on les fourra dans une

grosse Mercedes qui attendait sur la piste et qui, suivie d'une autre transportant les gorilles, sortit de l'aéroport pour s'engager sur la route qui longe le fleuve et se dirige vers le nord. Les Hartmann pensaient qu'on leur avait réservé des chambres dans un hôtel : à leur grande surprise, ils n'allèrent même pas en ville et leur petit convoi automobile ne s'arrêta qu'à une trentaine de kilomètres plus loin, à Khorramshahr. Là, on les fit entrer dans une grande villa style ranch californien pourvue de tous les conforts : climatisation, piscine, et personnel domestique composé d'un cuisinier, d'une femme de chambre et d'un jardinier-homme de peine. Mais il n'y avait pas de chauffeur : leurs déplacements allaient être confiés aux soins de la SAVAK. Enfin, grâce à la rapidité du Concorde, à la correspondance immédiate dont ils avaient bénéficié à Téhéran et à la parfaite organisation des hommes de Tibrizi, les Hartmann furent installés chez eux dès deux heures de l'après-midi. Le cuisinier avait préparé à leur intention un déjeuner léger, à l'iranienne : yaourt, fruits, thé.

Quand ils le veulent, les Iraniens peuvent être d'une politesse raffinée. On couvrit donc le professeur d'amabilités, et sa fille fut l'objet d'attentions pleines de sollicitude. Comme il était encore tôt, on suggéra qu'il y avait encore largement le temps de faire un tour. Par un « hasard » merveilleux, une visiteuse arriva à deux heures et demie. C'était la femme d'un des inspecteurs de la Commission Internationale, une jeune Autrichienne qui était la voisine des nouveaux venus. Elle proposa à Ursula de lui montrer les curiosités locales et de lui tenir compagnie pour le reste de l'après-midi. Ursula, ravie de retrouver une femme de son âge parlant l'allemand dans un pays si lointain, accepta volontiers. Les hommes partirent de leur côté visiter des sites ayant peu de chose à voir avec le paysage ou l'archéologie. Aussi, tandis qu'Ursula allait admirer les rives du fleuve, les palmiers et le vieux bazar persan, son père admirait les réacteurs et l'usine de régénération.

Vers sept heures du soir, le père et la fille se retrouvèrent seuls dans leur nouvelle villa – seuls à l'exception des domestiques logés dans l'aile réservée, et des gorilles de la SAVAK qui montaient une garde vigilante autour de la maison.

– Alors, qu'est-ce que tu en penses ? demanda le professeur en se servant un verre de sherry.

– C'est fabuleux ! répondit Ursula.

Elle était sincèrement enthousiaste, enchantée de tout. La maison était parfaite, la ville pittoresque à souhait, le climat idéal, et Frieda une compagne charmante. Le temps froid et gris de Zurich était déjà oublié.

– Et vous père, demanda-t-elle, êtes-vous content de ce que vous avez trouvé ?

Il l'était. Les installations fonctionnaient à ravir.

– Je vais y passer le plus clair de mon temps, précisa-t-il. Les usines sont à six ou sept kilomètres de la ville. Non seulement l'implantation est parfaite, mais le plan d'ensemble est extraordinaire. Les Iraniens sont en train de bâtir le premier centre énergétique au monde à partir d'un concept aussi futuriste. Il y a déjà deux gros réacteurs construits par les Français, et je suis ici pour préparer le terrain pour les deux autres que Roche-Bollinger va exécuter. Dans moins de dix ans, selon les projets du Shah, il va y avoir dix réacteurs concentrés au même endroit. C'est absolument unique au monde.

– Mais pourquoi en construire autant au même endroit ? demanda Ursula.

Depuis la mort de sa mère, Ursula la remplaçait en tout. Elle ne se contentait pas de tenir la maison de Zurich selon les meilleurs principes ménagers, elle servait à son père de confidente ou plutôt d'oreille complaisante. Elle connaissait donc les répliques qu'il fallait donner pour relancer le monologue.

– Cette concentration a été décidée pour des raisons de sécurité. S'il arrivait quelque chose, comme il est malheureusement toujours possible, les conséquences en seraient limitées au maximum. Il n'y a aucun centre de population important à proximité, et les vents dominants soufflent toujours en direction du désert, qui s'étend sur plusieurs centaines, plus d'un millier de kilomètres même. Et ce n'est pas tout. Cet endroit bénéficie d'une source de refroidissement quasi inépuisable. Le fleuve est juste à côté. En amont, il irrigue tout le territoire le plus fertile du Moyen-Orient. Quand il arrive à son embouchure dans le désert, il a déjà accompli sa mission fertilisatrice, donc il n'y a plus de risque de pollution thermique. Tout a vraiment été pensé admirablement.

– Et combien de temps allons-nous rester ?

– C'est difficile à dire. Six mois peut-être, ou davantage. Au moins jusqu'à ce que nous ayons pu résoudre le problème qu'ils ont avec le combustible atomique.

– C'est pour cela qu'ils vous ont demandé de venir ?

– Je crois, oui. Car il semblerait que le combustible régénéré a un rendement de vingt-cinq pour cent inférieur à ce qu'on devrait obtenir. Je ne crois pas que ce soit de la faute des Français, ils connaissent leur métier. Cela m'a plutôt l'air de venir des Iraniens qui se servent mal des installations. Un des ingénieurs français me l'a d'ailleurs confirmé, le personnel local n'a pas tout assimilé. Ce qui est le plus curieux, c'est que les ingénieurs iraniens ne restent jamais longtemps en place. Je me demande pourquoi.

— D'après Frieda, répondit Ursula, ce n'est pas très surprenant Son mari lui a raconté comment ça se passe. La plupart des ingénieurs et techniciens iraniens vont faire leurs études à l'étranger et ramènent des idées radicales, ou du moins qui ne plaisent pas au régime. Celui-ci étant ce qu'il est, les malheureux sont immédiatement renvoyés et « déplacés » — c'est le mot dont elle s'est servie pour décrire ce qu'elle soupçonne être un emprisonnement ou une déportation — si les autorités découvrent que ces gens risquent d'être des opposants. Vous savez que l'Iran a une réputation justifiée d'Etat policier et de dictature.

Le bon professeur préféra ne pas relever les derniers propos de sa fille, et changea le sujet de la conversation en lui demandant comment elle avait trouvé le bazar persan. Car Heinz Gerhardt Hartmann avait, parmi ses collègues, la réputation méritée du savant distrait qui ne veut surtout pas se mouiller. Son esprit scientifique, qui le rangeait parmi les plus brillants, était noyé dans un tempérament parfaitement plat, ennuyeux, apolitique et timoré. En un mot, le parfait exemple du tempérament suisse.

Né à Schaffhouse en 1916, Hartmann montra dès l'enfance de vives dispositions pour les mathématiques et les sciences exactes. Après de brillantes études à Zurich, il alla faire un stage à l'étranger comme la plupart des étudiants suisses, et étudia à Munich sous la férule de l'illustre Professeur Werner Heisenberg dont les travaux avaient déjà prouvé la possibilité de la fission atomique. Hartmann devint un spécialiste de la physique nucléaire.

C'est à Munich qu'il devait rencontrer celle qui allait devenir sa femme. Léa Seligmann — de la célèbre famille des banquiers — était juive. Au printemps de 1939, Léa disparut mystérieusement et soudainement, et Hartmann regagna sa Suisse natale tandis que sa promise était plongée dans l'horreur de Dachau. En février 1940, elle en sortit pour traverser la frontière suisse à Schaffhouse. Ils se marièrent trois jours plus tard.

La libération de Léa Seligmann n'était pas aussi surprenante qu'elle peut paraître à première vue. Sa famille avait simplement acheté sa liberté, comme l'avaient fait des milliers d'autres. Les Seligmann formaient un empire familial et financier avec de nombreuses ramifications dans le monde entier — de Francfort à Londres et à Paris, de New York à San Francisco et même en Suisse – et ne le cédaient même pas aux Rothschild pour l'influence et l'ancienneté de leur dynastie. C'est ainsi qu'ils purent tirer les ficelles qu'il fallait, et que Léa survécut quand tant d'autres étaient massacrés.

En 1943, Hartmann devint adjoint au chef du département de physique de l'Institut Polytechnique de Zurich. Ursula naquit en 1948, et sa mère mourut en 1958, à l'âge de quarante-deux ans, victime tardive mais réelle des sévices qu'elle avait subis et dont elle ne s'était jamais tout à fait remise. Le professeur Hartmann se retira alors en partie du monde universitaire, refusa la direction de son département où il ne conserva qu'une chaire, et commença ses activités de conseil tant auprès de Roche-Bollinger que de l'armée suisse, pour qui il mit au point des techniques bien spéciales. C'est grâce aux systèmes de simulation de Hartmann que l'armée suisse parvint à se doter d'armements atomiques sans avoir à procéder à des essais. Car si les modèles de Hartmann « explosaient » en laboratoire, on pouvait être certain que les bombes correspondantes exploseraient tout aussi sûrement sur leurs objectifs, si ou quand le besoin s'en faisait sentir.

Comme la plupart de ses collègues aux Etats-Unis, en France ou en Grande-Bretagne, Hartmann était devenu un savant « amoral ». Son attitude, en fait, ne différait guère de celle des banquiers de son pays, toujours prêts à manipuler de l'argent même taché de sang. Car, disent-ils, nous sommes chargés des opérations de banque, pas de policer le monde ni de faire de la morale à nos clients. Ils n'étaient, ils ne sont toujours, fidèles qu'à la Suisse et à ses intérêts, et dévoués à la seule cause valable à leurs yeux : préserver l'indépendance d'une nation privée de toutes ressources naturelles au sein d'un monde hostile et jaloux de sa prospérité. Servir les intérêts de leurs clients revenait à servir les intérêts de la Suisse.

Hartmann faisait exactement la même chose. Il n'avait de devoirs qu'envers l'armée de la Confédération, garante de l'indépendance nationale. Et si l'armée lui demandait d'aller conseiller les Iraniens, il le ferait avec toute sa conscience professionnelle. La pureté de son cœur ne faisait, dans ce domaine, de doute pour personne. Elle impressionna même la SAVAK. On ne pouvait même pas lui reprocher sa fille.

Le lendemain de leur arrivée à neuf heures du matin, comme prévu, le Professeur Baraheni et le Général Khatami vinrent chercher Hartmann. La veille, le bon professeur avait été plutôt surpris de ce qu'il avait vu. Il savait – le ministre de la Défense le lui avait dit en personne, à Berne – qu'il venait conseiller les Iraniens dans le domaine des armements atomiques. Or, il n'avait vu aucun stock de plutonium à l'usine de régénération, et il paraissait impossible d'en faire échapper à l'attention des inspecteurs de la Commission Internationale. Il avait donc hâte de revoir tout cela de plus près, car il se piquait au jeu. Nul professeur n'aime rester sur une question sans réponse.

Ce matin-là, cependant, il n'allait pas retourner à l'usine de Khorramshahr. Au lieu d'aller vers le nord en quittant la villa, la Mercedes du général piqua droit vers l'est, et ne s'arrêta qu'à l'entrée d'une vaste installation militaire. L'endroit, à vrai dire, n'avait rien de secret. La base avait été construite dans les années 50 par les Américains eux-mêmes, dans le cadre des accords de l'OTASE, dont l'Iran était l'un des piliers. En 1979, toutefois, la base était entièrement sous contrôle iranien, mais la présence américaine y était toujours visible, sous la forme de matériel militaire. Le Général Khatami, commandant en chef de l'aviation iranienne, montra avec orgueil les 220 appareils qui mettaient l'armée de l'air du Shah au premier rang du progrès : cinquante F-4 « Phantom », chasseurs-bombardiers de McDonnell-Douglas ; cinquante intercepteurs F-14 à géométrie variable de chez Grumman, et cent vingt chasseurs F-5 de chez Northrop. C'était en effet impressionnant.

Le périmètre de la base était protégé par deux clôtures de cinq mètres de haut le long desquelles veillaient des patrouilles d'hommes et de chiens. Des miradors s'élevaient tous les cinq cents mètres, et l'ensemble était doté d'un système de détection électronique en service vingt-quatre heures sur vingt-quatre. A part les hommes et les chiens, tout provenait des Etats-Unis, y compris le grillage de la clôture.

La voiture du général passa les postes de garde sans ralentir, et entama la traversée de la base en évitant de couper les pistes.

– Nous avons ici, déclara Khatami, les meilleurs pilotes et les meilleurs techniciens de tout le Moyen-Orient. Les Israéliens eux-mêmes ne nous arrivent pas à la cheville.

– Et où sont-ils formés ? demanda Hartmann chez qui le conseiller de l'armée suisse était prompt à s'intéresser à toutes ces questions.

– D'abord au Texas, répondit le général. C'est un endroit idéal, les conditions de vol sont pratiquement identiques à celles que nous avons ici. Ensuite, nos pilotes sont soumis aux mêmes programmes quand ils reviennent. En plus, nous avons six cents conseillers américains à la base. Et vous ? reprit-il. Comment la Suisse résout-elle ses problèmes d'entraînement en vol ?

– Ce n'est pas facile, admit Hartmann. Nous manquons d'espace aérien. De temps en temps, nous utilisons celui que la France met à notre disposition en Méditerranée, au large de la Corse.

– Votre équipement n'est pas à la hauteur du nôtre, fit observer le général en se rengorgeant.

– Non, en effet, reconnut le professeur. Nous sommes encore surtout équipés de Mirages. Mais nous attendons la livraison de F-16 à partir de cette année, si Northrop ne prend pas de retard.

Ainsi, le monde entier allait chercher ses armes en Amérique, même la Suisse, paradis de la neutralité !

Il fallut dix minutes, en roulant à bonne allure, pour enfin dépasser les alignements de hangars et de cantonnements. La voiture du général poursuivit sa route dans le désert. Enfin, leur destination se profila à l'horizon : c'était un énorme bâtiment de béton, surmonté d'une immense cheminée de près de deux cents mètres de haut. L'apparition en était plutôt incongrue dans une base aérienne. En se rapprochant, on pouvait voir que le bâtiment était entouré d'une enceinte encore plus redoutable que celle qui protégeait la base elle-même.

– C'est donc là que nous allons ? demanda Hartmann. Qu'est-ce que c'est ?

– Officiellement, répondit Khatami, un incinérateur.

Mais le professeur avait déjà compris. De l'extérieur, le blockhaus était une copie fidèle de l'usine de traitement et de régénération de Khorramshahr.

La similitude était la même à l'intérieur. C'était une reproduction exacte de l'usine « visible » construite par les Français et contrôlée par les Autrichiens. Mais, dans cette usine « invisible », il n'y avait pas un seul étranger. Le personnel était en totalité iranien, ce qui expliquait sans doute le mystère de la disparition des ingénieurs et techniciens.

– Depuis combien de temps cette usine fonctionne-t-elle ? demanda Hartmann.

– Depuis six mois, répondit Baraheni.

– Et où vous êtes-vous procuré le matériel ?

– Ouvertement, chez les fournisseurs. Vous savez que ces instruments, pour la plupart, peuvent avoir plusieurs utilisations. Dans certains cas, nous les avons légèrement modifiés.

– Et ceux que vous ne pouviez pas acheter directement ? reprit Hartmann en désignant un panneau de contrôle.

Le professeur Baraheni jeta un coup d'œil interrogateur au général, qui haussa les épaules et répondit lui-même.

— Israël, dit-il. C'est nous qui leur fournissons leur pétrole, vous savez.

Ainsi, les Américains avaient fourni le matériel de guerre, les Français les installations et la technologie atomique, les Israéliens le matériel nucléaire secret. Il ne manquerait plus que les Suisses pour parachever cette coopération internationale inattendue à la restauration de la grandeur de l'Empire Perse.

— Je suppose donc que vous obtenez ici de l'oxyde de plutonium, reprit Hartmann.

— Exactement. Comme dans l'autre usine.

- Mais alors, où...

Le professeur suisse ne termina pas sa phrase. Son confrère iranien hésitait à répondre, quand le brave général lui coupa la parole.

— C'est très simple, dit-il d'un air suffisant. Vingt-cinq pour cent du combustible usé sortant des réacteurs Framatome vient directement ici, sans passer par les bassins de refroidissement ni, bien entendu, par l'usine de traitement.

— Mais comment est-ce possible ? s'étonna Hartmann. Les inspecteurs vérifient les chiffres...

— Les inspecteurs, coupa Khatami, ne s'intéressent pas aux réacteurs. Ils ne s'occupent que de l'usine de traitement où l'on récupère le plutonium.

— Mais ils doivent quand même se rendre compte, insista le Professeur de Zurich, que les quantités de carburant recyclé sortant de l'usine de régénération ne correspondent pas à celles qui y entrent. C'est un calcul simple, à la portée du premier venu.

— Bien sûr ! triompha le général. Aussi, ce ne sont pas les quantités qui varient. C'est simplement la qualité qui, pourrions nous dire, ne correspond pas tout à fait aux prévisions.

— C'est ce que m'ont dit les techniciens français. Je ne vois toujours pas...

— C'est pourtant simple. Nous remplaçons les tiges manquantes par de fausses tiges, chargées d'uranium ordinaire. Ce qui, après que ces tiges ont été traitées, donne du nouveau carburant parfaitement normal, mais qui ne fonctionne qu'à soixante-quinze pour cent de son rendement théorique.

— Et les inspecteurs s'en contentent ? insista Hartmann.

— Oui, affirma Khatami. Après tout, les usines sont confiées à ces rustres d'Iraniens, trop bêtes pour savoir les faire marcher ! Ils apprendront peut-être un de ces jours à être aussi productifs que les Occidentaux. Alors seulement, avec de la patience, ils seront peut-être capables de sortir des tiges de carburant avec un rendement normal.

– Et combien de plutonium produisez-vous ici ? demanda Hartmann en ignorant délibérément l'humour épais de son interlocuteur.

– A la fin de la semaine dernière, nous avions environ quatre-vingts kilos d'oxyde de plutonium, dit-il en se rengorgeant.

– Et combien de produit fini ?

Les deux Iraniens se regardèrent, gênés :

– Mais, c'est cela notre produit fini, répondit Baraheni. Nous ne faisons rien de plus ici que ce que nous faisons à Khorramshahr.

– Et qu'est-ce qui ne va pas avec l'oxyde de plutonium ? demanda le général d'un air agressif.

– Ce n'est ni assez concentré ni assez pur pour fabriquer des armes atomiques, répondit calmement le Herr Professor.

– Pardon, pardon ! reprit Baraheni affolé. Notre oxyde de plutonium est parfaitement adapté à la fabrication des bombes ! Vous pouvez vous-même procéder à des essais !

– Je n'en doute pas, répondit Hartmann, et je sais fort bien également que l'on peut fabriquer des bombes avec le produit tel que vous l'obtenez. Je dis tout simplement qu'il a un rendement inférieur.

– Je m'en doutais, espèce d'imbécile ! intervint alors le général Khatami.

En fait, il était ravi que Hartmann apporte la preuve qu'il avait eu raison de recommander au Shah de faire venir un expert de l'étranger.

– Professeur, reprit le général en tournant le dos à son compatriote, de quoi avons nous besoin exactement ?

– Je ne pourrai répondre à votre question que quand je saurai exactement quels sont vos impératifs et leurs spécifications, répondit Hartmann sans se départir de son calme professoral. D'après mon expérience et mes calculs, je puis d'ores et déjà vous dire toutefois qu'il faudra prévoir un raffinage de l'oxyde de plutonium. Ce raffinage, poursuivit-il en cherchant ses mots, vous donnera un pouvoir explosif infiniment supérieur à ce que vous avez maintenant avec vos quatre-vingts kilos d'oxyde.

– Combien de bombes pourrions-nous construire avec le matériau dont nous disposons actuellement ? demanda Khatami.

– Si nous prenons comme référence une bombe d'un modèle

primitif, comme celle d'Hiroshima, elle aurait une puissance de quinze kilotonnes. Avec de l'oxyde, il vous faut compter une quinzaine de kilos par bombe, en se basant en gros sur un kilo par kilotonne. Ainsi vous pourriez obtenir une douzaine de petites bombes de ce type. Mais qui, je le répète, ne sont ni efficaces ni même très utiles.

Un silence s'abattit qui rafraîchit l'atmosphère. Mais Hartmann affecta de l'ignorer.

– Permettez-moi d'insister, Général, reprit-il. Quelle utilisation prévoyez-vous pour ces armes ?

Le général hésita encore avant de répondre. Il était plongé dans des réflexions apparemment fort absorbantes.

– Quel produit utilisez-vous en Suisse ? demanda-t-il enfin.

– Du métal. Du plutonium raffiné pour en faire un métal pur.

– Et vous êtes satisfait du rendement ?

– Les résultats que nous obtenons sont extrêmement satisfaisants, l'assura le professeur.

– Et comment produit-on ce métal ? demanda encore Khatami.

Pendant toute leur conversation, les trois hommes se tenaient devant les impressionnantes consoles de contrôle, séparées de l'usine par une épaisse plaque de verre. Les techniciens avaient soigneusement affecté de ne pas remarquer la présence de ces hauts dignitaires, mais commençaient à jeter de brefs regards de curiosité qui devinrent de la stupeur quand la voix du général se mit à tonner dans leur langue. L'infortuné Baraheni se faisait encore copieusement engueuler pour avoir risqué une remarque qui n'avait pas plu au stratège préféré du Shah.

– Veuillez m'excuser, Professeur Hartmann, reprit le général en se tournant vers son invité. Ce que vous avez dit m'a profondément troublé, car nous avons des impératifs de délais qu'il nous faut absolument respecter. De quoi aurons-nous donc besoin pour la production du plutonium métal ?

– Il faut un four de réduction d'un modèle très spécial, dont l'agent réducteur est le carbone-black acétylénique.

Pour Khatami, c'était de l'hébreu. Mais un général ne se laisse pas démonter aussi facilement par des propos qu'il ne comprend pas.

– Et où pouvons-nous nous procurer cet équipement ? demanda-t-il avec assurance.

– Ce n'est pas facile, dit Hartmann. En Suisse, nous avons dû construire nous-mêmes celui dont nous avions besoin.

– Combien de temps vous a-t-il fallu ?

– Un an, répondit Hartmann.

– Un an ! s'exclama l'Iranien. C'est impossible !

– Bien entendu, précisa le professeur, cela comprend le temps nécessaire pour la recherche et la mise au point.

– Dans ces conditions, pouvez-vous nous en fournir un rapidement ?

– Je ne sais pas, répondit Hartmann prudemment. Mon gouvernement n'accorderait sans doute pas facilement d'autorisation d'exportation pour ce genre de matériel.

Ce qu'il ne disait pas, c'est qu'il serait trop facile et extrêmement gênant, en cas de pépin, de retrouver la source de cet équipement en Suisse neutre. Alors que ses « conseils », eux...

– Bien, reprit Khatami avec décision. Pouvez-vous nous donner les spécifications exactes de ce...

– Four de réduction sous vide, précisa Hartmann. Oui.

– Nous mettrons tout ce qu'il vous faut à votre disposition, dit le général. Baraheni ! ordonna-t-il. Faites immédiatement le nécessaire pour que le professeur ait tout le personnel et l'équipement dont il a besoin !

Le général, après avoir jeté un regard de mépris au chef du commissariat à l'énergie atomique de son pays, en jeta un autre à sa montre.

– Il faut que je m'en aille, dit-il à Hartmann. J'espère que vous serez bien installé, Professeur. Baraheni est à votre entière disposition. Je garderai le contact avec vous. En attendant, il est inutile de vous rappeler que tout ce que nous avons dit doit rester strictement entre nous. En fait, l'existence même de cette usine est un secret. Je crois savoir que l'on peut vous faire entière confiance sur ce point, ajouta-t-il au père de la bombe atomique suisse, et à l'accoucheur de celle du Shah.

– Entièrement, le rassura Hartmann avec placidité.

Le professeur passa les jours suivants à la rédaction des spécifications du fameux four de réduction, et les quelques semaines qui suivirent à la mise au point de certaines théories sur la conception des armes atomiques. La veille de Noël 1978, un avion-cargo Hercules de l'armée de l'air iranienne livra un four complet, avec un stock de carbone-black. La source mystérieuse de ce matériel ? Elle ne l'était guère : les caisses étaient recouvertes d'inscriptions en anglais – et en hébreu.

Vers le milieu de janvier, après avoir résolu quelques petits problèmes techniques, le professeur Hartmann et son équipe avaient produit les neuf ou dix premiers kilos de plutonium raffiné. Et la fabrication de la première bombe atomique iranienne – un engin simple mais très « efficace » – était déjà avancée. Le 15 janvier, le Professeur Hartmann donna au général Khatami un rapport extrêmement encourageant sur la progression des opérations dont il avait la charge. Le même jour, Khatami prit l'avion pour Téhéran, et alla le remettre au Shah en mains propres. Il emmenait aussi avec lui Ursula Hartmann. Car le bon général, toujours soucieux du bien-être de ses hôtes, avait lui-même suggéré qu'un petit séjour dans la capitale et un peu de lèche-vitrines distrairaient la fille du professeur, dont la vie retirée devait lui peser. Elle le lui avait demandé si adroitement qu'il était convaincu que c'était lui qui en avait pris l'initiative.

CHAPITRE 16

Le lendemain après-midi, j'arrivai à mon tour à Téhéran. Notre débarquement à l'aéroport se passa sans la moindre cérémonie, car il ne s'agissait pas d'une visite officielle. Les Saoudiens étaient venus à Téhéran sans y être invités par le Shah, et celui-ci avait tenu à le marquer par une absence totale de pompes et de fastes. Notre 707 alla se garer à près d'un kilomètre de l'aérogare des voyageurs, sur une aire proche des hangars de fret. Naturellement, l'ambassadeur d'Arabie Saoudite était venu avec quelques attachés, et attendait au pied de l'échelle en compagnie d'Amouzegar, le ministre du Pétrole iranien. Mais pas de trace du Shah ni de la moindre garde d'honneur. Amouzegar, homme aux traits burinés et au comportement hautain, fit de son mieux pour souhaiter un semblant de bienvenue à la délégation saoudienne à sa descente d'avion, mais cela n'alla pas plus loin. En tout cas, le prince Fahad ne laissa rien paraître de son mécontentement d'une réception aussi mesquine, si tant est qu'il en ait éprouvé.

Sitôt débarqué, notre groupe se sépara. Le prince héritier et le Cheik Yamani partirent pour l'ambassade d'Arabie, où ils devaient être logés. Les autres allèrent où on voulait bien les affecter. Reggie et moi atterrirent au Hilton, ce qui convenait parfaitement à l'un autant qu'à l'autre, surtout à moi : j'y jouirais de ma liberté au moins pour la soirée. Et j'avais fait le nécessaire pour la passer en compagnie d'Ursula Hartmann.

La seule chose pour laquelle j'étais d'accord avec Henry Kissinger, du moins jusqu'à son remariage, était de toujours faire en sorte de joindre l'utile à l'agréable, l'amour et les affaires. J'espérais seulement que cela ne m'entraînerait pas sur la même voie que lui.

Ce rendez-vous avec Ursula avait posé tant de problèmes, avait accumulé tant d'obstacles, que je me sentais l'âme d'un preux chevalier devant terrasser une armée de dragons pour mériter de rejoindre sa belle. Elle m'avait dit de lui écrire à l'ambassade de Suisse à Téhéran, qui était censée faire suivre. Comme ce n'est pas précisément mon genre d'écrire aux demoiselles pour leur demander de bien vouloir m'accorder leurs faveurs, je passai donc tout simplement un coup de téléphone. Tout simplement !... Je me heurtai d'abord — comme je le savais déjà — au barrage du téléphone : téléphoner de Ryad n'importe où est plus difficile que d'oser se servir du téléphone en France, ce qui est un record mondial pourtant difficile à battre. Quand enfin j'eus Téhéran, j'allai m'écraser contre un mur encore plus impénétrable : le légendaire mutisme suisse. Obtenir le renseignement le plus anodin d'une ambassade suisse est une chose dont nul être vivant n'a jamais pu se vanter. A côté des Helvètes sourcilleux, les Chinois communistes sont des modèles d'affabilité loquace et chaleureuse. Mais je ne me laissai pas rebuter par ce premier échec. Je priai l'ambassadeur de Suisse à Ryad de bien vouloir prendre sur son précieux temps pour venir me voir à mon bureau, ce que le cher homme fit dès le lendemain matin... à huit heures ! Huit heures ! Il faut être suisse pour faire des choses pareilles ! Mais il était venu, je ne pouvais pas le lâcher. A mots très couverts, si couverts que seul un Suisse pouvait en comprendre les implications, je lui laissais entendre qu'un jour peut-être je donnerais l'ordre de virer quelques milliards de dollars aux banques de son cher pays. Ainsi mis en condition, le digne homme ne pouvait décemment pas refuser de me rendre le petit service que je lui demandais, d'un air négligent, à la fin de la conversation, celui de trouver le numéro personnel du Professeur Hartmann en Iran. A midi, le saint homme me rappelait : il avait le numéro, les indicatifs internationaux d'appel direct, l'adresse, le code postal, que sais-je encore... Ce qui prouvait, une fois de plus, qu'il faut toujours faire confiance aux Suisses quand on prend la peine de faire d'abord vibrer la corde sensible.

Ursula fut stupéfaite de m'entendre. A vrai dire, je me demande encore comment j'ai pu aussi facilement appeler un numéro qui, compte tenu des activités très spéciales de son cher père, aurait dû être plus surveillé que celui du Shah. Cela ne prouvait qu'une autre évidence : ne jamais surestimer l'efficacité et l'intelligence des services secrets. Quoi qu'il en soit, elle manifesta un plaisir qui m'alla droit au cœur et promit de faire de son mieux pour se trouver à Téhéran quand j'y serais, ce qu'elle fit avec le succès que l'on a vu. Mais elle ajouta, malgré mes protestations indignées, qu'elle laisserait ses cordonnées à l'ambassade de Suisse. Je raccrochai la mort dans l'âme, pensant que je ne la reverrais sans doute jamais.

Aussi, quand Reggie et moi fûmes installés dans nos chambres du Hilton, je n'eus rien de plus pressé que d'appeler l'ambassade en étant prêt au pire. Alors, le miracle se produisit. Ursula avait laissé la commission, et on me la transmit sans faire la moindre difficulté : elle était descendue à l'hôtel Ambassador. J'appelai immédiatement : elle y était et voulait me voir tout de suite. Je m'y ruai. Ursula m'attendait dans le hall, l'air digne avec des gants noirs, un sac Hermès et un manteau boutonné jusqu'au menton. Assez digne, peut-être, pour décourager la drague, pas assez pour moi. En regardant son bronzage qui la rendait encore plus belle, j'avais le cœur battant. Vous est-il jamais arrivé de vous exciter au simple contact d'un gant noir ? Ce jour-là, cela m'est arrivé. Pour la première fois depuis plus de trente ans...

– Bill ! me dit-elle. Que je suis heureuse de vous voir ! Allons nous promener, ajouta-t-elle.

Sans me vanter, et vous n'êtes pas forcé de me croire, elle en avait des larmes aux yeux. Je fis mine de ne rien remarquer, et nous sortîmes de l'hôtel bras-dessus bras-dessous. Le jour tombait. Les journées sont courtes en janvier à Téhéran.

Comme tous les jours à partir de quatre heures de l'après-midi, les rues étaient bondées, pleines d'un tourbillon de taxis, d'autobus, de piétons s'entrecroisant, se bousculant, criant, klaxonnant, se hâtant d'arriver quelque part. On y retrouvait, malgré la laideur de la ville, la même atmosphère d'excitation joyeuse qu'ont la Cinquième Avenue à New York, le centre de Madrid, les Champs-Elysées à Paris ou le Ginza à Tokyo. Après la torpeur de Ryad ou l'isolement d'Ursula à Khorramshahr, cette ambiance de grande ville dans l'air frais et tonique de l'hiver nous fit tout à coup du bien, nous replongea dans quelque chose qui ressemblait à la civilisation. C'était peut-être aussi un autre phénomène, déformé par ma mémoire : Ursula était à mon bras. Et Ursula, depuis notre dernière rencontre, avait changé.

Comme une gamine en vacances, elle insista pour aller manger un gâteau dans une pâtisserie, m'entraîna dans un magasin de jouets où elle s'acheta une poupée. Nous regardions les affiches des cinémas, essayant de comprendre ce que ces caractères mystérieux voulaient dire. On comprit quand même que Doris Day était encore une vedette, et que les films de cow-boys avaient toujours la cote. Il est bon de retrouver ainsi son passé...

– Vous savez, me dit-elle soudain, j'ai beaucoup pensé à vous depuis Zurich. Tous les jours, même... Cela ne vous ennuie pas trop ? ajouta-t-elle avec un petit sourire timide.

La foule nous entourait comme la mer assiège un phare.

– M'ennuyer ? protestai-je. Comment pouvez-vous dire une chose pareille ! Vous imaginez-vous donc que votre joli visage ne m'a pas provoqué quelques pensées fugitives ? dis-je d'un ton léger pour faire passer ce qui n'était qu'un lieu commun fort plat.

Je sentis sa main se serrer sur mon bras.

– C'est vrai, ce que vous venez de dire ? demanda-t-elle.

– Bien sûr. Tout à fait vrai.

La foule nous bousculait toujours mais, au risque de me servir encore d'un cliché, je ne m'en rendais plus compte.

– Bill, reprit-elle après un silence, combien de temps avez-vous été marié ?

– Dix-neuf ans. Pourquoi ?

– Et vous n'avez jamais eu d'enfants. Vous n'aimez donc pas les enfants ?

– Je les adore. Mais pas de mon ex-femme.

– Bill, reprit-elle d'un ton soudain déterminé, aimeriez-vous en avoir de moi ?

C'était exactement le genre de conversation que l'on apprend aux jeunes gens à éviter comme la peste, car elles peuvent mener à la catastrophe. Curieusement, ce soir-là à Téhéran, j'oubliai instantanément les plus solides principes de ma jeunesse. J'évitai de répondre, mais mon cœur battait.

Ursula s'arrêta subitement et se tourna vers moi.

– Bill, dit-elle, il faut que je vous dise... A Rome, ce soir-là... Je n'avais jamais fait quelque chose d'aussi idiot de ma vie. C'était plus qu'idiot... Vous me croyez ?

– Oui, dis-je, et j'étais sincère.

Elle se dressa légèrement sur la pointe des pieds, me passa ses bras autour du cou. Et là, en plein milieu de plus de dix mille Iraniens, nous nous sommes embrassés.

Un long moment plus tard, nous nous remîmes à marcher lentement.

– Bill, croyez-vous à la destinée ?

– Parfois, répondis-je.

– Cela va peut-être vous paraître idiot, mais j'ai l'impression que c'était vous que j'attendais depuis trente et un ans. Je sais bien qu'une femme n'est pas censée dire des choses pareilles, même à notre époque. Mais je le dis parce que je le sens. Vous ne m'en voulez pas ?

– Pourquoi vous en voudrais-je ? Mais au fait, Ursula, pourquoi ne vous êtes vous jamais mariée ?

– Je ne sais pas... Sans doute parce que je n'ai jamais rencontré quelqu'un avec qui j'aie eu envie de vivre pour le restant de ma vie.

– Allons, repris-je. Vous avez quand même bien eu des petits amis... Je ne sais pas comment on les appelle, de nos jours, mais le principe est le même. Alors ?

– Oui, un. Il y a bientôt neuf ans. Nous étions tous deux à l'université. Mais cela n'a rien donné.

– Et depuis ?

– Rien, croyez-le ou non. Rien... jusqu'à Rome.

– Et pourquoi à Rome ?

– Parce que je vous ai haï. Et que je vous ai aimé...

– Je... moi aussi.

Pourquoi en dire plus ? Nous avions tous deux compris que ce qui avait commencé, par erreur pourrais-je dire, à Rome était devenu tout autre chose ce soir, à Téhéran. Et que c'était fort bien ainsi.

Presque involontairement, je regardai ma montre. Ursula eut un sursaut :

– Il faut que vous partiez ? demanda-t-elle avec inquiétude.

– Non. Je voulais simplement regarder l'heure. Pour m'en souvenir, plus tard...

– Bill, lança-t-elle avec un sourire rayonnant, je peux te tutoyer ?

– Bien sûr, répondis-je en me creusant la tête pour trouver une phrase où glisser un « tu » moi aussi.

– Je peux t'appeler « chéri » ? Ou plutôt non, je t'appellerai « Schatzi », comme en Suisse. C'est comme cela que ma mère appelait mon père.

– Au fait, dis-je bêtement, comment va-t-il ?

J'avais eu tort de le glisser entre nous. Ursula se raidit.

– Il n'est pas malade, au moins ? repris-je pour tenter d'effacer ma gaffe. Où est-il ? continuai-je. Il est venu ici avec toi ? Remarque, je sais bien que ça ne me regarde pas...

– Bill, tout ce qui me concerne te regarde. Maintenant, je sais que je ne devrais pas t'imposer...

— Ursula, coupai-je, je ne savais pas que cela se faisait de revenir sur ses décisions !

Je la retins pour qu'elle s'arrête, la regardai dans les yeux et l'attirai contre moi. Tant pis pour les Iraniens et la moralité publique, pensais-je en l'embrassant longuement.

Après cette mise au point, nous nous remîmes à marcher en silence, un merveilleux silence qui scellait un peu plus notre intimité à chaque pas. Sans nous en apercevoir, nous nous éloignions du centre de Téhéran.

— Bon, dis-moi la vérité. Qu'est-ce qui ne va pas à Khorramshahr?

— Rien, répondit-elle en hésitant. Rien qui n'aille pas à proprement parler. C'est mon père qui n'est plus le même. Je ne le reconnais plus. Il paraît se retirer en lui-même, il agit comme s'il était poussé par quelque chose que je n'arrive plus à comprendre. Il ne me parle pour ainsi dire plus. Le soir, il reste assis dans un coin, avec sa pipe, silencieux pendant des heures. Seul. Il me fait presque peur.

— Et tu ne lui as pas demandé pourquoi ?

— Si, il y a quinze jours, juste avant que tu m'appelles. Il m'a répondu que je ne pouvais pas comprendre. Que seule ma mère aurait compris, peut-être... Crois-moi, Bill, ce n'est pas l'âge. A soixante-deux ans, on ne fait pas de crises de sénilité. Il n'a jamais été, au contraire, plus en possession de ses moyens. Il est... comment dire ?... habité par quelque chose.

— Et qu'est-ce qu'il fait, au juste, depuis qu'il est ici ?

— Je ne sais pas. Il ne m'en parle pas. L'autre jour, j'ai essayé de faire parler Uri, tu sais, Ben-Levi. Il m'a remise à ma place, et m'a priée de ne pas me mêler de ce qui ne me regarde pas. Ni de poser de questions à mon père.

— L'Adonis blond des sables d'Israël ! dis-je avec un ricanement désagréable. Qu'est-ce qu'il venait faire ?

— Ne sois pas bête, Bill. Il n'y a jamais rien eu entre nous. L'usine avait, paraît-il, un problème avec un de ses équipements, un four à vide ou quelque chose dans ce genre. Il est venu le réparer.

— Lui ? dis-je surpris. Un Israélien ?

— Et pourquoi pas ? reprit-elle sur la défensive. L'Iran n'est pas raciste. Il n'y a pas de préjugés contre les Juifs, ici, qu'ils soient suisses ou israéliens...

Oh non ! pensai-je. Ne repartons pas sur ce sujet-là. Je remis donc la conversation sur ses rails.

— Voyons, qu'est-ce que c'est que tous ces secrets ? Es-tu sûre que ton père n'est pas mêlé à quelque chose de bizarre ?

Et d'abord, quelle est la raison officielle de son séjour en Iran ?

— Il est conseil de Roche-Bollinger, qui doit construire une ou deux centrales nucléaires. Il est venu faire les études préliminaires, c'est tout.

La réponse était plausible et simple. Mais son ton ne l'était guère. Je dressai l'oreille.

— Au fait, n'est-il pas aussi conseil de l'armée suisse ?

Elle me regarda comme si j'avais ouvert une cage pleine de serpents.

— Cela n'a rien à voir ! Personne ne l'a forcé à venir ici, nous ne sommes pas des prisonniers. Il y reste de son plein gré. Non, Bill, ne va pas t'imaginer... Je connais mon père.

— Peut-être pas aussi bien que tu le crois, insistai-je. Tu disais tout à l'heure qu'il avait dit quelques mots sur ta mère, qui aurait pu comprendre. Qu'est-ce que cela peut signifier, à ton avis ?

— Je ne sais pas, répondit-elle dans un souffle. A cause d'elle, il porte aux Allemands une haine féroce. Depuis le jour de leur mariage, il n'a jamais remis les pieds en Allemagne. Maintenant, je crois qu'il hait les Arabes encore davantage...

Ainsi, elle ne voulait pas encore se l'avouer, mais elle savait très bien ce dont il s'agissait.

— Il me semble, insistai-je, que ton père a travaillé sur les armements atomiques suisses, non ?

Maintenant que je repense à cette conversation, je crois qu'il est impossible de regrouper autant d'émotions aussi vives, bien que fondamentalement différentes, dans une seule conversation, comme celle que nous étions en train d'avoir.

— Bill, répondit-elle d'une toute petite voix implorante, ne me demande pas de répondre à ce que tu viens de demander.

— Bon, je n'en parlerai plus, c'est promis. En tout cas, ajoutai-je en me parjurant, je comprends au moins une chose... Les Israéliens. Et ton petit ami Ben-Levi, le Professeur de charme.

— Il n'est pas mon petit ami ! Il ne l'a jamais été ! Et je ne veux plus que tu m'en reparles, Bill ! Jamais, tu entends !

Ursula fondit en larmes. Je la serrai plus fort contre moi et lui donnai un baiser.

— Rentrons, lui dis-je.

Par miracle - c'était la journée ! - un taxi passa à ce moment-là. Par un autre miracle, je réussis à lui faire comprendre de nous ramener à l'Ambassador. Quand nous sommes arrivés dans sa chambre, la nuit était complètement tombée, et il faisait très noir. Nous n'avons pas rallumé la lumière. En fait, nous ne l'avons pas allumée de la nuit.

Quand je rentrai au Hilton le lendemain matin, vers neuf heures, Reggie m'attendait en arpentant le hall avec tous les signes de l'inquiétude et de l'énervement.

– Nom de Dieu, Bill ! Où est-ce que tu étais ? Nous devons être à l'ambassade dans à peine une heure !

– Ne t'inquiète pas. J'ai juste rendu visite à quelqu'un. Visite un peu prolongée, c'est tout. Pas de panique, j'arrive.

J'allai me doucher, me raser, et m'habillai pour la circonstance de mon costume de banquier le plus digne, gris foncé avec un gilet. J'étais, bien sûr, plutôt crevé. Au moins, n'ayant même pas eu le temps de boire le moindre verre, je n'avais pas la gueule de bois, ce dont ne peuvent pas se vanter tous les banquiers en voyage d'affaires à l'étranger. Mais je dois avouer que j'étais malgré tout fort énervé. Quand je suis énervé, je fume, et je grillai presque tout un paquet de Winston avant même que nous soyons arrivés à l'ambassade d'Arabie. Il y avait quand même des circonstances atténuantes : la journée qui s'ouvrait n'était pas une journée ordinaire, même pour un homme de la classe de William H. Hitchcock...

Reggie et moi passèrent le seuil de l'ambassade à dix heures tapantes. Deux minutes plus tard, Fahad et Yamani firent leur apparition en grande tenue de princes arabes. Nous prîmes tous les quatre place dans la Mercedes 600 de l'ambassadeur et, à peine un quart d'heure plus tard, passions les grilles du palais du Shah. Le chef du protocole nous attendait au pied du perron d'honneur, il nous fit entrer dans le grand vestibule que nous traversâmes pour gagner un salon de réception décoré et meublé en Louis XVI authentique. Le Shah était debout au milieu de la pièce, flanqué de son ministre du Pétrole, Jamshid Amouzegar, et de deux assistants. Le prince héritier et le Shah se serrèrent la main. Le chef du protocole fit les présentations officielles, s'inclina devant son maître et quitta la pièce à reculons. Alors, le Shah nous mena vers un groupe de sièges, indiqua au prince Fahad le fauteuil à sa gauche, et fit un geste vague vers les trois canapés formant un « U » en face de lui. Yamani et Amouzegar s'assirent à la droite du Roi des Rois, Reggie et moi à la gauche du prince Fahad, et les deux Iraniens prirent les deux places qui restaient au bas bout. Ce qui était aussi bien, car ils ne devaient pas desserrer les dents – Reggie non plus, d'ailleurs - de tout le temps que dura l'audience.

- Sire, entama Fahad, Votre Majesté nous a fait un grand honneur en acceptant de nous recevoir.

– Je tiens, répondit le Shah, à dire à Votre Altesse quel

plaisir j'éprouve à La recevoir avec ses conseillers sur le sol de l'Iran. Veuillez, je vous prie, transmettre à Sa Majesté le Roi Khaled l'expression des sentiments d'affection que je lui porte.

En une phrase Pahlevi avait mis chaque chose à sa place : nous autres parmi les sujets, et Fahad à son rang de simple prince héritier s'adressant au Roi des Rois. Le prince inclina la tête avec un sourire.

– Si Votre Majesté le veut bien, reprit Fahad, j'aimerais en venir maintenant à l'objet de notre visite, à laquelle vous avez si gracieusement consenti.

– J'en serai ravi, répondit le Shah.

Il n'y a pas de doute, me disais-je pendant cet échange de phrases protocolaires, ce type-là sait en imposer. Il était assis dans son fauteuil comme sur un trône, raide comme un général anglais, le visage totalement inexpressif. Un client difficile...

– Sa Majesté le Roi Khaled, entouré de son conseil des Ministres, m'a délégué auprès de Votre Majesté pour l'informer que le Royaume d'Arabie Saoudite va devoir, pour le bien de ses sujets, envisager une révision de sa politique en ce qui concerne l'établissement des prix du pétrole brut.

– Je vois, répondit le Shah. Et ceci est la seule raison de votre visite ?

– Oui, Sire, répondit Fahad.

– Je crains, dans ces conditions, que nous n'ayons rien à nous dire.

Fahad ne répondit pas. Yamani ne dit pas un mot. Amouzegar n'ouvrit pas la bouche. Personne d'autre ne fit un geste. Le silence le plus complet dura plus d'une minute, ce qui est long. Le Shah, pendant tout ce temps, fixait un regard qui se voulait pénétrant sur le Prince Fahad. Mais celui-ci ne se laissa pas intimider, et ce fut le Shah qui, le premier, dut rompre le silence. L'ambiance était devenue si lourde, si menaçante, que je n'en avais pas seulement les mains moites, elles étaient trempées.

– Je suppose, reprit Mohamed, que vous avez compris ce que je viens de dire.

– Oui, Sire, répondit Fahad. Et une fois encore, il s'en tint là.

Le Shah ne pouvait plus se laisser prendre au piège du silence. Il poursuivit donc son admonestation.

– Votre Altesse est bien mal conseillée, si vous me permettez de le dire, tant par son Cheik Yamani – qui devrait pourtant savoir ce dont il parle – que par les autres, dit-il en désignant d'un geste vague et méprisant Reggie et moi-même. Mes vues sur cette question, reprit-il, sont connues de tous. Il ne devrait, il ne doit y avoir qu'une seule tribune d'où discuter des prix du pétrole. Cette tribune, c'est celle de l'OPEP. Si vous désirez en convoquer une réunion spéciale, c'est certes votre droit. Mais je n'y serai pas représenté, car j'estime qu'il n'y a rien de plus à dire sur la question. Nous avons tous été d'accord pour établir la formule de révision de nos prix. Ceux-ci doivent suivre l'augmentation des prix des pays occidentaux, c'est-à-dire quinze pour cent par an. S'ils ne font rien pour stopper leur inflation ou en réduire le taux, c'est eux qui sont responsables de l'augmentation des prix du pétrole, pas nous.

— Sire, répondit Fahad, j'ai bien peur que Votre Majesté ne fasse erreur en pensant que je suis mal conseillé. Nous avons consacré beaucoup de temps et de soins à étudier ce problème, et sommes parvenus avec l'aide de ces Messieurs à définir une nouvelle politique. Cette politique portera, j'en suis sûr, des effets à long terme dont il faudra reconnaître qu'ils sont réalistes.

— Il n'y a pas de politique pétrolière en dehors de celle de l'OPEP, déclara Pahlevi. La politique de l'OPEP a été clairement définie, et elle ne subira aucune révision.

— Notre nouvelle politique, reprit Fahad comme si le Shah n'avait rien dit, est fondée sur la conviction que l'économie occidentale est dans un état d'extrême fragilité. Il est par conséquent dans l'intérêt même des producteurs de pétrole de prendre l'initiative de mesures destinées à corriger cette situation, dont eux-mêmes souffriront tôt ou tard.

— Fragilité ! s'exclama le Shah. Qui donc a pu vous convaincre de pareilles sornettes ? Ces deux Américains, sans doute ? Nous avons déjà entendu parler d'eux. Etes-vous assez naïf pour croire qu'ils défendent vos intérêts ? Leurs maîtres, leurs vrais, ce n'est ni vous ni le Roi Khaled. Ce sont Exxon, Shell, la Bank of America, la Chase Manhattan, les Rothschild !

Il me jetait un regard furibard. L'enfant de salaud, pensai-je en lui renvoyant un œil mauvais sous mes sourcils relevés.

Fahad — je l'aurais embrassé ! — fit comme s'il n'avait rien entendu de cette explosion de colère.

— C'est pourquoi, poursuivit-il du même ton paisible, le Royaume d'Arabie a l'intention de stabiliser le prix de son pétrole brut pour deux ans sûrement, trois peut-être. Ce qui veut dire que nous allons sensiblement augmenter le niveau de notre production.

— C'est de la folie ! intervint alors Amouzegar. Vous allez détruire tout ce que nous avons bâti avec tant de peine depuis 1973 !

— Nullement, répondit Yamani qui ouvrait la bouche pour la

première fois. Ce que nous ferons aura exactement l'effet inverse. C'est vous, Amouzegar, qui nous menez tous à la catastrophe depuis des années. C'en est assez. Le monde entier a besoin d'un peu de répit, il est devenu incapable d'absorber le coût de l'énergie. Ce répit, c'est donc nous qui allons le lui accorder.

Devant une telle déclaration, je m'attendais à voir le Shah-in-Shah piquer une crise de nerfs. Mais pas du tout. Il ne cilla même pas, et se contenta de poser une question raisonnable, proférée d'un ton parfaitement mesuré. C'était, dus-je reconnaître, digne de celui qui s'était fait la réputation du meilleur stratège pétrolier au monde. L'enfant de salaud savait négocier.

– Dites-moi, Yamani, comment entendez-vous organiser ce que vous venez de dire ? lui demanda-t-il. Allez-vous mettre votre pétrole en adjudication ?

– Certainement pas, répondit le Cheik. Notre but n'est pas de provoquer le chaos sur le marché. Nous allons, vraisemblablement, conclure des accords à long terme avec certains des principaux distributeurs.

– Les Américains, je suppose ? demanda le Shah.

– C'est en effet probable.

– Je vois, dit le Shah. A crédit ?

– Non, répondit Yamani. Strictement au comptant.

– En dollars, bien entendu ?

– Oui, Sire.

Pendant quelques instants, le Shah tambourina sur le bras de son fauteuil, tandis qu'on pouvait presque entendre son cerveau tourner à toute vitesse, comme un ordinateur.

– Par conséquent, reprit-il, l'économie étant aussi « fragile » que vous voulez bien le croire – et par « économie occidentale », je présume que vous voulez dire celle des Etats-Unis – vous allez donc garder vos rentrées en dollars ?

– C'est en effet possible, approuva Yamani.

– Je vois, dit le Shah qui, décidemment, voyait beaucoup ce matin-là.

– Dites-moi, Dr. Hitchcock, reprit-il en se tournant soudain vers moi, ne vous ai-je pas déjà rencontré à Londres il y a quelques années ?

– Oui Sire. Au Savoy.

– Je m'en souvenais en effet. Pouvez-vous me dire ce que tous ces projets vont entraîner sur les marchés des changes ?

– Un affermissement des cours du dollar, Sire.

– Et comment va se comporter la livre ?

– Difficile à dire, à ce point.

— Et la lire ?

Je souris en faisant un geste expressif.

– Dites-moi encore, Dr. Hitchcock, où me conseilleriez-vous de déposer mes fonds pour cette année ?

– Votre Majesté a sûrement un ami, elle aussi, à la Chase Manhattan. Pourquoi ne lui posez-vous pas la question ?

– Bien joué, Hitchcock ! dit le Shah avec un sourire. J'avais tort, ajouta-t-il en se penchant vers Fahad. Cet homme est peut-être capable de bien vous conseiller.

Alors, il se redressa, s'appuya au dossier de son fauteuil, leva un doigt comme pour conjurer l'aide d'Allah, et dit à Fahad :

– Je suis toujours aussi surpris. Pourquoi venir me déclarer tout cela ?

– A cause de la longue et traditionnelle amitié entre nos deux royaumes, Sire, répondit Fahad sans se départir de son sérieux. Nous ne désirons nullement causer le moindre problème à votre pays. Nous admirons trop le développement que prend l'Iran sous votre règne. Et nous sommes convaincus que notre nouvelle politique pétrolière ne nuira en rien à vos projets économiques, au contraire. Nous sommes venus à vous dans un esprit de paix et d'amitié, pour donner un témoignage de la valeur que nous portons à l'estime de Votre Majesté envers nous, et consolider les liens entre nos royaumes.

– Je remercie Votre Altesse pour les sentiments qu'elle vient d'exprimer, répondit Pahlevi. Mais il est de mon devoir de vous dire encore que vos projets me soucient, à cause du bien-être de mon peuple. Le peuple d'Iran est si proche de son roi que nous ne formons qu'une même famille. Il a pour son roi le respect que les enfants avaient pour leur père. Les Iraniens comptent sur moi pour les aider et les protéger, et je ne crois pas que votre nouvelle politique soit bonne pour leur bien-être. Mais je ne puis que respecter la décision de votre roi, de vous-même et de votre famille. Je vous remercie par conséquent de votre visite, et vais prier Allah qu'il répande sur vous ses bénédictions et écarte de vous tout péril pendant votre voyage.

Qu'Allah me frappe de sa foudre si je n'ai pas rapporté mot à mot la tirade du Shah-in-Shah !

L'ayant proférée, il se leva et tendit la main à Fahad d'abord, puis à chacun d'entre nous par ordre hiérarchique. Quand il en arriva à moi, il m'honora de quelques mots :

– Dr Hitchcock, ne manquez pas de prévenir mes gens la prochaine fois que vous viendrez à Téhéran. J'aurai plaisir à vous demander votre avis sur des questions financières.

Il ponctua sa phrase d'un sourire charmeur, comme il savait parfois si bien en faire. Et je mentirais si je disais que je ne me sentis pas flatté de me laisser charmer par le Shah d'Iran !

Le prince Fahad demanda que Reggie et moi déjeunions avec lui à l'Ambassade d'Arabie. A la fin du déjeuner, il nous fit le résumé de ses impressions.

– Je crois, Messieurs, que cette rencontre a été très utile. Nous lui avons apporté la preuve de notre franchise, nous l'avons prévenu de nos intentions. Il n'a donc plus la moindre excuse pour prendre des représailles contre nous. Et cela, j'en suis convaincu, est le plus important, car le Shah croit à la légitimité. Jusqu'à présent, il n'a rien fait sans être sûr de pouvoir ensuite prouver au monde entier qu'il avait des raisons légitimes de le faire. Or, nous venons de lui enlever ces raisons. Il faut donc maintenant que nous agissions le plus vite possible pour nous assurer que, quand il inventera une raison légitime – ce qu'il ne va manquer de faire, croyez-moi – nous soyons en mesure de résister militairement à son intervention. Vous l'avez vu et entendu comme moi : au début, il était sur le point de commettre un affront envers moi, donc envers le royaume. Il était prêt à aller jusqu'à la rupture. Nous ne saurons sans doute jamais pourquoi il a ensuite fait machine arrière. En tout cas, nous avons gagné du temps.

Une heure plus tard, Fahad reprit le 707 de l'armée de l'air royale qui devait le ramener à Ryad. La situation intérieure était trop délicate pour qu'il se permette de s'absenter plus qu'il n'était indispensable. Yamani, Reggie et moi devions prendre un vol régulier pour Londres peu de temps après.

Avant de partir, j'appelai Ursula de l'aéroport. Nous tombâmes d'accord pour nous retrouver dès que mon emploi du temps me le permettrait, mais plus en Orient. Nous nous décidâmes pour St Moritz, pour prendre de vraies vacances où nous pourrions skier pendant la journée et être seuls, tous les deux, le soir.

– Es-tu content de cette conférence de ce matin ? me demanda-t-elle enfin.

– Plutôt, je crois. Le Shah n'est pas un homme facile à prédire, mais je crois qu'on a bien manœuvré.

– Donc, il ne devrait rien se passer dans la région pour le moment ?

– Pas pour le moment, non.

– Bill, reprit-elle après avoir marqué une pause, j'ai eu mon père au téléphone ce matin. Il a l'air d'aller mieux.

– Tant mieux, répondis-je.

— Peut-être parce que Uri Ben-Levi lui tenait compagnie, ajouta-t-elle.

Avant que j'aie eu le temps de répondre, Reggie m'arracha presque de la cabine téléphonique, montrant l'horloge d'un air indigné. Nos adieux furent donc très écourtés.

Cela ne me faisait aucun plaisir de quitter Ursula, surtout en sachant ce Ben-Levi en train de lui tourner autour. D'un autre côté, j'étais trop excité à la perspective de ce qui nous attendait à Londres et à New York, et je brûlais d'impatience de pouvoir enfin lâcher les bombes financières que nous avions si bien préparées. Mais il y avait maintenant d'autres bombes auxquelles je ne pouvais plus m'empêcher de penser, et ces bombes étaient en train d'être préparées par le propre père de la femme que j'aimais ! Situation cornélienne...

En tout cas je pouvais dire que je savais. Et savoir, comme dit la sagesse des nations, c'est pouvoir.

CHAPITRE 17

Par un contraste frappant avec notre arrivée à Téhéran, notre débarquement à Londres fut entouré de tout le cérémonial réservé aux visites officielles, bien que celle-ci ne le fût pas, et même rehaussé de la présence d'un homme du Foreign Office, qui n'était pas officiellement au courant. Toute cette pompe énerva Yamani, qui sut toutefois se contenir.

Les Rolls-Royce nous déposèrent au Claridge en à peine vingt minutes. Le directeur nous souhaita la bienvenue en personne et, pendant qu'on nous menait vers les ascenseurs, on pouvait entendre à l'arrière-plan les harmonies d'un quatuor à cordes : c'était l'heure du thé. Yamani fut installé, avec tous les égards d'usage, dans une des suites royales – le Claridge de Londres étant sans doute l'un des seuls hôtels au monde à en avoir plusieurs. Quant à Reggie et moi, on nous avait réservé des appartements beaucoup plus simples à un autre étage.

A six heures, je descendis avec Reggie prendre un verre à « La Causerie », le bar où officiait toujours le même barman depuis plus de trente ans. La Grande-Bretagne avait beau être le tombeau du capitalisme et de la civilisation occidentale, elle savait encore réserver de bons moments à ses fidèles. C'est ainsi que ce grand prêtre des aménités de la vie en société sut se rappeler m'avoir déjà servi, et m'apporta un dry-martini ultra-sec sans que j'aie eu à le lui demander. Les joies de la vie sont souvent faites de ce genre de choses.

Avant d'avoir eu le temps de trop boire, nous allâmes rejoindre le Cheik Yamani dans sa suite du dernier étage. Il faisait froid et humide, comme il est habituel à Londres au mois de janvier, mais la suite royale laissait soigneusement au-dehors ce climat déprimant. Dans le salon aux rideaux tirés, deux vastes cheminées jetaient des reflets orangés sur les tapis bleu pâle et les murs tourterelle. Deux serviteurs – de sexe masculin, bien sûr, car le Claridge connaissait les habitudes de ses hôtes musulmans – passaient discrètement des canapés et des petits fours en même temps que des breuvages venant d'un bar discrètement installé au fond du salon. Le Cheik Yamani était comme chez lui, et manifestement satisfait de la manière dont les événements s'étaient déroulés jusqu'à présent. A huit heures précises, les serviteurs ouvrirent les portes d'acajou de la salle à manger aux lambris de chêne. Des chandeliers éclairaient la longue table, où on nous servit un excellent dîner de saumon, de cailles et de « Cerises Jubilée » arrosé d'un bourgogne blanc et d'un bordeaux dignes de tous éloges. Pour sa part, Yamani ne but que du thé.

Après le dîner, Reggie ressortit sa serviette bourrée de papiers et alla s'asseoir sur un canapé avec Yamani. Tandis qu'ils parlaient, je me contentais de les écouter en buvant un cognac – peut-être deux cognacs ; qui peut se rappeler ces détails ? Quand ils en arrivèrent à parler de l'Italie, je me bornai à confirmer les conseils que j'avais déjà donnés à Yamani à ce sujet. La soirée se termina assez tôt.

A neuf heures le lendemain matin, une Rolls-Royce nous attendait devant la porte. Peu après avoir quitté l'autoroute M-40 par la sortie de Gerrards Cross, nous arrivâmes dans un des plus charmants petits villages de la campagne anglaise, qui en est pourtant riche, Penn – berceau d'un des plus forts contingents de passagers du *Mayflower*, donc des ancêtres de ce que le « système » américain comptait de plus distingué. Le chauffeur s'arrêta un instant à l'auberge de la Tête du Sanglier pour demander son chemin. Une dizaine de minutes plus tard, nous passions l'entrée de barrières blanches d'une propriété dont le nom, peint sur des panneaux de bois, était en toute simplicité *The Oaks, Les Chênes*. En effet, les vastes étendues de prés verdoyants ceints de barrières où batifolaient des chevaux, étaient couvertes de hauts chênes séculaires. Il nous fallut parcourir près de deux kilomètres au milieu de ce paysage agreste pour arriver enfin à une « country lodge » qui, à mes yeux prosaïques, ressemblait plutôt à un assez vaste château XVIIIe. Dans l'allée semi-circulaire devant le perron, on pouvait voir un spectacle assez inhabituel, même pour des yeux blasés comme les miens : quatre Rolls-Royce « Silver Clouds » – une noire, comme la nôtre, deux grises et une blanche – étaient garées l'une près de l'autre. Avec notre arrivée, cela représentait plus de deux cent cinquante mille dollars de tôlerie et de mécanique...

Nous avions à peine ouvert les portières que notre hôte parut au haut des marches. Avec sa veste de tweed et sa pipe, il incarnait à merveille le « gentleman farmer ». L'illusion devait fort peu durer : dès qu'il ouvrit la bouche, on ne pouvait plus avoir le moindre doute quant à ses origines.

– Zaki ! s'écria-t-il en voyant Yamani, avec un accent du Texas à couper au couteau, soyez le bienvenu dans notre petite maison des champs !

Le « notre » n'était pas un pluriel de majesté, comme je m'en aperçus tout de suite. Car *The Oaks* appartenait – comme de nombreuses autres retraites discrètes – à la société la plus importante et la plus riche au monde, Exxon, digne héritière de la société la plus puissante, la plus riche et la plus malhonnête de l'histoire du capitalisme, la Standard Oil of New Jersey. Et l'homme qui nous accueillait n'était autre que John Jay Murphy, président du conseil d'administration d'Exxon, qui continuait de jouer les hôtes avec une grande bonhommie.

– Reggie, dit-il en tendant une main accueillante, content de vous voir !

– Moi aussi, J.-J., répondit Reggie avec une familiarité qui, de mon point de vue, était au moins surprenante.

– Et vous, reprit J.-J., c'est vous Hitchcock ? Je vais vous appeler Bill, d'accord ?

– Oui, répondis-je en me sentant un peu simplet.

– Content de vous voir parmi nous, fils, conclut J.-J. avec une grande tape dans le dos.

L'intérieur de la « maisonnette des champs » était infiniment plus opulent que la suite royale du Claridge, qui en prenait des allures de taudis. Trois hommes nous attendaient : George Simpson, P.D.G. de Mobil Oil; Roger Smith, patron de Texaco, et Fred Grayson, qui dirigeait les destinées de la Standard Oil of California, plus connue sous le sigle Socal. Fred Grayson me connnaissait bien, car Socal avait son siège social à San Francisco où nous avions fait de nombreuses affaires ensemble. Tout le monde, par contre, connaissait Yamani et Reggie.

Cette petite réunion de famille aurait fait rêver le plus obtus des fonctionnaires de la commission anti-trust du ministre de la

Justice de Washington. Une seule photo aurait pu fournir le dossier du procès le plus explosif du siècle. A elles quatre, ces compagnies pétrolières contrôlaient plus de quarante pour cent du marché mondial des produits pétroliers. Chacune d'elles figurait aux douze premiers rangs des « cinq cents premières entreprises » du monde entier. Chacune d'entre elles avait à sa disposition des revenus et un budget supérieurs à ceux de la plupart des Etats. Réunies, elles n'étaient dépassées que par une poignée des nations les plus riches et les plus développées. Si ces quatre hommes, et les entreprises qu'ils dirigeaient, s'unissaient pour agir de concert avec l'Arabie Saoudite pour définir une politique pétrolière, il n'y avait pas une puissance au monde qui puisse les en empêcher, ni même les infléchir d'un millimètre. Pas même le Président des Etats-Unis, encore moins le Shah d'Iran.

Pendant longtemps, on avait cru que le marché du pétrole était mené par les compagnies surnommées les « Sept Sœurs », dont le groupe comprenait également Royal Dutch-Shell, British Petroleum et Gulf Oil. Ce n'était qu'une illusion. La seule clef du marché pétrolier était, est toujours, entre les mains du producteur possédant des réserves tellement vastes qu'il puisse à tout moment submerger le marché sous des flots de pétrole, et déterminer ainsi les cours. Ce producteur, c'est l'Arabie Saoudite. Par conséquent, ceux qui avaient la faculté d'accéder à cette clef devenaient, en fait, les seuls maîtres des destinées énergétiques de la planète. Seules, Exxon, Mobil, Texaco et Socal avaient accès à la clef. Car ces quatre-là étaient les associés exclusifs de l'Aramco. Et l'Aramco était le partenaire exclusif de l'Arabie Saoudite.

— Zaki, déclara J.-J. Murphy après que nous eûmes tous pris place devant la cheminée où brûlait un immense feu de bois, Zaki, je vous ai fait préparer du thé !

Tout le monde éclata de rire, sauf moi. Il s'agissait apparemment d'une plaisanterie réservée aux seuls initiés de l'Aramco. Un assistant sobrement vêtu de gris vint apporter le thé du Cheik avec les marques de la plus grande déférence.

— Et maintenant, les enfants, reprit J.-J. après s'être assuré que Yamani trouvait le thé à son goût, qu'est-ce que ça sera pour vous ? Café ou whisky ?

A part Reggie, qui voulait sans doute rester lucide le plus longtemps possible, tout le monde prit du whisky. Il paraîtra sans doute étrange à beaucoup de lecteurs de voir boire de l'alcool, à une heure aussi matinale, aux plus grands patrons des plus grandes entreprises de l'Amérique. C'est moins surprenant quand on connaît ces hommes et leurs origines. Car aucun de ceux qui président aux destinées des géants pétroliers ne sort de Harvard ou de Princeton. Ce ne sont ni des légistes, ni des économistes. Ils ne sont jamais passés par Wall Street, ni même par le Capitole de Washington. Tous sans la moindre exception et à tous les échelons supérieurs, étaient des techniciens, des ingénieurs, des hommes de terrain. Ils avaient fait leurs classes en Alaska, dans le froid du cercle polaire, ou au Vénézuela dans la chaleur des tropiques. C'étaient des durs. Et en Amérique quand on est un dur, on boit. C'est pourquoi, en ce matin de janvier dans le Buckinghamshire, au milieu de tapis précieux et de meubles anciens dignes des musées, les durs buvaient. Le contraste entre eux et Yamani, raffiné, courtois, immaculé dans son costume de Savile Row, et buvant son thé avec délicatesse sans afféterie, était frappant, presque choquant.

Une fois tout le monde servi, J.-J. reprit la parole. Il avait manifestement pris la présidence des débats, car il représentait Exxon et Exxon était majoritaire dans l'Aramco.

– Alors Zaki, quoi de neuf ?

Yamani leva les yeux de sa tasse de thé, la reposa, et regarda l'un après l'autre les quatre pétroliers avec leur verre de bourbon. J'étais le seul à boire du scotch.

– Je suis inquiet, dit-il enfin. Mon gouvernement est soucieux. Par conséquent, vous devriez vous aussi être inquiets.

En un clin d'œil, les quatre nababs du pétrole prirent un air extrêmement inquiet. Ils avaient de quoi : depuis une dizaine d'années, les Arabes ne leur avaient pas épargné les surprises désagréables. Les mots que Yamani venait tout juste de proférer paraissaient vouloir annoncer qu'une nouvelle bombe était sur le point de leur exploser dans la figure.

– Mes inquiétudes, reprit le Cheik, sont fondées sur la probabilité d'une prochaine dépression à l'échelle mondiale. Elles sont également nourries de la crainte de voir la sécurité de l'Arabie Saoudite menacée de l'intérieur, de l'extérieur et peut-être même des deux.

Il marqua une pause pour laisser ses interlocuteurs assimiler ce qu'il venait de dire.

– Mon gouvernement et moi-même, poursuivit-il, pensons que vous serez certainement d'accord pour considérer qu'il est de notre intérêt mutuel de prévenir la réalisation de telles menaces.

– Voyons, Zaki, c'est évident, le rassura J.-J. Vous savez bien que votre pays et vous avez toujours pu compter sur nous depuis des années.

Cette déclaration rassurante ne faisait qu'exprimer la vérité. Les compagnies pétrolières américaines avaient toujours été les fidèles exécutantes de l'OPEP en général, et de l'Arabie Saoudite en particulier, depuis le début de l'embargo de 1973. L'Arabie avait décrété combien de pétrole devrait être livré, à qui et à quel prix, et les « Quatre Sœurs » avaient obéi sans murmurer. Quand on leur avait dit de couper les livraisons aux Pays-Bas, mais de continuer à en faire bénéficier la France, elles avaient fait exactement ce qu'on leur disait. Quand Yamani leur avait ordonné de couper la Sixième Flotte Américaine de ses sources habituelles de carburant, les « Quatre Sœurs » avaient coupé, et la marine américaine avait dû se retourner vers la British Petroleum. Il pouvait sans doute paraître, à un observateur superficiel, que les compagnies pétrolières n'avaient pas besoin de se plier aussi docilement aux diktats des Arabes. En effet, elles ne contrôlaient peut-être plus les puits de pétrole brut, mais elles n'en avaient pas moins gardé la haute main sur les navires, les raffineries et les chaînes de stations-services par lesquelles le seul et unique produit de l'Arabie était distribué dans le monde. Ainsi, chacun de ces deux partenaires – les producteurs et les distributeurs – avait besoin de la coopération de l'autre.

Mais ce qu'on oublie, ou qu'on ignore, c'est que l'embargo de 1973 prouva une chose d'importance : les pétroliers avaient beaucoup plus besoin des producteurs que le contraire. Les Saoudiens pouvaient même complètement se passer des services des « Quatre Sœurs ». S'ils en décidaient ainsi, ils pourraient du jour au lendemain traiter avec des douzaines d'autres compagnies pétrolières – depuis le rival perpétuel d'Exxon, la Shell, jusqu'à des petites compagnies secondaires comme Occidental Petroleum ou la Compagnie Française des Pétroles, sans parler des autres qui se créeraient de toutes pièces pour la circonstance – trop heureuses de prendre la place de l'Aramco et de devenir les distributeurs, exclusifs ou non, de l'or noir de l'Arabie. Si les Saoudiens avaient voulu couper le robinet aux « Quatre Sœurs », elles couraient à la catastrophe quasi immédiate. Car il n'existe nulle part ailleurs au monde de réserves pétrolières comparables, même de très loin, à celles de l'Arabie Saoudite, à leur durée de réserves et à leur potentiel de production.

Et c'est pourquoi, des sociétés américaines, bien que basées aux Etats-Unis et dirigées par des Américains, comme Exxon, Mobil, Texaco et Socal, prenaient leurs ordres et accordaient leur fidélité non pas à Washington, mais à Ryad.

— Je sais bien, J.-J., reprit Yamani, et je voudrais même vous dire, puisque nous en parlons, que mon gouvernement m'a chargé de vous présenter à tous l'expression de sa reconnaissance pour les services que vous lui avez rendus.

Changement à vue ! En une seconde, ces messieurs se détendirent dans leurs fauteuils. Texaco et Mobil allumèrent des Havanes, Socal demanda un autre verre de bourbon. J.-J. prit à la fois un bourbon et un cigare. Allons, allons, les choses n'iraient peut-être pas si mal que ça, après tout ! Yamani se fit verser une autre tasse de thé, en dépit des protestations conjointes de J.-J. et de Texaco. Enfin, le calme revint.

— Je suis venu vous voir aujourd'hui, Messieurs, reprit Yamani, pour vous soumettre une proposition. Une proposition bien précise. Je suis en mesure de vous en garantir la mise en application immédiate, à condition que, de votre côté, vous puissiez me promettre de faire ce que je vais vous demander sous la forme et, plus particulièrement, dans les limites de temps que nous considérons comme essentielles.

Les mots « à condition » rafraîchirent considérablement l'euphorie toute neuve dans laquelle baignaient ses interlocuteurs, car chacun sait que les pétroliers en général, et les Américains en particulier, sont très attachés à une longue tradition qui consiste à toujours obtenir le maximum sans rien donner en échange.

— Mais j'y reviendrai dans un moment, reprit Yamani au milieu d'un soupir de soulagement. Reggie, dit-il en se tournant vers ce dernier, combien est-ce que nous pompons en ce moment ?

La signification de cette question était, en fait : combien l'Arabie Saoudite autorisait-elle l'Aramco à pomper de pétrole brut pour le revendre sur les marchés internationaux.

— Un peu moins de onze millions de barils par jour.

Un baril fait environ cent soixante cinq litres.

— Et quel en est le prix moyen facturé à l'Aramco ?

— Seize dollars et quatre cents, répondit Reggie.

— Est-ce bien cela ? demanda alors Yamani aux quatre frères.

J.-J. se tourna vers l'homme de la Mobil :

— C'est parfaitement exact.

— Bon, reprit Yamani. Dites-moi maintenant combien les Etats-Unis importent-ils de barils par jour pour leur consommation intérieure ?

— Six millions neuf, répondit Mobil sans hésiter.

— Et l'année prochaine ? insista Yamani.

— La même chose. Un peu moins même si on tient compte de la récession qui s'amorce.

— Et en 1981 ?

— Avec un miracle économique, ce dont on peut douter, ce sera encore la même chose. Disons dix pour cent de plus, pour être généreux.

Ainsi, les vues pessimistes des pétroliers sur l'évolution de l'économie américaine recoupaient très exactement celles de Yamani et les miennes.

— Voici donc ma proposition, déclara alors le Cheik, ce qui eut pour effet immédiat de les faire se dresser tous les quatre sur le rebord de leurs sièges. Le Royaume d'Arabie Saoudite est prêt à augmenter sa production annuelle, sur la base de dix-huit millions de barils par jour.

Il y eut tout d'abord un profond silence. Puis, on entendit un « Nom de Dieu » étouffé s'échapper à l'unisson des quatre poitrines de l'énergie mondiale. Enfin, J.-J. eut la réaction que l'on était en droit d'attendre de l'héritier spirituel de John D. Rockefeller :

— Zaki, vous allez foutre les prix par terre !

Dehors, tout autour de nous, le monde se débattait sur le bord d'un gouffre, s'apprêtait à sombrer dans un désastre économique, suppliait pour qu'on lui donne enfin de l'énergie à un prix qu'il puisse payer. Mais J.-J. supputait déjà les effets dramatiques d'une telle abondance, qui allait tailler une brèche imperceptible dans les bénéfices de son entreprise. Pour l'exercice 1978, en effet, ils ne s'étaient élevés qu'à trois virgule sept milliards de dollars...

—Laissez-moi finir, J.-J., reprit Yamani. Je n'ai jamais dit que ce brut allait être jeté en vrac sur le marché. Je vous propose simplement que cette augmentation soit exclusivement utilisée pour satisfaire aux besoins de la consommation intérieure des Etats-Unis, à long terme et à un prix déterminé.

« Long terme » et « prix déterminé » étaient deux expressions que les pétroliers américains croyaient biffées à jamais du vocabulaire des Arabes.

— Zaki, dit enfin J.-J. dans un murmure, c'est sérieux ?

— Tout à fait sérieux, répondit le Cheik.

— Quel prix alors ? demanda immédiatement J.-J. l'air soudain méfiant.

Car c'était trop beau pour être vrai. Si le prix était gelé, il ne pouvait que l'être en hausse, et Exxon serait doublement coincée.

— Treize dollars le baril, dit Yamani avec simplicité.

Je crus qu'il allait falloir appeler d'urgence quatre ambulances. Car ce nouveau prix était un bon vingt pour cent au-dessous des cours mondiaux. Il ne s'agissait absolument plus d'un « gel des prix », comme Fahad l'avait laissé entendre au Shah et comme il me l'avait dit à moi-même pendant nos séances de travail. Il s'agissait bel et bien d'une réduction, importante, et la première baisse enregistrée dans les prix du pétrole depuis 1961. Aucun des quatre hommes à qui le Cheik venait de dire cette phrase ahurissante n'aurait osé en rêver, n'aurait même perdu son temps à en demander le dixième.

Noblesse oblige : J.-J. fut le premier à retrouver son sang froid, avec son scepticisme.

– Mais alors, dit-il, quel sera le « prix posté » ?

Excellente question, du moins du point de vue d'un actionnaire d'Exxon. Le « prix posté » est le prix officiel, parfois fictif, sur la base duquel on calcule les royalties payées à l'Arabie Saoudite pour chaque baril de brut vendu à Exxon et aux autres par l'Aramco. Pour le moment, le prix posté et le prix réel étaient les mêmes, seize dollars le baril. Or, si ce dernier restait le même et que le nouveau prix de treize dollars demeurait secret, il n'y aurait rien au monde pour empêcher Exxon d'empocher purement et simplement la différence.

– Il restera à seize dollars le baril, répondit Yamani. Mais nous comptons que vous baisserez vos prix de vente aux Etats-Unis d'une moyenne de quinze pour cent.

J.-J. se tourna alors vers George Simpson, président de la Mobil Oil, alliée traditionnelle d'Exxon.

– George, est-ce que cela change quelque chose à nos chiffres ?

Mobil sortit de sa poche un petit calculateur, comme le font tous les ingénieurs devant résoudre quoi que ce soit, même un problème d'orthographe, et en poussa activement les boutons.

– Cela revient pratiquement au même, dit-il en coupant le contact dix secondes plus tard.

– Reggie, reprit alors le Cheik Yamani, veuillez expliquer à ces messieurs comment nous leur suggérons de répartir ce nouveau volume de production.

– En gros, commença mon vieux camarade, il devra être absorbé comme le suggérait le Cheik, c'est-à-dire exclusivement par le marché intérieur des Etats-Unis, à qui s'applique également exclusivement le nouveau prix de treize dollars. Mais ce prix ne porte que sur les quatre ou cinq millions de barils supplémentaires. L'ancien prix continuera d'être appliqué sur les sept millions que vous achetez déjà. Rien non plus ne changera dans les autres marchés. Bien entendu, vous devrez réduire en conséquence vos achats au Canada, au Vénézuela et probablement en Iran.

— Les Vénézuéliens ne vont pas aimer ça, dit Texaco qui avait tissé des liens très étroits avec le président de cette intéressante république.

— Le Shah ne va pas apprécier, dit à son tour Mobil qui, depuis plusieurs années, avait dépensé plusieurs dizaines de millions de dollars pour arroser des Iraniens.

— Ni les Européens ou les Japonais, intervint Socal. Comment voulez-vous que nous leur expliquions que nous diminuons les prix en Amérique et pas chez eux ?

Yamani les écouta avec patience.

— Ce sera à vous, Messieurs, de résoudre ces problèmes, dit-il. Et je sais que vous êtes parfaitement capables de les résoudre.

Ce qui mettait un point final à cet aspect de la discussion.

— Mais dites-moi, Zaki, reprit alors J.-J. qui ne se laissait pas facilement dérouter, qu'est-ce que vous disiez tout à l'heure sur des engagements à long terme ?

— Une garantie de trois ans sur les quantités et les prix, répondit le Cheik. Ce qui veut dire que l'Arabie Saoudite va garantir aux Etats-Unis, par l'intermédiaire de l'Aramco, qu'elle leur fournira une moyenne de sept millions de barils par jour au prix de treize dollars le baril, à condition que les termes de nos accords restent confidentiels, et à condition également que nous nous mettions d'accord sur les autres conditions que je vais vous exposer. Est-ce clair ?

Tandis que je les regardais, j'étais effaré de constater que Yamani dépassait les Américains de si haut et de si loin que c'en était inconcevable. Comment est-ce que l'Amérique avait pu, depuis quatre-vingts ans, placer le destin de son énergie entre les mains d'hommes comme ceux-là ? Intellectuellement, ils n'avaient guère dépassé le niveau des contremaîtres qu'ils avaient été. Moralement, je connaissais des boutiquiers plus évolués et surtout plus honnêtes...

— O.K., dit finalement J.-J. Alors, qu'est-ce que donne le reste ?

— Voyons tout d'abord les détails commerciaux. Nous voulons des paiements anticipés et comptant, pour quatre-vingt dix jours de fourniture du nouveau brut au nouveau prix.

— Ça fait combien, George ? demanda J.-J.

George ressortit le calculateur, mit le contact et appuya sur les boutons :

— Huit milliards deux, dit-il enfin sur un dernier cliquetis.

— Ça devrait aller, approuva J.-J.

Je fus sans doute le seul à percevoir l'ironie contenue dans cette réponse, et dans le fait qu'elle était prononcée ici, dans ce qui avait été l'Empire le plus riche du monde. Si Yamani avait demandé au Chancelier de l'Echiquier de sortir cette somme des caisses de la Grande-Bretagne, il aurait été incapable d'en rassembler le tiers. Et j'entendais J.-J. Murphy dire cela d'un ton léger... Il devait sans doute être même capable d'en trouver deux ou trois fois autant sans même passer un coup de téléphone à une banque ! C'était pourtant ce que le Cheik était en train de lui demander de faire.

— Il y a maintenant un point que j'aimerais préciser, dit Yamani. Nous ne voulons pas que vos paiements soient tirés des banques américaines. Vous sortirez vos fonds soit de vos réserves placées dans des banques étrangères, soit du crédit dont vous disposez auprès de ces institutions.

Yamani prenait toujours la peine d'expliquer simplement, presque mot à mot. Il savait qu'il n'y avait que comme cela qu'il pouvait se faire comprendre de J.-J.

— Ça ne va pas être facile, commença à protester J.-J.

— Mais si, on s'arrangera, intervint précipitamment Socal qui n'avait aucune envie d'avoir à répondre à des questions gênantes du Cheik sur leurs avoirs étrangers.

— Bon, bon, grommela l'orgueil d'Exxon. Ensuite ?

— Il y a l'Italie, dit Yamani avec un sourire suave. Bill Hitchcock va vous expliquer ce dont il s'agit.

Aussi clairement que possible, je résumai l'histoire des dettes italiennes envers l'Arabie, expliquai — par un détour plutôt spécieux mais convaincant — que si l'Arabie perdait de l'argent ce serait regrettable, et que tout ce qui était regrettable pour l'Arabie l'était pour l'Aramco. Il fallait donc éviter d'avoir à regretter quoi que ce soit et, pour ce faire, y pallier en donnant au gouvernement italien de l'argent pour faire face à ses engagements. Comment ? Tout simplement en rachetant l'ensemble des avoirs étrangers de l'ENI — raffineries, tankers, stations-services, usines pétro-chimiques, etc. — pour la modeste somme de six milliards de dollars.

Tout en m'écoutant, J.-J. Murphy se bardait d'une cuirasse de méfiance.

— Qu'est-ce que tout ça a à voir avec la proposition que vous nous faites, Zaki ? explosa-t-il enfin.

— Tout, répondit le Cheik. Je vous ai dit que toutes les clauses de ce que je vous propose sont liées et indissociables.

— Mais ce que Hitchcock vient de raconter revient à mettre sur pied une organisation internationale intégrée ! Vous n'y connaissez rien en distribution, vous autres ! C'est pour ça qu'on est là pour le faire à votre place !

— Nous avons beaucoup appris à votre contact, dit Yamani, et nous comptons bien appliquer de si bonnes leçons. Mais rassurez-vous, J.-J., nous avons encore besoin de vous pour réaliser l'opération que Hitchcok vient de vous décrire.

J.-J. garda le silence. Les autres aussi, d'ailleurs.

— Voici, en quoi vous allez nous aider, reprit Yamani. Le réseau de distribution de l'ENI est à peine bénéficiaire, à cause de la concurrence des indépendants comme Gelsenkirchen en Allemagne , Occidental dans les pays scandinaves et Getty un peu partout. Il faut donc réduire la concurrence, et pour cela rien de plus simple : il suffit que vous réduisiez légèrement vos livraisons de brut aux indépendants.

— Vous n'avez donc pas entendu parler des lois anti-trust, Zaki ? intervint J.-J.

— Je les connais mieux que vous, J.-J. et je sais aussi combien vous les respectez. Mais ce n'est pas tout. Il nous faudra un peu plus de capacité de raffinage en Allemagne. Je crois qu'Exxon a une ou deux raffineries qui feraient très bien l'affaire. Faites-nous une offre raisonnable.

Ainsi, les dignes pétroliers venaient d'entendre de leurs propres oreilles les nouvelles les plus atroces qu'ils aient jamais entendues. L'Arabie était en train de franchir le premier pas que les Quatre Sœurs avaient toujours secrètement redouté qu'elle franchisse : l'intégration verticale. Jusque-là, il n'y avait que deux monopoles face à face : production et distribution, se tenant en respect, s'épaulant l'un l'autre. Pour la première fois, le monopole de la distribution était sapé. Une fois ce premier pas franchi, on ne pouvait plus savoir où la dégradation s'arrêterait, où le déclin inéluctable allait abaisser la formidable puissance des compagnies pétrolières. Parviendraient-elles jamais à l'enrayer ?

— Zaki, dit alors J.-J. presque à voix basse, vous savez qu'on pourrait vous matraquer sur ces marchés. Souvenez-vous précisément de ce qui est arrivé à Mattei...

Murphy n'avouait pas de responsabilité dans le mystérieux accident d'avion qui avait coûté la vie au créateur de l'ENI. Il se référait plus simplement à la contre-attaque menée par les Sept Sœurs contre la tentative de l'Italien de briser leur monopole. La guerre des prix avait alors mené l'ENI au bord de la faillite.

— Essayez donc, J.-J., rétorqua Yamani sans élever la voix.

Il n'eut pas besoin d'en dire plus. George Simpson, de Mobil Oil, intervint avant que la conversation ne dégénère.

– Je propose une brève suspension de séance, dit-il en se levant de son fauteuil.

J.-J. lui jeta un regard furieux, qu'il fit passer ensuite avec une fureur croissante sur le Cheik puis sur moi. Sans dire un mot de plus, les quatre pétroliers se levèrent et quittèrent la pièce.

– Bill, me dit alors Yamani comme si rien ne venait de se passer, comment comptez-vous réaliser l'acquisition ?

– Par l'intermédiaire d'une société holding au Lichtenstein, que nous capitaliserons à un demi-milliard de dollars, le reste en emprunts à long terme. On mettra des banques suisses et américaines au conseil d'administration, et les actions resteront au porteur. Ce n'est pas la peine, pour le moment du moins, de révéler que c'est l'Arabie qui a acquis l'ENI. C'est ce que vous pourrez dire tout à l'heure à ces messieurs quand ils reviendront, sans entrer dans les détails.

– C'est bien, répondit simplement le Cheik.

Il se leva et alla se poster devant une fenêtre, regardant distraitement le paysage sans mot dire pendant une dizaine de minutes. Alors, les quatre têtes de l'hydre Aramco revinrent dans la pièce, et allèrent reprendre leurs places devant la cheminée. J.-J. redevint le porte-parole exclusif.

– Zaki, dit-il, nous sommes d'accord. Mais à une condition : c'est que la baisse et le gel du prix s'applique à la totalité du brut qui nous sera livré, et pas seulement au supplément de production.

Ce qui n'était pas idiot. Car les conversations n'avaient encore porté que sur les quantités destinées au seul marché intérieur américain. Les onze millions de barils destinés aux marchés étrangers n'avaient pas été inclus dans ce qu'avait dit le Cheik Yamani, et il aurait pu en changer le prix posté à sa guise sans qu'Aramco puisse dire quoi que ce soit. Ce qui aurait pu coûter cher.

– D'accord, dit Yamani sans marquer la moindre hésitation. Et bien entendu, ajouta-t-il, tout cela reste entre nous.

Merde, me dis-je en mon for intérieur, il savait déjà qu'il allait geler les prix postés dans leur ensemble quoi qu'il arrive. Ça, c'est un négociateur.

Surpris d'une réaction aussi rapide dans le sens qu'il souhaitait, J.-J. leva un sourcil et regarda ses collègues. Ils hochèrent la tête. On passa à autre chose.

– J'en arrive maintenant au plus important, continua Yamani
Malgré tout le mal que je viens d'en dire, il me fallut bien tirer mon chapeau à ces quatre pétroliers, contremaîtres illettrés ou pas. Car après un coup de Trafalgar comme celui de l'ENI, le « plus important » annoncé par le Cheik ne pouvait qu'être encore pire, en toute logique. Il n'y en eut pourtant pas un, cette fois, à cligner de l'œil.

– Laissez-moi vous rassurer tout de suite, enchaîna Yamani. Ce que je vais vous demander n'a rien à voir avec l'Aramco ni aucune de vos sociétés. Ce que je veux dire, J.-J., c'est que cela ne va pas coûter un sou.

J.-J. fit entendre un petit rire où éclatait le soulagement. Du moment que c'était gratuit, on aurait aussi bien pu lui demander de tuer ses propres enfants de sa main, il n'en avait cure. Pour bien marquer la solennité du moment, il se leva pour remplir lui-même la tournée de verres, le mien y compris. Une fois tout le monde confortablement installé et pourvu, le silence retomba et ils écoutèrent avec attention l'exposé du Cheik.

Avec clarté, Yamani leur expliqua la situation telle qu'elle était devenue en Arabie. Il y avait de la révolte dans l'air. Elle avait su trouver des complicités, un chef, au sein même de la famille royale. Les Palestiniens, à qui on avait malheureusement dû confier la plupart des postes clés de l'économie, en étaient les cadres; les autres immigrés – les Yéménites, les Pakistanais, des Iraniens même – en formaient les troupes. Et comment cette rébellion était-elle financée, par qui ? Yamani leva les mains, comme pour renforcer l'évidence : Khadafi, naturellement.

Les pétroliers hochèrent gravement la tête. Ils le connaissaient bien, ce fanatique. C'était lui, le premier, qui avait brisé leur monopole sur les sources de production, qui avait bouleversé les prix. C'était lui, ce cinglé, qui avait été jusqu'à subventionner la mission d'un sous-marin pour aller torpiller le « Queen Elizabeth II » en Méditerranée en 1973. C'était lui, ce criminel, qui avait provoqué et financé la boucherie de la guerre civile libanaise en 1975 et 76. C'était lui, ce révolutionnaire illuminé, qui permettait à l'IRA de continuer ses massacres en Irlande du Nord. Khadafi, l'homme dont le nom seul inspirait autant de terreur et de haine chez les Chrétiens, les Musulmans et les Juifs !

Yamani remarqua que son auditoire donnait des signes d'un affolement qu'il n'avait pas voulu aussi profond. Il s'efforça donc de les apaiser :

– Il n'y a pas lieu de paniquer. La situation est parfaitement sous notre contrôle. La garde royale occupe Ryad et a pris position autour de la ville. Et, comme Hussein en a fait la preuve éclatante en Jordanie, un Bédouin vaut bien dix Palestiniens. Il n'en demeure pas moins que la conjoncture est grave, et requiert une action immédiate.

Le Cheik Yamani aborda alors le sujet du Shah d'Iran. Ce n'était pas un Khadafi, leur dit-il, mais il était tout aussi dangereux. Là encore, les pétroliers hochèrent la tête. Ils connaissaient tous le Shah, et aucun d'eux ne l'aimait. Ils savaient aussi combien l'homme était foncièrement instable, mais il n'était pas fou comme le colonel libyen.

Malgré tout, reprit le Cheik, le Shah était d'autant plus dangereux qu'il avait vu trop grand, et s'était engagé financièrement au-delà de ses possibilités. Que ce soit pour l'équipement de son armée, son plan d'industrialisation, ses projets absurdement grandioses pour la recontsruction quasi totale de Téhéran – y compris un réseau de métro de grand-luxe – il avait tout annoncé publiquement et ne pouvait plus perdre la face en se déjugeant. Comment allait-il pouvoir financer tout cela ? Il n'avait plus d'autre moyen qu'une escalade continue et rapide des prix du pétrole déterminés par l'OPEP. Pour l'Iran, pour le Shah, le temps pressait. Leurs réserves n'étaient plus que d'une quarantaine de milliards de barils, et tout le monde le savait. En fait, elles étaient probablement plus réduites encore, comme le prouvait une étude menée par les Saoudiens. D'après cette étude, confirma Yamani, le Shah n'aurait plus de pétrole dès 1985. Que se passerait-il alors ?

C'est là que le danger menaçait. Si le Shah pouvait continuer à mener l'OPEP à sa guise, le pétrole brut du Golfe Persique grimperait à vingt-cinq dollars le baril en moins de deux ans, ce qui aurait pour résultat immédiat de briser définitivement l'économie des pays occidentaux, donc leurs systèmes socio-politiques. En augmentant sa production au niveau de dix-huit millions de barils par jour, l'Arabie Saoudite élevait une barrière contre une nouvelle poussée des prix et, du même coup, s'opposait directement aux ambitions du Shah. Quelle serait sa réaction ? Une fois encore, Yamani leva les mains mais en signe d'ignorance. Qui pouvait prédire les actes d'un homme imprévisible ?

– Mais, poursuivit-il, nous savons tous qu'il a à sa disposition l'appareil militaire le plus puissant et le mieux équipé qui existe entre l'Europe et la Chine. Nous autres, en Arabie, nous possédons les plus fortes réserves de pétrole du monde. Mais aucune force militaire capable de les protéger.

Il fit une pause pous s'assurer que son auditoire était attentif.

Rassuré sur ce point, le Cheik reprit le fil de son discours :

– Aussi, Messieurs, il nous faut l'aide militaire de l'Amérique. Il nous la faut immédiatement et massivement, dans des proportions comparables à celles que vous avez accordées à Israël en 1973. Si nous ne l'obtenons pas, nous nous trouvons tous, vous-mêmes autant que nous, face à un danger des plus redoutables. Nous avons tout essayé, pendant des années, pour en convaincre votre gouvernement, le Congrès, le Pentagone, et nous n'y sommes jamais parvenus. Il faut maintenant que vous nous donniez votre soutien total et inconditionnel pour mobiliser les forces qu'il faut aux Etats-Unis. Comme je vous l'ai dit tout à l'heure, nous sommes prêts à vous rendre la tâche facile. Nous vous garantissons la fourniture du pétrole dont vous avez besoin à des prix en baisse, et qui ne remonteront pas quoi que puisse faire ou décider l'OPEP. Nous sommes aussi prêts à alimenter les marchés financiers américains en y déposant la plus grande partie de nos réserves. Ainsi, nous sommes disposés à donner à l'Amérique tout ce dont elle a besoin : du pétrole et de l'argent. Grâce à nous, pourquoi ne pas le dire, vous éviterez de subir une crise économique de proportions telles qu'elle pourrait causer le déclin et la perte de l'Amérique. Mais je ne vous le répéterai jamais assez, et c'est tout ce que j'ai à dire à ce sujet : tout, je dis bien tout, dépend d'une réaction immédiate et favorable de votre gouvernement, et qu'il soit donné satisfaction à nos demandes sans la moindre restriction. Si nous ne l'obtenons pas, vous n'aurez ni notre pétrole ni notre argent. Nous irons frapper à d'autres portes.

Cette déclaration solennelle fut accueillie par un bref silence chargé de réflexions. Enfin, J.-J. Murphy prit sur lui d'exprimer l'opinion collective des Quatre Sœurs :

– Zaki, proféra-t-il d'une voix enrouée par l'émotion, on va les remuer, je vous le garantis. Sinon, je peux vous promettre que cet espèce de couillon à la Maison-Blanche ne va plus tirer un sou de personne et n'aura plus qu'à retourner à ses cacahuètes. Il ne pourra même plus trouver un job de garçon de courses quand on en aura fini avec lui !

Ce n'était certes pas une réponse hautement diplomatique, venant surtout après la plaidoirie élégamment déclamée par le Cheik. Elle avait au moins le mérite de montrer au grand jour que J.-J. possédait une connaissance parfaite des dessous les plus secrets de la République des Etats-Unis d'Amérique, et de ce qui la faisait marcher.

Après de telles émotions, il ne nous restait qu'à lever la séance pour aller déjeuner. Après le café, nous nous regroupâmes tout naturellement en commissions. Reggie, qui était venu fin prêt, s'assit avec Mobil et Texaco pour régler les questions purement pétrolières, c'est-à-dire comment répartir le pétrole des autres fournisseurs pour faire place au brut d'Arabie sans que ces derniers s'en doutent, comment le faire admettre par le ministère de la Justice, comment enfin faire pression sur les indépendants européens pour conclure l'acquisition de l'ENI. Je me retrouvais avec J.-J. Murphy, qui était très proche – pour user d'un euphémisme ! – des banquiers de New York, et Fred Grayson, qui avait des liens solides avec ceux de l'ouest, pour régler les détails du placement des maxi-dollars saoudiens. Ces messieurs me firent l'honneur d'apprécier mes projets à leur juste valeur. Car personne doué de raison – voire de l'instinct de conservation le plus élémentaire – ne pourrait résister à Washington à la conjugaison redoutable de pressions exercées conjointement par les pétroliers, les banquiers et les constructeurs de matériel militaire. Eux aussi, bien entendu, allaient bénéficier d'une bonne partie de la manne que je m'apprêtais à répandre avec générosité.

En la digne personne de J.-J. Murphy, Exxon avait prévu de nous loger dans sa « Maison de campagne », ce qui faisait preuve d'une heureuse clairvoyance. Nos travaux se prolongèrent jusqu'au lendemain et durèrent encore toute la journée. Ce ne devait donc être que le lundi 21 janvier 1979, à midi, que nous nous sommes embarqués à bord du luxueux Bœing 707 de l'Aramco, qui avait patiemment attendu notre bon vouloir à Heathrow depuis notre arrivée.

Je me souviens encore clairement des pensées qui me meublaient l'esprit tandis que l'appareil décollait. J'étais intimement persuadé que nous avions les destinées du monde entre nos mains.

CHAPITRE 18

Presque au même moment, quelqu'un d'autre était malheureusement en train de penser exactement la même chose. Ce quelqu'un d'autre était Mohamed Reza Pahlevi, Shah-in-Shah de l'Iran, héritier de l'Empire Sassanide. Tandis que nous étions à Londres en train de mettre au point notre coup de force contre l'OPEP, il était à Khorramshahr en train de mettre au point un coup de force beaucoup plus définitif contre nous tous.

Deux jours après que j'eus quitté Téhéran avec Reggie et le Cheik Yamani, le Shah s'était envolé pour les bords du Golfe Persique afin de vérifier par lui-même l'état d'avancement de son dernier jouet. Il y a beaucoup d'hommes mûrs qui aiment s'amuser avec des jouets : trains électriques, modèles réduits ou soldats de plomb. Le Shah ne faisait pas exception, sauf qu'il préférait jouer avec des jouets grandeur nature. Il avait des tas de chasseurs-bombardiers, des tanks, des camions blindés, et il adorait voler, piloter toutes ces belles machines, bref jouer comme un vrai roi, pas comme n'importe qui. En allant à Khorramshahr, il allait voir un jouet d'un modèle différent et tout nouveau pour lui. Ce n'était pas un jouet qu'il pouvait conduire, piloter ou faire défiler devant une tribune. Ce jouet là, il fallait le jeter ou le faire tomber, comme un ballon. C'était sa nouvelle bombe atomique.

Ursula devait me raconter plus tard les circonstances de sa

visite. Il arriva à la villa des Hartmann le 23 janvier au matin, sans s'être fait annoncer. A neuf heures précises, l'heure à laquelle les hommes de la SAVAK venaient habituellement chercher le professeur pour l'emmener à l'usine, elle entendit un coup de sonnette. Elle alla ouvrir : devant elle, il y avait Sa Majesté le Roi des Rois. Elle ne put pas faire autrement que de le reconnaître instantanément, car sa photo orne trois murs sur quatre même dans les coins les plus reculés de l'Iran.

— Ma chère — tels furent ses premiers mots — vous êtes sans doute la fille du Professeur Hartmann. Je suis charmé de faire votre connaissance.

Le Shah a beaucoup de défauts, mais il faut lui rendre justice quand il a des qualités. L'homme n'est pas un rustaud, et il sait charmer les femmes, surtout si elles sont jolies. Dieu merci, Ursula ne s'y laissa pas prendre, sans quoi, d'après ce qu'elle m'en a raconté plus tard, il aurait parfaitement été capable de la déshabiller sur le pas de la porte autrement que des yeux. Mais comme elle n'avait pas la moindre envie de faire l'expérience directe des « positions persanes », même enseignées par un monarque en exercice, elle sut conserver un maintien capable de décourager le plus obsédé des chameliers de retour d'une traversée du désert. Aussi, le Shah ne passa pas à l'action directe et immédiate — sans toutefois abandonner l'idée d'y revenir plus tard quand les circonstances s'y prêteraient, car l'homme est entêté — et reprit son monologue. Ursula n'avait pas encore ouvert la bouche. Elle n'eut pas besoin de le faire, car son père venait de faire son apparition.

— Mon cher professeur, reprit donc le Roi des Rois, quel plaisir de vous revoir. J'espère que ma visite ne vous dérange pas trop ?

— Pas du tout, Majesté, répondit le professeur en bredouillant un peu car il était mal à l'aise dans les complications de l'étiquette. Voulez-vous entrer ?

Il entra, suivi d'une escorte de deux hommes. Le professeur connaissait déjà le général Khatami. Mais il voyait l'autre pour la première fois. C'était le Commodore Fereydoun, chef de la force d'intervention amphibie du Golfe Persique. Ce dernier se présenta avec brièveté au professeur, et avec timidité à Ursula.

Sitôt les présentations faites, elle s'éclipsa à la cuisine ordonner aux serviteurs de préparer du thé. Car elle avait au moins appris qu'en Iran, on peut et on doit servir le thé à n'importe qui, n'importe quand et n'importe où. Quand elle revint dix minutes plus tard avec le plateau, les quatre hommes étaient tous assis à la table de la salle à manger et regardaient son père, qui était en train de faire un croquis sur une feuille de papier.

Un soir, à St. Moritz, elle se décida à tout me raconter et me montra un croquis, qu'elle avait réussi à conserver elle ne savait plus pourquoi ni comment.

En toute simplicité, c'était une bombe atomique dans toute sa splendeur. Et tandis qu'elle versait le thé dans les tasses, elle entendit son père reprendre ses explications.

– Ceci, disait donc le bon professeur, est un schéma extrêmement simplifié, qui ne fait qu'illustrer le principe sans entrer dans les détails. Je l'ai fait en coupe. Il faut donc vous imaginer l'ensemble de la bombe qui forme une sphère parfaite, composée de vingt-quatre sections côniques comme celles-ci, voyez-vous ? Mais j'espère que je n'ennuie pas trop Votre Majesté ?

– Pas du tout, dit le Shah, pas du tout. C'est passionnant. Continuez.

– Donc, chacun de ces segments est détonné par une couche externe d'un explosif nitrique, qui lui imprime une vitesse initiale de vingt mille mètres à la seconde. Entre la couche extérieure d'explosif et les sections côniques de plutonium, vous remarquerez une couche intermédiaire d'un matériau qui produit la contamination radioactive.

– Et quel est ce matériau ? demanda le Shah.

– Cela dépend du résultat que vous recherchez, répondit le physicien.

– Je vois, je vois, dit le Shah pensivement.

– Comme vous voyez, reprit Hartmann, le principe de fonctionnement est très simple. Vous provoquez la mise à feu de la charge d'explosif, par n'importe quel moyen approprié, afin que cette charge rapproche les sections côniques de plutonium. La vitesse initiale imprimée au plutonium est essentielle pour empêcher que les sections tendent à se séparer. Une fois rapprochées, elles forment la masse critique qui déclanche la réaction en chaîne suivant un accroissement exponentiel, jusqu'à ce que la puissance totale de la bombe soit atteinte.

– Et... c'est tout ? demanda le Shah, visiblement impressionné.

– C'est tout, affirma le professeur. Bien entendu, ce que j'ai dessiné là est simplifié et primitif, et ne pourrait être exécuté dans la réalité aussi simplement. Mais le principe en est exactement le même, et j'espère vous l'avoir clairement expliqué.

– C'était parfaitement clair, dit le Shah. Mais revenons-en, si vous le voulez bien, à ce matériau contaminant. Pourriez-vous m'en dire davantage à se sujet ?

– Certes, répondit Hartmann. Mais il vaudrait sans doute mieux que je poursuive mes explications à l'aide du matériau lui-même.

– Vous en avez ? s'exclama le Shah tout joyeux.

– Oui, Majesté, à l'usine. Nous pourrions y aller...

Dans sa hâte, le Shah bouscula sa chaise et ne salua même pas Ursula. Nul n'avait d'ailleurs eu le temps de goûter à son thé.

Ils s'engouffrèrent dans la Mercedes du Shah qui, suivie et précédée de quatre Jeeps, démarra en trombe et arriva au laboratoire du professeur en à peine vingt minutes. Et là, sur une sorte d'établi au milieu de la pièce, le Shah vit une sphère de métal brillant d'un peu plus d'un mètre de diamètre. Il s'en approcha avec respect, presque hésitant.

– C'est... ? demanda-t-il.

– Oui, Sire, répondit le professeur qui retrouvait soudain le sens de l'étiquette.

– Je peux... la toucher ?

– Bien sûr, voyons ! répondit le savant avec un bon sourire.

Tous les regards étaient posés sur le Roi des Rois qui s'approchait lentement de l'objet, y posa d'abord un doigt, puis une main caressante, puis les deux mains comme pour l'embrasser.

– C'est froid, murmura-t-il. Mais c'est beau.

Enfin, comme à regret, il s'en éloigna. L'éclat du métal était terni de buée et de traces de sueur là ou les mains s'étaient posées.

– Est-elle... opérationnelle ? demanda-t-il après l'avoir encore admirée longuement.

– Oui, Sire, répondit le professeur. Mais ce n'est pas grand-chose, vous savez. Ce n'est qu'une petite bombe de quinze kilotonnes. Je suis désolé que nous n'ayons pas pu faire mieux pour le prototype, mais nous ne disposions pas de beaucoup de plutonium.

– Je vous en prie, mon cher Professeur, ne vous excusez surtout pas. Il faut bien commencer avec ce que l'on a, n'est-ce pas ? Quinze kilotonnes, cela représente quelle puissance, environ ?

– A peine celle de la bombe d'Hiroshima. Une misère, si je puis dire. Mais les prochaines seront, si vous le voulez bien, infiniment plus efficaces. Toutefois, comme je vous le disais tout à l'heure, cela dépend du résultat que vous recherchez.

— Bien sûr, bien sûr ! C'est pour cela que je voudrais avant tout vous demander quelles sont les possiblités dans ce domaine.

— Vous pouvez avoir le parfum de votre choix ! dit Hartmann avec un rire d'une finesse toute alémanique.

Le Shah répondit par un petit rire poli, le général Khatami par un bruyant hennissement. Seul, Fereydoun s'abstint, non pas qu'il ait trouvé l'humour de mauvais goût en de telles circonstances, mais simplement parce qu'il n'avait pas compris l'allusion aux cornets de glace.

— Tenez, par exemple, reprit le professeur en se dirigeant vers une longue table, je vous recommanderais vivement ce produit-là. Excellent pour les effets spéciaux !

En faisant sa nouvelle plaisanterie, qui passa cette fois complètement au-dessus de la tête des Iraniens, le professeur Hartmann prit une petite bouteille, et versa un peu de poudre blanche sur la table.

— Qu'est-ce que c'est ? demanda le Shah qui regarda sans oser toucher.

— Du fluorure de lithium. Cela fait merveille dans le cas où vous voudriez, par exemple, éliminer la population d'une ville ou d'une région sans endommager les bâtiments et les installations.

— Quelle superficie, environ ? demanda le Shah soudain vivement intéressé. On pourrait couvrir, je ne sais pas, quatre-vingts, cent kilomètres carrés ? La taille d'un champ de pétrole, en gros ?

— Bien sûr, pas de problèmes.

— Et comment ça marche ? insista le Shah.

— C'est très simple, reprit Hartmann de son ton professoral. On entoure la bombe d'une couche de cette poudre. Il faut la faire exploser avec beaucoup de précision, par exemple. Si on se servait de celle-ci, je vous dirais à pas plus de trois cents mètres au-dessus du sol, et à sept, huit kilomètres sous le vent de la zone que vous voudriez couvrir...

— Oui, oui, interrompit le Shah avec impatience. Alors, comment est-ce que cela tue les gens ?

— C'est simple, reprit le professeur, qui aimait décidément la simplicité ce jour-là. La bombe elle-même, comme je vous le disais, ne cause pratiquement aucun dégât matériel à la zone-cible. Mais l'explosion nucléaire convertit le fluorure de lithium en fluor-18. Le fluor-18 est un isotope avec une demi-durée de radio-activité d'à peine deux heures. Mais il est capable de tuer en quelques minutes par simple exposition à ses radiations. La population de la région sur laquelle vous feriez exploser une pareille bombe mourrait avant même de comprendre ce qui se passe. En fait, ils mourraient même très contents, conclut Hartmann avec un rire de plus en plus alémanique. Ils croiraient que quelqu'un a essayé de les bombarder et les a manqués !

A une pensée aussi cocasse, le bon professeur fut secoué d'une crise d'hilarité qui faisait onduler la masse de ses cheveux blancs.

– C'est admirable, apprécia le Shah pour couper court à cette bonne humeur indécente. Mais, dites-moi, et nos gens ?

– Quels gens ? demanda Hartmann qui, manifestement, ne voyait pas du tout où le Shah voulait en venir.

– Sa Majesté, intervint Khatami, se réfère à nos troupes venant occuper la zone où aurait eu lieu l'explosion.

– Ah, je vois. Aucun problème, voyons. Je vous ai dit que la demi-durée de radio-activité n'était que de deux heures. Vos troupes peuvent pénétrer dans la zone sans le moindre risque au bout d'une demi-journée, même pas.

Le général et le Shah échangèrent un regard rempli de compréhension mutuelle, et hochèrent la tête avec ensemble.

– Professeur, dit le Shah, je vais vous en commander une comme celle dont vous venez de parler. Au fait, non, mettez m'en deux.

– Bien, sûr, bien sûr, répondit le professeur qui, après avoir soigneusement remis le sel de lithium dans la bouteille, sortit un bloc et commença à prendre des notes. Et avec ceci ? ajouta-t-il.

– Khatami, reprit le Shah en se tournant vers son général, vous avez peut-être besoin de quelque chose de particulier que vous pourriez demander au professeur ?

– Oui, répondit le général, mais je n'ose pas abuser... C'est peut-être impossible à faire...

– Allez-y, demandez, n'ayez pas peur, l'encouragea Hartmann Si je ne peux pas le faire, je vous le dirai franchement.

– Eh bien, voilà s'enhardit Khatami. Prenons un exemple tout à fait théorique, n'est-ce pas. Purement théorique, j'insiste bien là-dessus...

– Naturellement, le rassura le bon Suisse. Je vous écoute.

– Prenons, par exemple, une ville de la taille de La Mecque J'ai dit La Mecque comme j'aurais pu dire, je ne sais pas...

– Mais oui, mais oui, c'est purement théorique. Allez-y.

– Bon, disons que nous voudrions obtenir quelque chose d'un peu différent de ce que vous venez de décrire. Je veux dire, que nous ne voudrions nullement endommager les Lieux Saints, mais que nous ne voudrions pas non plus tuer la population immédiatement. En d'autres termes, les forcer à évacuer la ville pour ne pas être tués par les retombées. Vous voyez ce que je veux dire, Professeur ?

— Mais oui, répondit-il. Cela existe déjà. Ce n'est pas moi qui l'ai inventé, je dois l'avouer, mais les Israéliens.

— Et vous pouvez en faire autant ?

— Evidemment, c'est enfantin, dit Hartmann en prenant une autre petite bouteille sur une étagère. Tenez, regardez.

Il répandit un peu de poudre métallique grisâtre sur les carreaux de la paillasse. Le Shah et Khatami se penchèrent pour regarder, fascinés.

— C'est du magnésium, annonça Hartmann d'un ton triomphant comme s'il avait fait sortir un lapin d'un chapeau haut de forme. Du vulgaire magnésium. On s'en sert exactement de la même façon que le lithium dont nous parlions tout à l'heure. On entoure la bombe d'une bonne couche de cette poudre, et quand l'explosion se produit, ce magnésium devient du magnésium-24. Celui-ci a une demi-durée de radio-activité d'une quinzaine d'heures. Si nous faisons exploser la bombe dans le vent de la cible, mettons à une hauteur d'une centaine de mètres et à une distance de cinq ou six kilomètres, cela fait exactement ce que vous demandiez. Le nuage se forme et commence à se déplacer en laissant à la population le temps de se retirer avant que les retombées ne commencent.

— Et combien de temps la contamination dure-t-elle ? demanda le Shah.

— Une semaine. Deux, à la rigueur, si on ne veut prendre aucun risque. Vos troupes peuvent alors venir occuper les lieux.

— Remarquable ! admira le Shah en prenant le flacon de poudre de magnésium pour le regarder de plus près. Khatami, on devrait en prendre au moins deux de ce modèle-là, qu'est-ce que vous en pensez ?

— Absolument, approuva l'intrépide stratège.

Le professeur écrivit la commande sur son carnet.

— Cela nous fait deux lithiums et deux magnésiums, annonça-t-il. Et avec ça ?

— Dites-moi, professeur, reprit le Shah après avoir réfléchi un moment, et si on voulait annihiler complètement une zone de la dimension, voyons, de...

La conversation se poursuivit ainsi pour le restant de la journée. Le Shah passa des commandes pour douze bombes, car c'était tout ce que le professeur pouvait faire avec le plutonium dont il diposait d'ici le 28 mars. Car le 28 mars 1979 était la date de livraison que le Shah avait indiquée. Ce jour-là, et non un autre. il lui fallait ses bombes.

CHAPITRE 19

Tandis que le Shah s'amusait avec ses nouveaux jouets à Khorramshahr, j'étais en train de survoler l'Atlantique dans le gros jouet volant de l'Aramco. Cet avion incarnait un de mes rêves de jeunesse : il était équipé de couchettes comme les « Stratocruisers » des années 50. J'étais encore étudiant à l'époque, et la seule évocation de ces raffinements, propres à favoriser l'amour à toute vitesse, exerçait une telle séduction que pas une fille ne savait y résister. J'ai toujours été convaincu que l'abandon des couchettes par les compagnies aériennes a marqué un tournant décisif dans le déclin de la civilisation occidentale.

Quand j'exposai cette intéressante théorie à Reggie, avec qui j'inventoriais les ressources alcooliques de l'Aramco au bar commodément situé à l'arrière, il me marqua son vif désaccord. Selon lui, le déclin, que dis-je la chute verticale, de notre civilisation s'était amorcée avec l'invention du désodorisant vaginal. Il nous fallut de longues heures de discussions passionnées, nourries des flots de boissons gracieusement mises à notre disposition par les « Quatre Sœurs », pour résoudre un problème d'une si haute importance philosophique. Je dus finir par admettre que mon vieil ami avait peut-être raison. Perdu comme il l'était depuis si longtemps dans les sables de l'Arabie, il avait eu le temps d'y penser plus profondément que moi, sans cesse distrait par le tourbillon de la finance.

Près de cinq heures plus tard, seul – hélas ! – dans ma couchette, je m'éveillai brutalement avec un douloureux mal de crâne. L'intérieur de l'avion était obscur, car les rideaux avaient été tirés sur les hublots peu après le décollage. Mais quand j'entrouvris le mien, je vis que le soleil brillait haut dans le ciel bleu. Les nuits sont courtes quand on voyage d'est en ouest, et nous allions nous poser dans à peine deux heures à Kennedy. Quel imbécile je suis, pensai-je, d'aller me saouler comme un collégien dans de pareilles circonstances ! Les choses sérieuses allaient enfin commencer, et j'allais les aborder avec une monumentale gueule de bois... Et puis merde, après tout ! Qu'est-ce que c'est que les choses sérieuses ?

Je pensais alors à Ursula. Ça, c'était une chose sérieuse. J'allais d'ailleurs l'appeler dès que j'aurais posé le pied à New York. Et puis, je pensais à son père. Je ne pouvais plus douter que ce vieux fou était en train de mijoter des bombes atomiques dans les cuisines infernales du Shah. Et après ? me dis-je. Il n'est pas le seul. Il n'y a pas un pays plus ou moins sous-développé qui ne fasse pas des pieds et des mains pour en avoir autant. La question n'est pas de savoir qui en a, mais qui oserait s'en servir. Deux fois maintenant, j'avais rencontré le Shah. Mais cet arrogant enfant de salaud n'était quand même pas cinglé au point d'aller les faire exploser. Du moins, pas pour le moment.

Ce qui nous ramenait donc au problème immédiat : non pas le guerre hypothétique, mais l'argent bien concret. Non pas un Iran encore mystérieux, mais des Etats-Unis dans le marasme. Comment, me demandais-je, tout cela a-t-il pu se détériorer si brutalement ? Dix ans sur deux cents, c'est plutôt court, non ? Bien sûr, ça ne se voyait pas encore. Bien sûr, aux yeux des peuples admiratifs, l'Amérique avait encore l'air d'un splendide édifice, irradiant des ondes de puissance et de prospérité. Mais ses fondations étaient déjà pourries, croulantes, et il ne s'en fallait plus de beaucoup pour que les lézardes commencent à zigzaguer à travers toute la façade.

Car il ne fallait pas se faire d'illusions : la seule fondation de l'Amérique, le seul matériau sur lequel elle a été bâtie, c'est l'argent. L'argent, ou les richesses comme disent les économistes, mais en quantités suffisantes pour qu'il y en ait partout, pour que tout le monde puisse se croire heureux. Et c'est cela, et cela seulement, qui y a attiré les Anglais au XVIIIe siècle, les Allemands, les Italiens, les Juifs d'Europe Centrale au XIXe, les Porto-Ricains, les Mexicains et les Cubains au XXe, sans parler des autres. Ce n'est ni la sacro-sainte Constitution, ni Abraham Lincoln, ni la liberté religieuse. La seule liberté qui compte, qui brille dans le monde entier comme la torche de la statue du port de New York, c'est celle d'accumuler son petit tas de fric et de le garder, et d'en profiter, et de le faire fructifier. Voilà le seul et unique attrait de l'Amérique depuis qu'elle existe. Cela a l'air cynique ? C'est simplement vrai.

Qu'est-ce qui se passe, dans ces conditions, quand on s'aperçoit que la mine d'or s'épuise ? Comment réagissent deux cent vingt millions d'Américains quand ils commencent à comprendre que leur tas de fric ne représente plus rien que le papier sur lequel il est imprimé ? C'est là que se trouvait le problème le plus sérieux et le plus immédiat, c'est celui-là qu'il fallait résoudre de toute urgence. Car ces braves gens ne se doutaient pas encore que les fondations étaient sapées. On les avait tellement trompés, apaisés, entortillés depuis si longtemps que, dans leur immense, écrasante majorité, ils étaient encore sincèrement persuadés que la succession de crises qui avaient commencé en 1970 n'était rien de plus qu'un petit ennui passager, que le bon vieux temps de la croissance et de la prospérité allait revenir, très, très bientôt. Je me demande d'ailleurs si ce n'est pas plutôt qu'ils se refusaient volontairement à regarder la vérité en face. Car les signes ne pouvaient tromper que les imbéciles ou les aveugles. Au moment de l'embargo pétrolier de 1973–74, par exemple, il aurait suffi que les Arabes gardent le robinet fermé quelques mois, que dis-je quelques semaines de plus, et alors...

Prenez aussi l'exemple de la presque-faillite de la ville de New York en 1975. Tout le monde, avait déclaré d'un air suffisant qu'il n'y aurait pas pu y avoir une vraie faillite, qu'on aurait arrangé les choses à la dernière minute. Cela, c'était ce que disaient les imbéciles. Les autres, eux – et quand je dis les autres, je veux dire « les gros », Nelson Rockefeller en tête – savaient de quoi il retournait vraiment. Ils savaient qu'il aurait suffi de la suspension des paiements de New York pour déclencher une réaction en chaîne, que l'économie et les finances de l'Amérique étaient dans une situation si précaire que la réaction ne se serait arrêtée que ... où ? Personne n'avait vraiment envie d'en faire l'expérience. Et puis, il y a eu l'écroulement de Chrysler en 1978. Là encore, les choses furent sauvées de justesse. Aux yeux du public, ce n'était rien de plus qu'un avatar sans importance. Il y avait eu d'autres entreprises géantes en difficulté, on les avait toujours sorties de là, General Motors et le gouvernement fédéral se sont cotisés pour renflouer Chrysler, comme le gouvernement l'avait fait pour Loockheed quelques années avant. Mais tout cela devenait dangereux. Pourquoi ? Parce que, en dépit des paroles rassurantes qu'on lui prodiguait, le public américain commençait à donner des signes de nervosité. Un rien de plus, et il pouvait paniquer.

En 1979, ce n'était plus ni Chrysler, ni Loockheed, ni la municipalité de New York qui basculaient au bord du gouffre. C'était les banques. Pas une banque, pas toutes les banques, non : *les banques*. C'est-à-dire une douzaine, une quinzaine peut-être, de groupes bancaires dans tous les Etats-Unis. Je vous ai déjà parlé de la plus grosse d'entre elles, la First National Bank of America de mon vieux pote — s'il m'entendait ! — Randolph Aldrich. Vous connaissez sûrement les autres : Chase Manhattan, Chemical Bank, Morgan Guarantee, Manufactures Hanover Trust, Security Pacific et quelques autres. Pourquoi les appeler « les banques ? » Parce que ce sont elles qui servent de banques aux autres banques, aux milliers de petites banques régionales dans tous les Etats-Unis. Parce que ce sont elles qui, en fait, détiennent et déterminent le crédit, les taux d'intérêt, les capitaux dont elles contrôlent le mouvement. Elles sont la cheville ouvrière de toute la charpente. Mieux, la goupille de la grenade : faites-la sauter, et tout vous pète dans la figure.

C'est impensable, impossible, a-t-on répété maintes et maintes fois au bon public. Pensez, les banques sont assurées, et par rien de moins que le gouvernement fédéral soi-même ! La goupille ne sautera pas, Oncle Sam lui-même y veille. Ah oui ! Parlez-en donc un peu aux braves gens de la Franklin National, ou de la US National de San Diego, ou de la First National of Michigan. Qui est-ce qui les a repêchés ? Pas le gouvernement fédéral, non. Mais la Chase Manhattan, la Crocker-Citizen de San Francisco. Le gouvernement fédéral, d'ailleurs, n'assure ni ne garantit les banques elles-mêmes, mais les comptes des petits déposants jusqu'à quarante mille dollars maximum. Et personne n'a jamais précisé quand ils seraient remboursés de leurs économies. Et que se passerait-il en cas d'écroulement massif, dont le spectre commençait à se dessiner ? Le gouvernement a-t-il assez d'argent dans le trésor public pour rembourser des millions de petits épargnants ?

Personne n'osait répondre à ces questions, personne n'osait même les poser ouvertement. Il n'y avait que nous autres, les banquiers, pour savoir ; et vous pensez bien qu'on n'était pas assez bêtes pour en parler à tous les échos. J'ai connu un brave type en Suisse, un banquier, assez lucide pour dire ouvertement qu'il n'y avait pas un banquier au monde qui ne soit pas obligé d'avoir en permanence un pied en prison. Dans son cas, il finit par y avoir les deux. Il avait eu le tort de ne pas jouer le jeu, et les bons camarades n'eurent rien de plus pressé que de lui en faire subir les conséquences : « l'assurance » ne joua pas, et il alla se faire pendre. Car telle est la règle élémentaire de la survie d'un banquier : il faut se tenir les coudes. Si les autres ne viennent pas vous repêcher, personne, mais personne d'autre ne le fera. Les banquiers sont universellement haïs par tout le monde, depuis leurs clients jusqu'aux fonctionnaires. C'est la seule raison pour laquelle ils sont obligés de donner au monde un des plus rares exemples de solidarité. Celle des pestiférés.

C'est pour cela que j'avais tout liquidé, au risque d'en faire retourner mon pauvre père dans sa tombe. J'en avais ras le bol de tourner en rond comme un écureuil dans sa cage, j'avais les nerfs brisés de subir ma femme, et j'ai bazardé les deux d'un coup en jurant qu'on ne m'y reprendrait plus. Et voilà que je me retrouvais plongé jusqu'au coup dans les milliards de l'Arabie, amoureux transi d'Ursula Hartmann. Et sur le point d'atterrir à New York en plein milieu du merdier le plus effroyable de toute l'histoire de la banque américaine.

Comme tous les gâchis, celui-là n'avait pas atteint ces proportions monumentales du jour au lendemain. Il avait fallu une bonne décennie pour que mes chers confrères en arrivent là où ils se trouvaient en 1979. Et, comme je l'ai dit, c'était précisément les quinze grands qui y étaient le plus profondément enfoncés, ceux-là mêmes qui « assuraient » tous les autres. Leurs problèmes ? On les trouvait inscrits dans les deux colonnes du bilan.

Du côté de l'actif, d'abord – là où figurent les investissements et les prêts – il y avait de quoi causer une crise cardiaque au commissaire aux comptes le plus endurci. Car sans gratter bien loin sous la surface, on se rendait compte qu'un bon quart, oui vingt-cinq pour cent, de l'actif des quinze plus grandes banques des Etats-Unis était absolument sans valeur, ne valait pas un kopek. Ces valeurs figuraient toujours dans les livres pour la totalité de leur valeur nominale, mais cette valeur ne représentait plus rien. Ces prêts et ces investissements étaient perdus totalement et en permanence.

Sans tomber dans des détails ni dans des chiffres trop compliqués, permettez-moi seulement de vous fixer les idées avec des ordres de grandeur. Au début de 1979, la totalité de l'actif de toutes les banques américaines était, en gros, d'un trilliard de dollars – $ 1.000.000.000.000 si vous préférez. Les « grands », les quinze dont je vous parle, en avaient environ vingt-cinq pour cent, soit deux cent cinquante milliards. Vous me suivez ? Bon. Sur leurs bilans, ces deux cent cinquante milliards étaient, dans leur quasi-totalité, investis dans des placements de père de famille, dans des valeurs sûres et sans risque : emprunts d'Etat et municipaux, obligations, flottes de navires pétroliers, prêts à des gouvernements étrangers. Quoi de plus sûr, quoi de plus sage, quoi de plus sûrement et de plus sagement diversifié ? Rien.

Soit. Continuez donc à me suivre. Ces admirables investissements étaient, il ne fallait jamais rater une occasion de le clamer et de le répéter, plus solides que le roc de Gibraltar. Car ils avaient été faits avec l'argent des clients. S'il y avait un jour le moindre indice qu'ils ne seraient pas remboursés, et que les clients se présentent un beau jour comme un seul homme pour retirer leur argent en dépôt, rien, mais rien au monde ne pourrait empêcher la panique du siècle. C'est pourquoi on ne pouvait en aucun cas dire la vérité.

Et cette vérité, qu'était-elle ? Commençons, si vous le voulez, avec une des choses les plus sûres, celle à laquelle tout le monde croit, même le plus obtus : l'immobilier.

Les banques ont, de toute éternité, été avides. Leur raison d'être, c'est le profit. Dans les années soixante, les plus fortes sources de profit n'étaient pas dans la banque, mais dans l'immobilier, et ce n'était pas les banques qui en bénéficiaient. Il y avait donc là une situation choquante pour les banques, prises collectivement, et pour leurs dirigeants, individuellement. Qui, se demandèrent-ils alors en bonne logique, gagne de l'argent dans l'immobilier ? Les promoteurs, d'une part. Et aussi les courtiers qui assurent le financement des opérations de promotion. Les banques, elles devaient se contenter d'un misérable huit pour cent sur l'argent qu'elles prêtaient aux promoteurs par l'intermédiaire des courtiers, alors que si elles se lançaient elles-mêmes dans la promotion, elles en gagneraient au moins quinze. Aussitôt dit, aussitôt fait, et les banques se ruèrent en masse dans la promotion immobilière.

Elles inventèrent, à cette occasion, un mécanisme commode : la filiale d'investissement. Chaque banque se dota d'au moins deux ou trois de ces filiales, à qui elles prêtèrent tout l'argent dont elles avaient besoin pour investir à tour de bras dans tout ce qui leur tombait sous la main : immeubles d'appartements en Floride, centres commerciaux en Arizona, tours à Manhattan, tout y passa. Et à des taux de douze, quatorze, seize pour cent. Admirable, non ? En très peu de temps, les filiales placèrent une bonne vingtaine de milliards, tandis que les banques-mères s'arrangeaient pour financer directement les travaux et placer – toujours à quatorze pour cent de moyenne – une dizaine de milliards. C'était le paradis.

C'est alors que les choses se gâtèrent. La croissance, la grande croissance américaine et capitaliste à laquelle chaque citoyen avait droit à son berceau, la croissance qui avait fait tourner le monde et alimenté le progrès depuis la fin de la guerre en 1945, cette croissance stoppa brutalement. D'un coup, ou presque, les gens se rendirent compte qu'ils n'avaient plus les moyens de s'acheter un appartement en Floride ou de payer la peau des fesses pour des bureaux à bail dans une tour climatisée. C'est ainsi que les filiales d'investissement et leurs banques-mères se retrouvèrent, du jour au lendemain, avec des chantiers à demi terminés, ou des immeubles aux trois quarts vides sur les bras. Mais il n'y avait toujours pas lieu de s'affoler, la croissance allait repartir. On mit donc les chantiers et les immeubles au parking, et on attendit pour refaire le plein.

On attendit longtemps, très longtemps, trop longtemps. Pendant ce temps, les chantiers retournaient à l'état de ruine, les immeubles à moitié vides se vidaient davantage et se couvraient de toiles d'araignées. Mais pas leur valeur dans les livres comptables des banques. Les prêts y figuraient toujours, pour la totalité de leur valeur nominale. Les trente ou trente et un milliard représentaient toujours de bons et solides investissements gagés sur de la pierre, du béton et du terrain, alors même que la moitié au moins de leur valeur réelle et marchande s'était irrémédiablement évanouie. En d'autres termes, quinze milliards de l'argent des clients – les pessimistes disaient même une vingtaine – avaient purement et simplement disparu dans la nature.

Cela ne vous a pas convaincu ? D'accord. Regardons un peu ce qui s'est passé pour les navires pétroliers, investissements sûrs, tangibles et concrets s'il en est. Comme pour l'immobilier, les banques en firent la découverte dans l'abondance des années soixante, en même temps qu'elles décidaient de s'implanter largement et solidement à l'étranger. Pourquoi aller à l'étranger ? Parce qu'elles y bénéficaient d'une chose admirable non plus par sa simplicité, mais au contraire par son extrême complication. Les règlements bancaires variaient à l'infini. S'il leur était difficile de gagner de l'argent chez elles, à cause des fonctionnaires tatillons du fisc, elles pouvaient enfin les égarer dans le maquis impénétrable des législations étrangères. Alors qu'Oncle Sam, de plus en plus affamé et exigeant, faisait payer des impôts de plus en plus lourds, il y avait de nombreux pays où la taxation était légère comme une plume. Il y avait mieux : les impôts payés à l'étranger venaient en déduction des bénéfices imposables aux Etats-Unis. Aussi, vers le milieu des années 70, les quinze grands de la banque américaine faisaient-ils plus de cinquante pour cent de leurs bénéfices consolidés dans des pays étrangers. En conséquence, les impôts qu'ils payaient à Washington étaient non seulement minuscules mais, dans certains cas, inexistants.

Mais – car il y avait un mais – ils découvrirent aussi que ces terres bénies n'étaient pas vierges, et qu'il y avait de la concurrence. Une concurrence particulièrement dure quand il s'agissait des « bons » emprunts, c'est-à-dire des gros emprunts. Car chacun sait qu'il ne faut pas plus de temps ni de paperasse pour prêter cent millions qu'un petit million tout seul. C'est alors que les tankers – pardon, les super-tankers, les pétroliers géants – parurent à tous comme la solution rêvée.

Ils avaient d'abord une chose en leur faveur : ils étaient gros, énormes même, et les banquiers adorent tout ce qui est gros. Ensuite, le monde entier en construisait avec frénésie. La demande pour le pétrole et les produits pétroliers s'accroissait régulièrement de dix à quinze pour cent par an, et ne pouvait manquer de continuer sur le même rythme pour au moins trente ans. Enfin, il y avait bon nombre de banques – suisses, allemandes, belges – qui méprisaient ouvertement le financement des pétroliers · les pauvres imbéciles les trouvaient trop risqués ! On allait leur montrer ce que les Américains savent faire, ah mais ! Et nos quinze amis, par l'intermédiaire de leurs succursales sur la place de Londres, commencèrent à arroser généreusement le marché des pétroliers – dans les pays scandinaves, au Japon, en Grèce, en Allemagne, en Angleterre et même en Irlande.

Vint alors l'embargo de 1973. Du jour au lendemain, la consommation du pétrole dans le monde fit une chute vertigineuse. Du jour au lendemain, les cours de l'affrètement plongèrent dans des abîmes encore jamais vus. Personne ne pouvait plus se servir de la flotte de tankers existants, encore moins des nouveaux navires qui se construisaient avec l'argent des banques américaines. Et c'est pourquoi, comme pour les beaux immeubles des Etats-Unis, les banquiers se retrouvèrent avec des pétroliers à moitié construits, aux trois quarts finis ou complètement terminés, mais qui restaient de toute façon à l'ancre en train de se rouiller dans un fjord norvégien ou un bassin japonais.

Bilan de l'opération : une bonne moitié des quinze milliards prêtés sur l'argent des déposants ne pourrait jamais être remboursée. Jamais.

De toute éternité, les banquiers sont des gens insatiables. Aussi, alors qu'ils faisaient la découverte de l'eldorado dans les navires pétroliers – ces nouveaux galions – ils posaient un pied aventureux sur les rives d'un marché encore plus exotique, mais tellement plus riche de possiblités : celui des prêts aux gouvernements étrangers. Nous avons vu ce qu'il advint en Italie, et je n'y reviendrai pas. L'Italie, d'ailleurs, n'était qu'une gouttelette dans l'océan chatoyant qui faisait davantage briller les yeux des banquiers d'éclairs de convoitise. Cet océan, c'était celui des pays en voie de développement. Ils allaient y engloutir plus de trente-trois milliards !

Si les déposants – la bonne petite vieille d'Albany ou le retraité de Sacramento – s'imaginaient que leurs dollars, gagnés à la sueur de leurs fronts, allaient permettre au boucher de leur village de découper sa viande à la sueur du sien, ils se fourraient le doigt dans l'œil. Leur argent voyageait. Il allait fertiliser des endroits dont ils n'avaient jamais entendu parler de leur vie : le Zaïre, l'Uraguay, l'Egypte, la Birmanie, le Sri Lanka. Les dollars des esclaves du capitalisme, devenus capitalistes eux-mêmes, allaient permettre à tous ces pays de survivre, voire de prospérer, en achetant le pétrole des Arabes à un prix exorbitant, et les produits manufacturés d'Europe ou d'Amérique à des prix tout aussi chers – l'inflation, comme vous savez, était passée par là. Bien entendu, ces prêts étaient tous porteurs de la garantie des gouvernements, pas moins. Mais cette garantie avait encore moins de valeur que celle de la municipalité de New York.

Car ces pays tiraient leurs ressources en devises de la vente, sur les marchés mondiaux, de matières premières ou de produits agricoles. C'est avec ces ressources qu'ils étaient censés payer les intérêts des emprunts qu'ils avaient contractés, et d'en rembourser ultérieurement le capital. Or, à de rares exceptions près, les cours de ces matières premières allaient baisser ou, au mieux, se stabiliser du fait de la crise dont souffraient leurs clients, les pays industrialisés. La conséquence en était inéluctable : bientôt, près de quarante pour cent du revenu national de ces pays passait à payer les seuls intérêts des prêts. Il ne fallait plus que quelques années, à ce rythme, pour que sa totalité y suffise à peine. Qu'adviendrait-il alors du remboursement du capital ? En d'autres termes, ces prêts n'étaient pas seulement mauvais, ils étaient exécrables. Des trente-trois milliards ainsi engloutis. il n'y en avait pas plus du quart qui serait jamais récupéré avec quelque certitude. Le reste, soit vingt-cinq milliards, pouvait être d'ores et déjà considéré comme perdu sans espoir.

Infortunées banques-goupilles ! Comme si leurs propres malheurs ne leur suffisaient pas, elles devaient aussi subir ceux de toutes leurs consœurs qui, fortes de l'exemple de leurs aînées, avaient généreusement distribué les dollars par milliards à des entreprises bien de chez elles – mais pas plus solvables que les étrangères, et en particulier les compagnies aériennes et ferroviaires. Sans parler des emprunts et des obligations municipales, voire de certains Etats. Telle était la situation au début de 1979.

C'est pour cet ensemble de raisons que, sur les deux cent cinquante milliards de dollars figurant à l'actif des quinze grandes banques américaines, on pouvait compter, au strict minimum, cinquante milliards totalement perdus et sans valeur. Et comme le total de leur capitalisation inaliénable ne se montait qu'à vingt-cinq milliards, on pouvait donc dire qu'elles se retrouvaient deux fois dans le trou. Cela ne les empêchait pourtant pas de fonctionner comme à l'accoutumée, d'aligner de manière toujours aussi impressionnante leurs armées de présidents, de vice-présidents, de trésoriers et d'adjoints-trésoriers, toujours aussi prospères et la mine toujours aussi réjouie.

Car nul, depuis ces estimables cadres supérieurs jusqu'à leurs commissaires aux comptes et aux inspecteurs du fisc et du trésor, ne voulait ni n'osait se sortir la tête du sable où l'on ne voyait pas la dure réalité, mais la paisible certitude des règlements officiels. Ces règlements, en effet, permettaient aux banques de vivre douillettement à l'abri d'un petit univers bien clos où, contrairement à toutes les autres entreprises, elles ne sont pas forcées d'appeler un chat un chat. Ni une créance douteuse une erreur de gestion. Ces créances, on pouvait les amortir au gré des responsables, en autant de temps qu'il faut pour que la perte passe inaperçue. Mieux encore : on pouvait parfaitement, légalement et règulièrement, transformer une créance plus que douteuse en un excellent emprunt. Il suffit de prêter à nouveau de l'argent au débiteur défaillant pour qu'il règle les intérêts dus sur le premier emprunt, qui n'a plus besoin – maintenant qu'il redevient « actif » grâce à de la cavalerie – d'aller figurer dans la colonne infamante, et de grever le bilan d'une souillure déplaisante. Cela pourra, à beaucoup, paraître absurde, invraisemblable, voire simplement malhonnête. C'est pourtant rigoureusement exact

Mais nous n'avons encore fait que survoler la triste situation de l'actif des leaders mondiaux de la finance. Quand on jette les yeux sur le passif, le tableau change. De scandaleux, il devient proprement criminel.

Car une banque peut accumuler toutes les créances douteuses qu'il lui plaît, cela n'a aucune importance. Tant que personne ne s'en doute, les déposants continueront à venir lui confier leur argent sans méfiance. Et il n'y a pas de raison pour que cela ne dure pas éternellement. Si un déposant veut retirer son argent, la banque n'a nul besoin de récupérer ces fonds en demandant le remboursement d'emprunts, que son débiteur sera de toute façon incapable de lui rendre. Pour payer les retraits, il suffit tout simplement de faire rentrer de nouveaux dépôts.

Ce procédé, c'est la clef de voûte de l'édifice bancaire, la condition nécessaire et suffisante de sa survie. Le premier banquier venu vous le dira : ce ne sont jamais les créances douteuses, les pertes d'actif qui mettent les banques en danger ou les font couler. Le seul écueil sur lequel elles puissent aller s'éventrer, c'est le manque de liquidités, le tarissement des espèces indispensables à payer les déposants inquiets, sceptiques ou, tout simplement, ayant besoin de leur propre argent. La méthode classique à appliquer pour éviter de se retrouver dans une situation si dramatique, c'est d'appliquer aveuglément la règle d'or de la banque : emprunter à long terme et prêter à court terme. Si on s'y soumet, rien de grave ne peut se passer, les liquidités couleront toujours en abondance.

Or, c'est exactement le contraire qui était pratiqué depuis des années par les banquiers américains. Tandis qu'ils accordaient généreusement des prêts à quinze ans au Congo, ils les couvraient par des dépôts à vue de la clientèle privée, ou des dépôts à trente ou quatre-vingt dix jours des réserves d'Eurodollars. Et tout en se livrant à cette périlleuse gymnastique, ils enfreignaient une autre des lois de la banque, loi non pas d'or mais d'acier, et de l'acier le plus inflexible : répartir les risques sur le plus grand nombre de déposants possible.

Supposons que vous soyez banquier, et que vingt-cinq pour cent de votre volant de liquidités appartienne à dix déposants seulement. Vous êtes dans une situation dangereuse, car si la moitié seulement de ces déposants se présente le même jour pour demander son argent, il y a de fortes chances que vous ne l'ayez pas. Cet argent est ailleurs, en train de travailler à rapporter des intérêts, ce qui est l'objet même de la profession. Il vous faudra donc faire des acrobaties, faire attendre vos clients, ébrécher leur confiance quand bien même votre gestion serait au-dessus de tout reproche. Si cela se sait, la catastrophe n'est pas loin.

Si, par contre, vous êtes assez prudent pour avoir le même volant de liquidités appartenant à des centaines, voire des milliers de déposants dont aucun ne possède plus d'un ou deux pour cent du total, il est extrêmement improbable que vous vous retrouviez face à un problème comme celui que nous venons d'évoquer. Vous êtes protégé par la loi des grands nombres et les calculs de probabilité, mieux que par tout l'or de Fort Knox.

Dès le début des années 70, les banques de la place de New York n'avaient déjà plus le choix. Elles avaient un besoin impératif de liquidités, et leurs prêts n'étaient pas remboursés. Il fallait donc qu'elles continuent d'accorder de nouveaux prêts pour sauver les anciens... et pour sauver la face. Elles se trouvaient dans l'obligation de violer les règles les mieux établies de leur profession et racoler de l'argent de partout, à n'importe quel prix et à n'importe quelles conditions, c'est-à-dire des dépôts à échéances de plus en plus courtes.

Au début de 1979, les risques s'étaient aggravés au point de créer une situation explosive qu'une minuscule étincelle aurait suffi à détonner. Les liquidités, les capitaux s'asséchaient. Le gouvernement raflait l'épargne, dont il avait le plus pressant besoin pour éponger des déficits budgétaires de plus en plus astronomiques. Il n'y avait tout simplement plus assez d'argent en circulation pour permettre aux grandes banques d'absorber leurs pertes monumentales tout en maintenant à leurs meilleurs clients, les fidèles et les solvables, les crédits qu'ils attendaient et exigeaient. S'il y avait eu le moindre doute de leur côté, la panique aurait déjà éclaté.

Vous pouvez donc vous imaginer ce qui allait se passer quand Yamani et moi débarquions, les bras chargés des milliards de l'Arabie. Ce serait une explosion de joie dans tout Wall Street. Un sursis miraculeux était une fois de plus accordé aux banques. Et celui qui arrivait ainsi, porteur de présents inestimables, allait être un nouveau Dieu. Qu'il s'appelle Allah ou Jéhovah, qu'importe. Son Nom serait à jamais béni, car il apportait de l'argent liquide !

Quand le jet de l'Aramco se posa à Kennedy en cette froide journée de janvier, je dois avouer que j'étais heureux. D'abord, parce que j'adore New York. Malgré tout le mal qu'on en a dit et qu'on en dira encore, il n'y a pas deux villes au monde où l'on trouve une telle vie, de telles vibrations. New York vous saoule et vous rend joyeux plus sûrement que de l'alcool.

Exxon avait préparé notre réception dans le style qui avait naguère fait sa réputation. Avec deux huiles de l'importance de J. J. Murphy et du Cheik Yamani débarquant par le même vol, les gens du siège avaient dû se démener comme de beaux diables pour être absolument sûrs que rien ne clochait. En effet, une file de six limousines les plus longues que Detroit ait jamais produites nous attendait, tandis qu'une bonne quinzaine de gardes du corps, tous bâtis comme des piliers de mêlée, nous firent traverser l'aérogare au pas de course. En moins de cinq minutes, nous nous retrouvions sur l'autoroute !

Nous atteignîmes notre destination — le siège d'Exxon au coin de la Sixième avenue et de la Cinquante-Quatrième rue — en à peine plus longtemps. La batterie complète des ascenceurs desservant les étages supérieurs avait été bloquée en attendant notre arrivée. J. J. et ses petits camarades s'y enfournèrent pour grimper directement au cinquante et unième étage, où se trouve un monde de bureaux immenses d'un luxe qu'on ne voit, à ma connaissance, nulle part ailleurs au monde. Nous autres, c'est-à-dire Yamani et moi, descendirent — si je puis dire ! — quelques étages plus bas, au siège social de l'Armaco qui, par un hasard commode, est installé dans le même bâtiment.

Le décor était impressionnant. La première chose qui vous saute littéralement à la figure en entrant, c'est un énorme portrait du roi Khaled, entouré de lignes et de lignes de caractères arabes, et d'agrandissements photographiques de paysages riants : des enfilades de pipe-lines dans le désert. Quand des pétroliers américains et des Cheiks d'Arabie conjuguent leurs talents en décoration, cela donne des résultats uniques dans l'absurdité. Mais il faut avouer que ce qui manquait à ces bureaux en matière de bon goût était largement compensé par la sensation de respect qu'ils inspiraient aux visiteurs. L'endroit suait littéralement le fric.

Yamani et Reggie se retrouvèrent immédiatement chez eux. Reggie fit une timide tentative pour me mettre à l'aise en me présentant à la foule des jeunes Saoudiens qui grouillaient dans les bureaux mais je le suppliai d'abandonner, noyé que j'étais dans les Ibn et les Abdul, tous vocables recouvrant uniformément des teints basanés, des moustaches aile-de-corbeau et des yeux de gazelle. De toute façon, nous n'avions pas de temps à perdre, au point d'avoir décliné une invitation à déjeuner de J. J. On m'installa dans le bureau qui m'avait été affecté – de la taille de la moitié d'un terrain de football, et pourvu d'un personnel complet des deux sexes – avec carte blanche du Cheik pour entamer mon offensive. Reggie et lui disparurent à l'autre bout de l'étage pour engager leurs propres manœuvres.

Mon premier appel, comme vous vous en doutez peut-être déjà, allait être destiné à celui qui, de l'avis unanime, dominait le petit monde en péril de la banque américaine, j'ai nommé Randolph Aldrich, Président du conseil d'administration et directeur général de la First National Bank of America. Ma secrétaire me l'obtint en cinq secondes. Dans un temps pas si éloigné. il m'aurait fallu cinq jours pour parler à sa secrétaire.

– Hitchcock ! me corna-t-il dans l'oreille. Où êtes-vous ?

– Exxon ! répondis-je avec un beau laconisme.

– Voyons-nous tout de suite, affirma-t-il péremptoirement.

– C'est exactement pour ça que je vous ai appelé, dis-je.

– Chez vous ou chez moi ?

Je vous parierai un baril de pétrole contre un verre de scotch qu'Aldrich n'avait pas posé une question pareille depuis plus de dix ans, en tout cas sûrement pas quand le Président des Etats-Unis l'appelle pour lui demander un rendez-vous.

– Chez moi, déclarai-je sans hésiter. Aux bureaux de l'Aramco.

– Quand ?

Si seulement, pensai-je, il était aussi avare de l'argent de ses clients que de ses paroles, je ne serais peut-être pas là en ce moment...

– Une heure.

– D'accord.

Et il raccrocha sans dire au revoir, car Aldrich ne dit jamais au revoir. Quand il a fini de parler, il raccroche. J'ai toujours éprouvé une sorte d'admiration pour les hommes capables de ce genre de muflerie et qui n'en souffrent pas.

Soixante et une minutes après cette conversation historique, Randolph Aldrich pénétrait sur mon demi-terrain de football.

– A chaque fois que je viens ici, me dit-il en se dispensant de me dire bonjour, je me demande ce que peuvent penser les Juifs qui nous regardent de l'autre côté de la rue.

De l'autre côté de la rue, il y avait deux des trois sièges sociaux des principales chaînes de télévision des Etats-Unis. Je ne relevai pas ses propos, d'abord parce que la plaisanterie était plus vieille que le pont de Brooklyn, ensuite parce qu'il se trouvait que la femme de ma vie appartenait à cette antique confession. Et aussi, à tout prendre, parce qu'il m'arrivait de plus en plus souvent de préférer les Juifs aux Aldrich.

Ayant ainsi accompli ses mondanités pour la journée, Aldrich s'installa dans le fauteuil en face de mon bureau et se croisa les jambes.

– O.K., Hitchcock. Venons-en au fait. Je sais.

Il savait, en effet. Notre rencontre ultra-secrète au fin fond de la campagne anglaise datait déjà de vingt-quatre heures. Demain, elle serait probablement reproduite in extenso sur tous les téléscripteurs des agences de presse.

– Comment va la Bourse ? demandai-je.

– En hausse de seize points, répondit-il. Qu'est-ce que vous croyez ?

Précisément ce genre de réaction. Les services titres des banques doivent être en train d'acheter fébrilement avant le vrai début de la partie, sans pour autant dévoiler leur jeu. Du bien joli monde...

– Avant d'en venir au « fait », comme vous dites, dites-moi exactement ce que vous savez, Randolph.

– Que les Saoudiens se décident enfin à venir s'asseoir à notre table, exactement comme je vous le disais à Francfort, Hitch, vous vous rappelez ?

– Je me rappelle.

– Combien comptent-ils mettre sur le tapis ? demanda-t-il.

– On y viendra en temps utile, répondis-je. Je voudrais d'abord vous suggérer quelque chose. Organisez une petite réunion demain après-midi ici-même, pour trois heures et quart.

Je lui donnai une liste de noms : il y en avait seize, que j'avais écrits de ma propre main. Il la parcourut des yeux.

– Ça devrait aller. Sauf pour Larsen.

Larsen était le président de General Dynamics.

– Pourquoi ? demandai-je. Il est en voyage ?

– Non. Il est mort hier soir. Je ferai venir son remplaçant.

Il prit un stylo, ratura le nom de Larsen et en mit un autre à la place. Telle fut l'épitaphe de M. Larsen.

– Passez-moi votre téléphone, reprit Aldrich.

Je le poussai vers lui à travers le bureau. Il composa le numéro de sa banque et demanda Marjory, sa secrétaire, une charmante vieille fille de cinquante-neuf ans qui m'avait toujours accueilli avec l'amabilité chaleureuse d'un mur de béton.

– Marjory, dit-il avec sa brièveté habituelle, convoquez-moi ces gars-là pour demain quinze heures aux bureaux de l'Aramco.

Il lui lut la liste et raccrocha. Je remarquai qu'il avait dit trois heures quand j'avais dit trois heures et quart. Amusant, sans doute, de les faire poireauter un quart d'heure dans la salle d'attente...

– Bon, déclara-t-il en me rendant ma liste – ne jamais garder un morceau de papier ! – revenons en à nos moutons.

– J'ai huit milliards deux disponibles, vous les aurez sous huitaine.

Il s'agissait du paiement anticipé du premier trimestre de fournitures de pétrole, ainsi qu'on en avait décidé avec J. J. en Angleterre.

– Quel taux ? demanda-t-il.

– Pas si vite, répondis-je, je n'ai même pas commencé. Réglons d'abord un petit détail qui me tient à cœur. Vous vous rappelez le pool italien que vous m'avez torpillé ?

– Torpillé ? Qui, moi ?

– Oui, vous, insistai-je, sans me laisser prendre à son air d'innocence.

– Possible, admit-il. Et alors ?

– On remet ça, dans des conditions légèrement différentes.

Je lui expliquai alors l'achat des avoirs étrangers de l'ENI, la société-holding au Liechtenstein, le financement par des emprunts à cinq ans. Je lui expliquai même que l'argent qu'il devait fournir, en tant que pilote du pool, lui serait fourni directement par nos soins. Il tiqua quand même.

– Vous voulez qu'on vous finance à cinq ans, et vous ne voulez pas dépasser des dépôts à quatre-vingt-dix jours ?

– C'est en effet l'idée de l'opération. Sur laquelle vous empochez la différence des intérêts, n'oubliez pas.

– Il y a quand même un risque, grommela-t-il.

– Ça se peut, lui accordai-je.

– Bon. Vos huit milliards deux, reprit-il, où sont-ils ?

– En Europe. Ils seront virés en euro dollars de nos comptes dans les banques européennes.

– Ils vont hurler ! observa-t-il.

– Pas autant que dans un mois ou deux. On vous fera suivre vingt autres milliards, tous en devises européennes. Arrangez-vous d'ici là pour la répartition chez les bénéficiaires. Les dix grands, comme d'habitude.

« Comme d'habitude » se référait à la règle inflexible des Saoudiens qui ne traitent jamais, mais alors jamais, avec une banque qui ne figure pas dans la liste des cinquante premières banques mondiales.

– Sur quelle base on répartit ?

– Pourquoi pas sur la base d'un bon vieux principe marxiste, répondis-je en riant. A chacun selon ses besoins !

– Bon, approuva-t-il. Et à quel taux ?

Décidément, il ne pensait qu'à ça !

– Cinq pour cent, dis-je calmement.

– Cinq pour cent ? s'écria-t-il stupéfait. Mais le taux d'escompte fédéral est de huit !

– Plus pour longtemps, dis-je.

Le taux d'escompte fédéral s'appliquait aux intérêts réputés les plus bas, rénumérant les surplus de trésorerie du trésor prêtés à court terme. Mais, en dépit des problèmes économiques du pays, les bons technocrates du trésor ne voulaient pas démordre de leur dogme : resserrer le crédit, l'enchérir, en donner le moins possible aux banques pour contenir l'inflation. Car telle était la méthode classique, reconnue, professée par les économistes distingués du haut de leurs chaires universitaires. Le fait que ces théories avaient, depuis plusieurs centaines d'années, fait la preuve de leur inanité ou s'étaient au moins avérées insuffisantes n'empêchait pas les hommes politiques bornés, et les fonctionnaires obtus, de s'y tenir mordicus. Mais leurs pouvoirs, s'il s'exerçait sur le marché intérieur, ne dépassait pas les frontières, et ils étaient totalement impuissants à empêcher la marée des dollars saoudiens de venir irriguer le marché financier. Dès le moment où le flot commencerait à couler, les taux d'escompte tomberaient, vraisemblablement aux alentours de cinq pour cent pour le court terme.

C'est d'ailleurs ce qu'Aldrich fut rapide à saisir.

– Vous voulez dire que vous nous envoyez encore du court terme, même sur ces capitaux-là ? protesta-t-il.

– Bien entendu, répondis-je. Trente jours maximum. Vous ne pouvez quand même pas tout avoir, Aldrich !

– Hélas ! soupira-t-il.

– En tout état de cause, le rassurai-je, je ne vois pas de quoi vous vous inquiétez. Je connais les Saoudiens, ce ne sont pas des gens à faire des coups de tête. S'ils déposent leurs fonds ici, ce n'est pas pour les en retirer dans trois mois. Les renouvellements seront automatiques.

– Je l'espère ! En tout cas, rappelez-vous ce que je vous disais à Francfort, Hitchcock. Ils sont obligés de nous amener leur argent. Sans nous, ils ne peuvent rien en faire.

– Ah oui ? demandai-je sèchement. Et sans eux, vous pouvez faire quelque chose ?

Aldrich accusa le coup, mais affecta d'ignorer ma remarque déplacée.

– Bon, qui est-ce qui va annoncer tout ça ? demanda-t-il.

– Mais vous, mon vieux, lui dis-je d'un air jovial. Ça finira vraiment de rehausser votre standing !

Sa patience et sa vanité étaient mises à rude épreuve. Il n'eut même pas un éclair dans le regard, et je lui en tirais mon chapeau.

– Dites-moi plutôt comment les virements vont être effectués, demanda-t-il sans élever le ton.

C'était simple. Les fonds en provenance des banques européennes allaient être virés aux succursales des banques américaines à Londres, sur une base de trente jours. Les sièges pourraient tirer sur leurs succursales en garantissant les dépôts. Les premiers virements allaient commencer dans trois jours, et seraient échelonnés sur plusieurs semaines jusqu'à concurrence des vingt milliards annoncés. Tout ce qu'il me fallait maintenant, lui dis-je, c'était une liste des banques au crédit de qui les virements devraient être faits. Aldrich me la promit pour l'après-midi.

– Au fait, la réunion de demain après-midi ? me demanda-t il. Vous essayez de mettre sur pied un « lobby » pro-saoudien ?

– Exactement.

– Vous avez raison, approuva-t-il. Qui présidera ?

– Pourquoi pas vous ? suggérai-je avec suavité.

– Avec plaisir. Content de vous avoir revu, Hicthcock.

– Moi aussi, Randy.

Il me rappela à cinq heures, comme promis. Les vingt milliards étaient placés, pour la plupart sur New York. La côte ouest, paraît-il, n'avait besoin de rien...

Je passai les deux heures suivantes à expédier des télex dans le monde entier, annonçant à des douzaines de banques que les dépôts à court terme du Fonds Monétaire du Royaume d'Arabie Saoudite ne seraient pas renouvelés à échéance, et que des instructions détaillées suivraient.

Le Cheik Yamani vint me retrouver dans mon bureau aux environs de sept heures. Il fut content d'apprendre ce que j'avais déjà fait ce jour-là, et me conseilla de ne pas me surmener davantage. Il avait prévu une réunion à neuf heures le lendemain matin, sous la présidence de J. J., et il me dit qu'il fallait que je sois en pleine forme pour en profiter.

CHAPITRE 20

Ce soir-là, je me retrouvai seul à New York pour la première fois depuis longtemps. J'étais descendu au Plaza, que je trouvais bien tombé depuis son ancienne splendeur mais qui avait, pour moi, le mérite d'être à deux pas du building Exxon.

J'avais quitté les bureaux de l'Aramco peu après sept heures pour rentrer à pied. Arrivé à l'hôtel, j'allai prendre un ou deux verres au bar. Je m'ennuyai, je me sentai énervé, impatient, prêt à faire quelque chose. Quoi ? Je le savais, bien sûr, mais c'était sans doute la dernière des conneries à faire. Surtout quand on a un emploi du temps chargé comme celui qui m'attendait le lendemain.

Mais il suffit de savoir qu'on fait une connerie pour s'empresser de la faire. Je remontai donc à ma chambre, consultai mon carnet d'adresses et composai un numéro au téléphone. Il n'avait pas sonné deux fois que je raccrochai. A quoi bon ? me dis-je. J'étais crevé, bientôt quinquagénaire, inquiet – oui, inquiet malgré la manière dont les choses se déroulaient – et je me retrouvais là, dans une chambre d'hôtel prêt à sortir une minette de vingt-cinq ans dans un restaurant hors de prix où je n'aurais même pas envie de manger les hors-d'œuvre. Après ça, on se retrouverait dans une boîte innommable mais à la mode où je boirais un ou deux scotch de trop, pour aller finir chez elle où il faudrait que je passe le restant de la nuit. Car de nos jours, ça ne se fait plus, paraît-il, de baiser et de partir tout de suite comme au bon vieux temps. Avec tout ça, je me réveillerais le lendemain matin encore plus crevé, des poches sous les yeux, la gueule de bois, rien de plus qu'un quinquagénaire usé, bon à rien, une ruine...

Et merde pour les conneries, pensai-je avec héroïsme. Tant que j'avais le téléphone à portée de la main, je décrochai à nouveau, appelai la standardiste et lui demandai le numéro d'Ursula en Iran. Elle me rappela cinq minutes plus tard pour m'informer qu'il y avait une attente de douze heures. Je lui dis d'annuler l'appel. En raccrochant, je lâchai une bordée de jurons, pris une douche et allai me coucher.

Je ne me réveillai que douze heures plus tard. Après une douche, je me sentis dans une forme éblouissante. Sans mentir, quand je me suis regardé dans la glace, j'avais dix ans de moins. C'est drôle, non, ce qu'un petit peu de fatigue ou de surmenage peuvent faire à un homme dans la force de l'âge !

Quand je me retrouvai sur le trottoir, devant le Plaza, à neuf heures moins le quart, j'avais vraiment vingt ans.

En sortant de l'ascenseur au cinquante et unième étage, je vis tout de suite J.-J. dans le couloir, devant la porte de la salle du conseil, en train de parler à Yamani. Il le quitta pour venir vers moi.

— Comment ça s'est passé avec Aldrich, hier après-midi ? me demanda-t-il.

— Pas mal, répondis-je.

— Combien est-ce que vous allez lui donner ?

— Yamani ne vous en a pas parlé ?

— Je ne lui en ai pas parlé. C'est à vous que je le demande, me dit-il d'un ton péremptoire.

Une fois remis dans le cadre de sa toute-puissance, J.-J. redevenait plutôt pénible et se croyait vraiment un peu trop le patron. En plus, je comprenais très bien où il voulait en venir : se faire une petite spéculation en bourse avant que tout le monde soit au courant. Qu'il aille se faire foutre, me dis-je, il en a bien assez comme ça.

— J.-J., répondis-je avec fermeté, si ces affaires-là vous concernaient, je vous aurais demandé de venir. Comme ça ne vous regarde pas, je ne vois pas pourquoi je vous en parlerais.

Il affecta d'ignorer mon insolence et reprit le cours de ses pensées :

– Vous avez parlé de l'ENI ?

– Peut-être.

– Vous allez vraiment essayer de mettre cette histoire de fous sur pied ? insista J.-J.

Il avait dû avoir des remords d'avoir accepté si facilement, et allait sans doute tout essayer pour nous torpiller.

– Je sais à quoi vous pensez, J.-J., répondis-je froidement. Mais dites-vous bien une chose : si vous voulez vous amuser à revenir sur une seule des conditions que vous avez acceptées à Londres, Yamani va vous descendre en flammes.

Il devint littéralement pourpre de fureur, et voulut terminer une conversation si mal engagée. Mais je n'allais pas le laisser s'en tirer aussi facilement.

– Au fait, J.-J., dis-je avant qu'il ait eu le temps de tourner les talons, nous attendons toujours votre proposition pour la vente de ces deux raffineries en Allemagne. Nous aimerions les recevoir sous quarante-huit heures au plus tard.

– Dites-donc, Hitchcock, explosa-t-il, ne vous prenez pas pour le patron ! Cette question-là ne vous regarde pas. Elle est strictement entre Yamani et moi !

– Erreur, J.-J., c'est moi qui m'en occupe. C'est à moi de préparer les contrats et le financement. Alors, n'oubliez pas, après-demain au plus tard.

Ecœuré, il me laissa. Cela lui apprendrait à ne pas prendre William H. Hitchcok pour un de ses employés, ah mais ! En tout cas, la journée commençait bien. Yamani avait observé et entendu toute la scène en compagnie de Texaco, Mobil et Socal. Quand J.-J. se fut éloigné, il me fit un clin d'œil complice.

Quelques minutes plus tard, les trois types de Washington arrivèrent. Il y avait le chef de l'Agence Fédérale pour l'Energie, l'Assistant du Secrétaire d'Etat chargé des Affaires Economiques, et le Sous-Secrétaire d'Etat au Trésor. Ils avaient tous les trois l'air d'être dans leurs petits souliers, ce qui est bien compréhensible car ils n'étaient que des sous-fifres. En plus, ils étaient trop jeunes et trop inexpérimentés pour les postes qu'ils occupaient, et de se retrouver ici, seuls, les dépaysait vraiment trop par rapport à leur milieu naturel de fonctionnaires incompétents et béats devant l'autorité. Se retrouver ainsi à New York, dans la salle du conseil de l'Exxon, face à des personnages de la stature de J.-J., de Yamani – ou même de moi, n'est-ce pas... – c'en était trop pour les malheureux, et ils s'en rendaient compte. Le pire était le type qui était censé diriger l'Agence pour l'Energie. Il avait à peine trente-quatre ans, était un avocat en rupture de barreau et, pour tout arranger, était affligé d'un épais accent sudiste. Ce qui ne l'empêcha pas de vouloir prendre l'offensive.

– Messieurs, dit-il avec des intonations qui évoquaient Rhett Butler, je ne peux vous accorder qu'une heure. Venons en tout de suite à l'objet de cette réunion.

J.-J. le regarda comme s'il avait vu un rongeur apparaître, contre toute logique, dans la salle du conseil et faire des crottes sur le tapis.

– Jeune homme, lui dit-il – ce qui fit violemment rougir les joues de ce haut fonctionnaire – je suis trop heureux de pouvoir vous obliger.

Dans la bouche du tsar de l'Exxon, les sonorités texanes avaient pris le parfum d'un frangipanier de la Géorgie. Le malheureux, qui répondait au nom de Weatherspoon – comme si un tel nom pouvait encore exister en dehors des romans sur la guerre de Sécession ! – en suait à grosses gouttes.

– Je vous suis obligé, reprit J.-J. en abusant d'un mot qui lui permettait de rouler ses voyelles, de nous avoir fait l'honneur de venir de Washington. Quand vous aurez entendu ce que nous avons à vous dire, Messieurs, je suis sûr que vous ne le regretterez pas.

Les dignes représentants du gouvernement affectèrent un air sceptique, car nous représentions précisément l'alliance diabolique du pétrole et des Arabes qui selon eux, était responsable du triste état de leur cher pays. Entre temps, J.-J. avait fait asseoir tout le monde et passé la parole à Yamani qui, avec la perfection habituelle de son vocabulaire, exposa les grandes lignes de nos accords de Londres. Je trouvais sa présentation hautement convaincante, jusqu'à ce que les gens de Washington expriment leurs réactions.

– Ceci, commença Weatherspoon, est fort intéressant sans doute. Cela représente, évidemment, une réorientation considérable. Cela requiert, naturellement, que nous procédions à une étude approfondie. Car les implications, tant positives que négatives, en sont manifestement multiples.

Ce qui ne voulait strictement rien dire. A défaut d'autre chose, l'homme savait maîtriser l'art de parler en public...

Car Weatherspoon se retrouvait dans une impasse. Si incroyable que cela puisse paraître, il s'était engagé à maintenir un prix élevé – d'au moins seize dollars le baril – pour le pétrole brut afin, paraît-il, d'encourager les recherches sur le territoire national et de permettre aux pétroliers de rentabiliser leurs investissements. Or les pétroliers présents dans la salle savaient fort bien qu'ils s'en sortaient largement à dix dollars. Seulement, les promesses électorales étaient à seize... Que faire ? L'infortuné devrait-il perdre la face ?

Son collègue du Département d'Etat vint à sa rescousse.

– Je suis entièrement d'accord, affirma-t-il d'un ton péremptoire, avec l'opinion de M. Weatherspoon. Il serait tout d'abord fort dangereux pour la sécurité nationale de ne reposer que sur une seule source pour nos besoins énergétiques. Ensuite, la mise en œuvre d'un programme comme celui que vous venez de définir pourrait soulever de graves problèmes dans nos relations avec de fidèles alliés, qui ont su nous manifester leur esprit de coopération dans le passé.

Les fidèles alliés – c'est-à-dire en l'occurrence le Canada, le Vénézuela, le Nigéria et, naturellement, l'Iran – avaient en effet été trop heureux d'aider les Etats-Unis en leur vendant leur pétrole à vingt dollars le baril ! Au moindre signe, ils seraient encore prêts à se ruer à notre secours à trente dollars. On ne peut pas empêcher l'altruisme de se manifester...

Mais le Sous-Secrétaire au Trésor se désolidarisa de ses compagnons. Depuis le début, il crayonnait sur un bloc, et en tira la seule conclusion qui, de son point de vue, avait quelque importance :

– Je ne vois pas, dit-il, en quoi cette question puisse être complexe ou avoir besoin d'être étudiée. L'offre de ces messieurs nous permet d'économiser trois dollars le baril sur le pétrole que nous importons. Ce qui représente une économie de vingt-et-un millions de dollars par jour, soit sept milliards six par an. C'est lumineux.

Weatherspoon et le Département d'Etat le regardèrent écœurés. Rien ne devrait jamais être simple ni lumineux, si on veut se faire prendre au sérieux.

Quand on en vint à parler de la mise en place des accords, leurs attitudes devinrent de plus en plus hostiles. Car un contrat direct entre l'Arabie et l'Aramco laissait complètement de côté l'Agence pour l'Energie, et révélait son véritable rôle, celui d'être totalement inutile. De son côté le Département d'Etat voyait avec répugnance le pétrole se glisser encore dans les rouages de la politique étrangère. L'homme du Trésor, lui, abondait dans notre sens. Depuis des mois, il formait le projet de se sortir de Washington. S'il se faisait bien voir d'Exxon ou de l'Aramco, il risquait fort de se retrouver avec un job confortable à souhait dans ce bâtiment même, le jour où il en exprimerait le désir. Et pourquoi pas ? Il y a des ambitions louables...

Mais les autres n'abandonnaient pas aussi facilement leurs positions. Ils ergotèrent sur tous les points, brandirent le spectre des lois anti-trusts – qui fut promptement dissipé par un rappel opportun des accords pas si anciens avec le consortium iranien – et assénèrent enfin l'argument massue. Quand on saurait que l'Amérique allait bénéficier de prix de faveur, cela allait entraîner une horrible crise avec les alliés, et particulièrement ceux qui étaient membres de l'OTAN. Ce serait impensable !

Ce qu'entendant, J.-J. se redressa de toute sa taille :

– Mais, mon cher monsieur, les seuls intérêts d'Exxon sont de servir et de défendre les consommateurs américains ! C'est précisément ce que nous voulons faire, et il serait grand temps que vous autres, à Washington, commenciez à en faire autant !

Pour une fois que l'intérêt des « Quatre Sœurs » coïncidait avec celui des consommateurs, il n'allait pas laisser passer une telle occasion !

Timidement, l'homme du Département d'Etat essaya un dernier argument : et Israël ? demanda-t-il.

– Israël n'a qu'à aller au diable ! tonna J.-J.

Les autres pétroliers hochèrent la tête en signe d'approbation. Il était bien temps de venir leur parler d'Israël !

Depuis une heure, Yamani était resté sans rien dire. Ostensi blement, il regarda sa montre :

– Messieurs, dit-il, vous nous avez prévenus en arrivant que vous n'aviez qu'une heure à nous accorder. J'ai peur que nous ne vous ayons gardés déjà trop longtemps. Voici donc, ajouta-t-il en sortant trois dossiers de son porte-documents, notre proposition en trois exemplaires. Je vous serais reconnaissant de bien vouloir en transmettre les termes au Président afin qu'il puisse me faire connaître son opinion.

Là-dessus, il se leva, et la réunion était terminée. Les trois garçons de courses n'avaient rien de mieux à faire qu'à serrer les mains et à s'en aller. Ils passèrent la porte à dix heures trois très exactement.

Quand je me retrouvai seul avec Yamani, je lui fis part de ma surprise. Cette réunion, lui dis-je avait été parfaitement inutile. Pourquoi perdre son temps avec ces garçons de courses au lieu de s'adresser directement au Président ?

– Bill, me dit-il pendant que nous regagnions les bureaux de l'Aramco, je connais votre Président. Pas intimement, mais je le connais assez bien je crois. C'est un homme aimable, et certainement plein de qualités. Mais il n'y connaît pratiquement rien dans les questions économiques, et il n'a pas une capacité d'attention très importante. Il se perd très vite dans une conversation. Il faut une présentation écrite, des explications simples. Il va recevoir mon message de trois côtés différents, en trois versions différentes avec trois propositions différentes pour résoudre le problème. Cela lui permettra de comprendre de quoi il s'agit et, surtout, de trouver une quatrième solution, la sienne. Et c'est ainsi qu'il pourra étonner une fois de plus son excellence de chef...

C'était peut-être très bien en théorie, mais la pratique allait en être totalement différente. Les trois fonctionnaires avaient vu le Président à trois heures de l'après-midi et lui avaient remis leurs trois versions différentes, comme Yamani l'avait prévu. Mais le président n'y jeta même pas un œil. Il n'avait compris qu'une seule chose, et une chose essentielle de son point de vue. Nous étions en 1979, et 1980 était l'année des élections présidentielles. La proposition saoudienne aurait pour résultat, entre autres, de faire baisser l'essence de près de quinze centimes le litre. Il n'allait donc pas approuver la proposition du Cheik, il allait l'acclamer publiquement, de manière spectaculaire et sans perdre une minute.

Il appela Yamani en personne dès cinq heures cet après-midi là pour le lui annoncer, et l'inviter à venir à Washington dès le lendemain pour qu'ils fassent une déclaration commune à la presse et à la télévision. Yamani parvint à modérer son enthousiasme et à le faire consentir à attendre vingt-quatre heures de plus. Le Président était aux anges.

Yamani me fit passer le renseignement par une note manuscrite, qui me fut portée dans la salle du conseil de l'Aramco où se déroulait la deuxième conférence importante de la journée. Selon ma suggestion, Randolph Aldrich en avait pris la présidence. Lui aussi était aux anges.

– Messieurs, avait-il commencé quand tout le monde eut pris place, j'ai le plaisir de vous annoncer une bonne nouvelle. Grâce à mon vieil ami Bill Hitchcock et à ses amis d'Arabie, nous allons voir le bout de nos peines.

Je n'avais pas cillé au « vieil ami ». Un jour, peut-être...

Notre auditoire était composé des présidents des six principales banques multinationales, et de leurs neuf plus gros clients : General Motors, general Dynamics, Loockheed, Litton Industries, McDonnell-Douglas, Raytheon, Northrop, General Electric et Colt Industries. Ces dignes messieurs avaient tous une chose en commun : outre le fait qu'ils présidaient des sociétés figurant parmi les plus importantes au monde, leurs entreprises occupaient les neuf premiers rangs des fournisseurs de matériel militaire des forces armées des Etats-Unis. Ils ne se connaissaient que deux maîtres : le Pentagone et les banques. Or, l'un de leurs maîtres les avait convoqués en la personne du Grand-Maître Randolph Aldrich. Pas un ne s'était abstenu, et ils écoutaient religieusement.

En un langage concis, Aldrich leur expliqua l'objet de cette réunion impromptue. Les criminels de la Banque Fédérale avaient enfin fini de ruiner le pays en étranglant le crédit. Tout le monde – sauf General Motors, qui n'en avait jamais besoin – allait enfin voir l'argent couler à nouveau à flots. Les taux d'escompte allaient baisser, la bourse allait remonter. Et ce flot, ajouta-t-il emporté par son enthousiasme, va devenir un fleuve, un océan. Les beaux jours sont revenus, l'économie va redémarrer en flèche.

– Evidemment, poursuivit-il, on n'a jamais rien sans rien. Que veulent les Saoudiens, me demanderez-vous ? C'est très simple : ils ne veulent que notre soutien total, immédiat et inconditionnel pour leurs programmes d'armement. Ce qui signifie qu'il leur faut des avions, dit-il en pointant un doigt vers Northrop et Loockheed. Des blindés, ajouta-t-il à l'intention de General Motors. Des systèmes de support de combat, précisa-t-il à Raytheon et General Electric. Des navires, spécifia-t-il à l'adresse de Litton. Tout, même et surtout des armes individuelles, dit-il avec autorité à Colt. Je sais que vous avez reçu les commandes et signé les marchés depuis des années, dans certains cas. Ce que veulent les Saoudiens est élémentaire : la livraison ! Vous livrez le matériel, vous recevrez de nouvelles commandes. Et ces commandes seront assorties d'acomptes substantiels qui vous seront payés par notre intermédiaire.

– Ecoutez, Randy, intervint alors Litton avec une pointe d'agacement, tout cela est fort joli mais ce n'est pas aussi simple que vous le dites. Les Saoudiens nous ont commandé trois destroyers porte-missiles. Mais l'Iran en a commandé quatre. Notre marine a passé un marché pour six. Les Sud-Coréens en veulent deux. Et toutes ces commandes sont antérieures à celles de l'Arabie.

– C'est précisément cela, dis-je alors, qu'il faut changer.

– Allez donc le dire au Pentagone ! soupira Litton.

– Nous y comptons bien. Mais il faut que vous aussi vous le disiez au Pentagone. Vous tous, et tout de suite. Et allez aussi le dire à la Maison-Blanche.

– C'est exactement l'objet de cette réunion, lança alors Aldrich en venant à ma rescousse. Il faut que vous, Hank – c'était Monsieur Litton – et vous Abe – c'était Monsieur General

Electric – et vous Jim – lui, c'était le tout gros, General Motors – vous veniez avec moi, avec nous tous ici, et que nous allions dire à la Maison-Blanche qu'ils ont fini de rire, qu'il est temps de passer aux choses sérieuses.

General Motors n'était pas tellement d'accord. D'abord, General Motors n'avait pas besoin d'argent ; si elle l'avait voulu, elle aurait pu racheter la majorité de tous les présents sans se mettre sur la paille. D'un autre côté de quoi l'avenir serait-il fait ? Après tout, Chrysler s'était bien cassé la figure. Il fallait toujours mieux s'attendre au pire. Je pouvais suivre le violent débat intérieur qui l'agitait, sur son visage expressif comme une porte de coffre-fort.

– D'accord, dit-il enfin, comme à regret. Mais il ne faut pas s'attendre à des miracles. Et de toute façon, pour l'amour du ciel, gardons tout cela entre nous. Si le sénateur de l'Iran ou celui d'Israël venaient à apprendre quelque chose, ça ferait un beau scandale. Compris ?

Tout le monde, même Aldrich, hocha la tête gravement.

Alors, Abe prit la parole. Abe, ou General Electric, s'appelait Abraham Silberschmitt.

– Un instant, vous autres ! On ne peut quand même pas laisser purement et simplement tomber Israël, comme vous le préconisez. Qui nous dit que ce matériel ne va pas être détourné de sa destination officielle, et se retourner contre les Juifs ?

– Abe, intervint Aldrich, vous ne paraissez pas comprendre de quoi il retourne. Ce matériel ne servira pas contre Israël. Au contraire, il ne peut que rendre service à Israël.

– Je ne vois pas... commença Abe.

– Parce que ce qui est bon pour l'Arabie Saoudite est bon pour les Etats-Unis. Et que tout ce qui est bon pour les Etats-Unis est bon pour Israël ! Compris ?

Abe n'avait pas compris, ce qui d'ailleurs n'avait plus aucune importance car, tandis que s'échangeaient ces répliques historiques, on venait de m'apporter la note de Yamani. Comme il n'était indiqué nulle part qu'elle soit confidentielle, je m'empressai d'en faire part à l'honorable assistance.

– Hitchcock, me fit l'honneur de me dire General Motors, je n'aurais jamais cru que vous arriveriez à faire quelque chose comme ça ! Randy, ajouta-t-il, passe-moi un téléphone.

Deux minutes plus tard, General Motors avait le Président au bout du fil. Il lui dit qu'il voulait le voir le lendemain, et que c'était urgent. Ils se mirent d'accord pour trois heures.

Car une baisse de quinze centimes au litre d'essence, cela voulait dire que General Motors allait vendre cinq cent mille voitures de plus dans l'année. Sans parler des suivantes.

Le « lobby » pro-saoudien avait enfin vu le jour.

CHAPITRE 21

Les jours qui suivirent devaient être particulièrement éprouvants pour quelqu'un d'aussi modeste que moi. Cela commença, comme il se doit, à la Maison-Blanche où le Président avait organisé un déjeuner intime pour Yamani et sa suite – moi, bien sûr, Reggie et J.-J. Murphy – avant la conférence de presse de l'après-midi. Là, le Président se surpassa, présentant toute l'affaire comme un triomphe de son administration, un témoignage glorieux de ses qualités de négociateur intraitable, et un des tournants de l'histoire du siècle. La presse parlementaire lui posa ensuite un feu roulant de questions aussi idiotes que d'habitude, en insistant particulièrement sur l'influence que ce pacte aurait sur le destin d'Israël. Avec sa patience et sa courtoisie habituelles, Yamani leur expliqua en long et en large qu'Israël n'avait strictement rien à voir dans tout cela.

Le même soir, J.-J. et Exxon donnèrent une réception qui, elle, aurait pu être qualifiée de réception du siècle, où furent invités tous les amis que le pétrole comptait au Congrès. Ce soir-là, il y en avait beaucoup, d'autant plus nombreux et empressés que le « lobby » pétrolier reprenait avec éclat du poil de la bête.

Le lendemain matin, j'allai rejoindre Yamani à son hôtel pour le petit déjeuner. Je lui fis une rapide revue de la presse, qui étalait naturellement les nouvelles à la une avec des manchettes impressionnantes. L'éditorial du *« New York Times »* titrait : EST-CE LA FIN DE L'OPEP ? L'article qui suivait expliquait, sans laisser le moindre doute, que le point d'interrogation devenait superflu. Le *« Wall Street Journal »* demandait, de son côté : L'ARGENT ARABE EST-IL UN DANGER ? pour s'empresser de démontrer qu'il n'en était rien. Tous les autres étaient à l'avenant, et les journalistes se congratulaient à qui mieux mieux de la « sagesse de l'Arabie Saoudite » qui se rendait compte, enfin, que seule l'Amérique pouvait absorber ses réserves. La lecture de toute cette prose m'avait mis en joie. Elle avait beau être simpliste, prétentieuse et mal informée, les journaux avaient rempli le rôle que nous attendions d'eux : une admirable campagne de publicité rédactionnelle. C'est la conclusion dont je fis part à Yamani.

— Maintenant, répondit-il sans se départir de son sang-froid, c'est à Abdul Aziz de jouer. Alors nous pourrons chanter victoire.

Le Cheik Abdul Aziz, ministre des Forces Armées du Royaume d'Arabie Saoudite, était arrivé fort discrètement la veille au soir. Son avion s'était posé sans témoins à Andrews Air Force Base, la base aérienne près de Washington, et il avait passé la nuit à l'ambassade d'Arabie pour ne se faire remarquer dans aucun des hôtels de la capitale. Yamani et moi allèrent le rejoindre vers midi.

— M. Hitchcock, me dit-il après que je lui eus présenté mes salutations, votre ami m'a dit combien vous avez fait pour nous faciliter les choses. Je tiens à vous en remercier.

« L'ami » en question n'était autre que le général Falk, son conseiller privé et, malgré tout, grand buveur devant Allah. Il était debout près du Cheik, bombant le torse avec un sourire épanoui. En me voyant, il m'assena dans le dos une claque à terrasser un dromadaire.

— Bien joué, ma salope ! s'écria-t-il avec une familiarité qui trouvait ses racines dans nos abondantes libations communes. On s'est pointé ce matin au Pentagone. Il fallait voir ces enfoirés, ils en étaient malades !

— Pourquoi donc ? demandai-je avec mon air le plus innocent.

— L'essai transformé à la Maison-Blanche, tiens ! Je ne sais pas comment vous vous êtes démmerdés pour convaincre le Président, mais vous l'avez fait comme des chefs. Le Secrétaire à la Défense clame partout qu'il va démissionner. Hier, le Président lui dit de se remuer pour les livraisons à l'Arabie. Et ce matin il a déjà eu vingt types du Congrès sur le dos.

— Et alors, il ne nous aime pas ? redemandai-je toujours avec l'innocence d'un nouveau-né.

— C'est pas ça. C'est plutôt qu'il a toujours été amoureux du Shah. Maintenant, ça va changer. Chapeau, Hitchcock ! Il a dû falloir mettre de drôles de poids lourds dans le coup, pour en arriver là !

J'imagine en effet que General Motors, Exxon, Lockheed et Litton, entre autres, peuvent être qualifiés de poids lourds.

Ce même après-midi, le Cheik Abdul Aziz, Yamani et Falk allèrent à la Maison-Blanche entendre confirmer les bonnes nouvelles directement de la bouche du Chef Suprême des Armées de l'Union. Le Secrétaire à la Défense, qui avait assisté à leur entretien, dut rester après leur départ sur ordre de son supérieur.

— Alors, lui demanda le Président, vous avez encore des problèmes ou des scrupules ?

— Non, Monsieur le Président. Je comprends parfaitement votre décision, et je vous suis sans réserves. Il y a toutefois un dernier détail à régler, auquel je pense que vous ne verrez pas d'inconvénient.

— Et quel est-il ?

— Israël. Je me demande s'il ne conviendrait pas que vous appeliez le Premier Ministre pour lui annoncer, avec des ménagements bien entendu, les raisons de la décision que nous venons de prendre.

— Lui expliquer quoi ? sursauta le Président.

— Que les livraisons d'armes que nous allons faire à l'Arabie Saoudite ne les menacent en rien, et que...

— Ah, non ! s'exclama le Président. Ça suffit comme ça ! Ces Israéliens deviennent d'une susceptibilité maladive. Je ne vais pas encore une fois avoir l'air de m'excuser ! Ils font ce qu'on leur dit de faire, un point c'est tout. J'en ai par-dessus la tête de ces gens-là !

Ainsi, moins d'une semaine plus tard, un premier cargo leva l'ancre d'un des ports du Golfe du Mexique chargé de vingt-quatre chasseurs-bombardiers F-4 flambant neuf. Peu après, un autre navire quitta un port des Grands Lacs avec cent blindés M-113, suivi quelques jours plus tard d'un chargement de soixante-quinze chars M-60. Tandis que ces trois vaisseaux cinglaient vers Djeddah à toute vapeur, cinq avions-cargo Hercule s'envolaient de l'aéroport de Los Angeles, leurs soutes bourrées de missiles sol-air de trois modèles différents. A la même époque, les expéditions de matériel militaire à destination de l'Iran, d'Israël, de l'Egypte, de la Turquie et de la Corée du Sud furent inexplicablement réduites, voire suspendues.

Ardeshir Zahedi, ambassadeur du Shah-in-Shah à Washington, en conçut un vif déplaisir. Sa réaction fut inattendue : il donna un coktail suivi d'un dîner qui allait faire date dans les annales, pourtant blasées, de Washington. On y remarqua la présence des trente-huit derniers membres de la famille Kennedy en âge de sortir le soir, la moitié du Sénat, un bon tiers de la Chambre des Représentants, plus la totalité de la presse à l'exception d'un seul chroniqueur, alité ce soir-là. Le Secrétaire à la Défense fut, bien entendu, au nombre des invités. A minuit, il disparut avec Zahedi dans la bibliothèque de l'ambassadeur, où les deux hommes eurent une conversation discrète. Après le départ du dernier invité, Zahedi transmit au Shah un long message codé.

Je quittai Washington pour retourner à New York le lendemain de l'arrivée d'Abdul Aziz qui était assez grand garçon, comme le fit observer Yamani, pour se débrouiller tout seul. Le feu vert étincelait de toutes ses émeraudes, il n'y avait plus qu'à régler les détails avec les fournisseurs.

Il y avait surtout assez de travail m'attendant à New York pour m'occuper vingt-quatre heures par jour. Sans doute, j'avais déjà déblayé le terrain et restructuré nos dépôts dans les banques européennes pour que les échéances soient échelonnées entre la fin janvier et le début de février. Mais il y avait à superviser les transferts, confirmer les ordres de virement, gratter un demi, voire un pour cent, par-ci, par-là — on est banquier ou on ne l'est pas ! — bref, se plonger dans une montagne de paperasserie qui, pour indispensable qu'elle soit, n'en est pas moins ennuyeuse comme la pluie. Et c'est pratiquement tout ce que j'ai fait à New York entre le 29 janvier et le 15 février 1979.

Une chose que je regrette encore – après tout, mieux vaut admettre ses petits travers de vanité – c'est de n'avoir pas mieux profité des flatteries qu'on me prodiguait à tous les coins de Wall Street. Je n'en avais littéralement pas le temps. Pourtant, il ne se passait pas un jour sans que les conséquences de ce que j'étais en train de faire ne me parviennent aux oreilles, et c'en était assez pour tourner la tête à quelqu'un de moins raisonnable que moi. Car, malgré le ton suffisant des articles de la presse économique prétendant que l'argent des Saoudiens n'était qu'une goutte d'eau dans l'océan de la fortune inimaginable de l'Amérique, les effets s'en faisaient sentir de manière incroyable.

Comme prévu, le taux de l'escompte baissait à une vitesse vertigineuse. La bourse remontait encore plus rapidement. Maintenant que le spectre de la faillite collective des banques semblait écarté, il n'était pas de petit épargnant pour ne pas vouloir acheter, à n'importe quel prix, des actions de n'importe quoi. L'argent coulait à nouveau à flots. Alors, me disais-je, la combinaison imbattable et éprouvée de l'argent et du pétrole allait de nouveau envoyer l'Amérique vers des sommets encore insoupçonnés. Plus rien, maintenant, ne pouvait arrêter sa prospérité, et j'aurais bien le temps de me relaxer pour recevoir l'encens de l'adulation des foules.

Pour peindre de cette période là un tableau véridique, il ne faut pas omettre de dire que l'extase était loin d'être universelle. L'Europe était folle de rage. Non pas tant envers l'Arabie qu'envers les Américains. Il fallait les entendre, les Européens ! Une fois de plus, l'Amérique les avait trahis. Eux, les fidèles alliés, qui étaient restés loyaux pendant toute la période de vaches maigres des années 70, ils se faisaient entuber par les Américains qui les saignaient à blanc, leur suçaient leur vie même avec leur argent et leur pétrole. La lame qui les poignardait dans le dos était peut-être celle d'un cimeterre arabe, mais elle était guidée par une main yankee.

Pour une fois, ils étaient unanimes, car rien n'unit davantage l'Europe que la présence d'un ennemi commun. Il n'y avait pas que les Français pour écumer de rage. Les Allemands, les Anglais, même les Italiens qui en profitaient pour accuser l'Amérique de l'avoir volontairement poussée au bord de la faillite pour lui voler son ENI ! Tout le monde hurlait.

Tandis que les Etats-Unis se faisaient injurier par l'Europe, l'Arabie en prenait au moins autant de ses frères arabes. Dès que les nouvelles de l'accord américano-saoudien furent connues, Khadafi se proclama le porte-parole de l'OPEP dont il convoqua immédiatement une réunion extraordinaire à Tripoli. Les Saoudiens, naturellement, n'assistèrent pas à cette assemblée. Le plus intéressant avait été de noter que l'Iran n'y participa pas non plus. Aussi, laissé seul pour occuper la scène, Khadafi ne se fit pas faute de la remplir. Les Saoudiens, accusa-t-il, ne sont plus qu'un satellite des Etats-Unis. Et ce n'était pas là l'expression de la volonté du peuple saoudien, non. Le peuple devait subir la dictature de la clique fasciste Khaled-Fahad-Yamani-Aziz qui, au mépris du droit des Arabes à disposer d'eux-mêmes, avait fait de l'Arabie l'esclave de l'impérialisme.

En signant ces accords criminels, avait ajouté le bouillant

colonel libyen, l'Amérique avait déclaré la guerre au reste de l'OPEP. Elle allait apprendre à ses dépens qu'elle ne pourrait jamais espérer gagner une telle guerre. L'impérialisme allait enfin être frappé à sa tête, comme il avait été frappé à mort au Liban, en Irlande du Nord, au Portugal, partout où le peuple épris de sa liberté avait su châtier les Yankees et leurs valets. La clique saoudienne se préparait un châtiment encore plus impitoyable car elle avait trahi la cause sacrée du monde arabe.

Comme on pouvait s'y attendre, l'Irak et l'Algérie approuvèrent d'enthousiasme ces propos qui firent l'objet d'une motion votée à une large majorité.

Quand le compte rendu de cette séance nous parvint par les téléscripteurs, je demandai à Yamani ce qu'il en pensait. Il se contenta de hausser les épaules, désabusé :

– Cela ne fait qu'apporter une preuve supplémentaire à ce que nous craignons depuis si longtemps, me dit-il. Si nous ne parvenons pas, avec l'aide militaire de l'Amérique, à stabiliser le Moyen-Orient, la région va devenir pire que les Balkans en 1914. Et si le baril de poudre explose, alors...

Et il hocha la tête.

En ce qui me concernait, les prouesses verbales de Khadafi ne m'avaient pas impressionné outre mesure. L'homme avait souvent fait mieux dans le genre, et tout le monde savait qu'il était fou à lier. Ce que je n'allais pas tarder à trouver inquiétant, par contre, ce fut d'apprendre que Khadafi partait pour l'Europe quelques jours après sa diatribe, et allait à Paris et à Bonn. Ainsi, deux blocs paraissaient vouloir se former : l'Europe se rapprochait de l'OPEP – ou de ce qu'il en restait – pour se dresser face au groupe américano-saoudien. Il n'était pas moins étrange de constater que l'Iran ne participait à rien de tout cela, et restait coi.

L'Iran, pensai-je. Ursula. Son père. La bombe.

Ce jour-là, cela faisait bien une dizaine de jours depuis que je l'avais revue à Téhéran. Depuis ma tentative d'appel, le lendemain de mon arrivée de Londres, je dois avouer que je n'avais guère eu le temps ni de l'appeler ni même de penser beaucoup à elle. Les femmes sont incapables de comprendre le genre de réflexion que je viens de faire, mais je suis sûr que les hommes, eux, me comprendront. Quand on est pris par un travail qui vous passionne, comme je l'étais à ce moment-là, on est totalement accaparé. Cela ne veut pas dire qu'on oublie ou qu'on néglige. On a tout simplement autre chose en tête.

Et mes pensées convergeaient toutes vers le même point : je ne pouvais m'empêcher de songer que si les choses commençaient à mal tourner au Moyen-Orient, Khorramshahr n'allait pas être l'endroit idéal pour attendre que ça se tasse. J'allais donc voir Reggie, dans son bureau à l'autre bout de l'étage.

— Dis-donc, attaquai-je sans autre forme de procès, je voudrais passer un coup de fil en Iran mais je n'ai pas envie d'attendre douze heures.

— Tu as raison, mais qu'est-ce que tu veux que ça me foute ?

— Demande à tes petits copains de l'Aramco si je peux me servir de leur équipement. Tu les connais mieux que moi.

— C'est officiel ou privé ?

— Tu te démmerdes, me bornai-je à répondre.

Trois minutes plus tard, j'avais Ursula en ligne.

— Bill ! Où es-tu ? entendis-je à peine tant la communication était mauvaise.

— A New York, hurlai-je dans le combiné. J'ai essayé de t'appeler depuis mon arrivée, mais je n'ai pas pu t'avoir.

— Viens-tu en Iran ? demanda-t-elle par-dessus la friture.

— Non, on se retrouve à St-Moritz comme prévu. Je suis encore retenu ici pour une quinzaine de jours au moins, mais rien ne t'empêche d'y aller plus tôt et de m'attendre.

— Je ne peux pas pour le moment, Bill. Tu me manques énormément, mais j'ai trop de choses à faire.

— Et quoi donc ? demandai-je, un peu vexé.

— Je passe mes journées à Suse. Je fais des fouilles passionnantes, on a déjà retrouvé des poteries pré-élamites du deuxième millénaire...

— Ursula, coupai-je, je me doute que ça doit te passionner — ce qui était faux : comment peut-on se passionner pour des bouts de terre cuite ? — mais je crois qu'il vaudrait mieux laisser tomber pour le moment.

— C'est impossible, Bill. Il faut surtout que je m'occupe de mon père. Et nous attendons une visite. Ben-Levi...

— Qu'est-ce qu'il vient encore foutre à tourner autour de tes jupes, celui-là ? demandai-je, furieux.

— Je t'ai déjà dit que ça n'a rien à voir avec moi. Il a quelque chose à faire avec mon père.

— Quand arrive-t-il ?

— Le 4 mars. Mais de toute façon, je ne peux pas laisser mon père tout seul. Il a besoin de moi.

— Il s'amuse toujours avec ses jouets ?

— Je t'en prie, dit-elle, ne parlons pas de ça maintenant.

— Parlons-en, au contraire ! Le type pour qui ton père est en train de travailler est un danger pour nous tous. Tu ferais bien de lui en parler. Partez de là-bas tous les deux pendant qu'il en est encore temps.

– Laisse-moi faire, Bill. As-tu confiance en moi ?

– Bien sûr.

– Alors, on se retrouve à St. Moritz le 18 mars comme convenu. Tu m'aimes toujours ? ajouta-t-elle après une brève hésitation.

– Oui, je t'aime.

– Moi aussi, Bill. Je t'aime. Beaucoup.

J'étais encore plus inquiet en raccrochant qu'avant de l'avoir appelée. Dieu sait ce que ce Ben-Levi de malheur était encore en train de manigancer...

Dès le lendemain, mes inquiétudes étaient oubliées. Non qu'elles aient été moins fondées, mais simplement parce que le tourbillon m'avait repris. J'avais à mettre la dernière main aux contrats d'acquisition de l'ENI et à donner à l'Italie ses six milliards – malgré ses protestations. J.J. avait remis son prix pour les deux raffineries en Allemagne : un bon vingt-cinq pour cent au-dessus de leur valeur, mais Yamani avait accepté sans protester. Pour manifester sa reconnaissance, J.-J. avait déjà commencé à asphyxier les indépendants sur le marché allemand, et je préfère ne jamais savoir comment. Car il était évident que les accusations que les Allemands portaient contre nous étaient pleinement justifiées : les Américains étaient en train de les trahir et de les exploiter... J'essayais de me consoler en me disant que les affaires sont les affaires, et que notre décision n'avait rien à voir avec la morale. On n'en voulait d'ailleurs pas particulièrement aux Allemands, ça s'était trouvé comme ça. Les raffineries auraient aussi bien pu être en France, ou en Hollande...

La voix de ma conscience allait se faire entendre quelques jours plus tard, en empruntant l'organe de mon vieil ami d'Outre-Rhin, le Herr Doktor Herman Reichenberger, Président de la Leipziger Bank de Francfort que j'avais laissé dans une position inconfortable malgré moi. Il était de passage à New York et me suggérait que nous déjeunions ensemble avant son départ.

Je lui donnai rendez-vous au Madrigal, à deux pas du building Exxon. Le Madrigal n'est pas un endroit particulièrement populaire parmi les banquiers, car c'est là que les éditeurs du quartier affectionnent d'emmener leurs auteurs pour les abreuver copieusement avant de leur faire signer des contrats léonins. J'allai m'installer à une table tout au fond, près d'une fenêtre dominant quelque chose que certains auraient pu appeler un jardin, si une telle curiosité existait à Manhattan. Le pauvre Herman eut donc à traverser tout le restaurant pour me rejoindre, et je pouvais voir son dégoût s'accroître à chaque pas au milieu de cette foule décadente.

— Dans quel genre d'endroit sommes-nous, Hitchcock ? me demanda-t-il après s'être assis.

— C'est ici, lui dis-je de mon ton le plus lyrique, que se rencontrent les Goethe et les Schiller du Nouveau Monde ! Vous voyez celui-ci et celui-là ?

Et je lui nommai quelques noms connus dans ce qui passe, de nos jours, pour de la littérature.

— Ja, Ja ! Sehr Interessant ! opina Herman.

L'intérêt et le respect avaient soudain remplacé, sur son visage, le dégoût et la méfiance. Tant il est vrai qu'un Allemand aura toujours autant, sinon parfois plus, de respect pour la Kultur que pour le Deutschmark.

— Mais vous-même, se demanda-t-il d'une voix assourdie par le respect, êtes-vous mêlé à la littérature ?

— Je l'ai été, répondis-je. Je publiais régulièrement des oeuvres de fiction. Mais j'ai abandonné...

— Ach so ! admira-t-il. Quel dommage !

— Pas vraiment. Il s'agissait des bilans de ma banque.

Reichenberger me jeta un regard où se lisait la désolation.

— Très drôle, Hitchcock, dit-il avec tristesse. Mais je n'ai pas l'âme à la plaisanterie. Pouvons-nous parler sérieusement, maintenant ?

— Bien sûr, le rassurai-je, j'en suis capable.

— Alors, j'en viens tout de suite au vif du sujet. Ce que vous êtes en train de faire en ce moment, Hitchcock, ce n'est pas drôle du tout. En Europe, personne ne rit. Tout le monde est même très en colère.

— Qui, tout le monde ? demandai-je l'air innocent.

— Ma banque, par exemple. Et les autres banques d'Allemagne. Et les banques françaises, les banques suisses, les banques belges. Toutes les banques, même les anglaises.

— Mais pourquoi ?

— Vous savez très bien pourquoi ! dit-il sévère. Vous êtes en train de nous saigner de nos devises. Vous prenez tout l'argent de l'Arabie et vous le placez ici. Ce n'est pas en agissant ainsi qu'on se fait des amis, Hitchcock, ni qu'on garde ceux qu'on avait. Et si ce n'était pas assez, vous avez torpillé notre gentil petit pool concernant l'emprunt italien pour le faire avec des banques américaines, et vous avez stipulé que les remboursements à l'Arabie seraient faits en priorité tandis que nous autres, nous devons attendre. Ce n'est pas bien, Hitchcock, pas bien du tout.

— Herman, lui dis-je d'un ton apaisant, je n'ai rien fait, absolument rien, que vous n'auriez fait vous même si vous aviez été à ma place.

— Ce n'est pas vrai, protesta-t-il. Nous autres, nous avons le sens de la solidarité. Nous devons vivre ensemble, nous devons nous entraider. Autrement, nous sommes perdus. Autant vous autres, les Américains, que nous Européens.

— Que voulez-vous, lui dis-je, je ne fais qu'exécuter les décisions qui sont prises à Ryad.

— Ne pourriez-vous pas au moins les ralentir, les adoucir ?

— Mon cher, répondis-je avec un peu d'impatience, nous le ferions peut-être si nous pensions que vous aviez vraiment des problèmes de liquidités. Mais ce n'est pas le cas, tant s'en faut. Depuis vingt ans que l'Europe accumule les dollars et saigne, comme vous le dites, les banques américaines, ce sont elles qui sont sérieusement malades en ce moment. Nous ne faisons que vous rendre en partie la monnaie de votre pièce. Il faudra vous y faire.

— Je ne crois pas que mon gouvernement apprécierait ce que vous dites, insista Reichenberger. L'Europe entière souffre de la crise depuis près de cinq ans. Nous avons du chômage, les Français ont du chômage et vont devenir communistes. Même la Suisse a des problèmes. Personne ne fait plus confiance aux Américains.

— Allons, allons, Herman, personne n'a jamais fait confiance aux Américains. Il n'y a rien de nouveau de ce côté-là.

Le serveur vint nous interrompre pour prendre notre commande, et le reste du déjeuner se passa paisiblement à parler de choses et d'autres. Ce ne fut qu'au café que Reichenberger aborda le véritable sujet de notre conversation.

— Doktor Hitchcock, dit-il, vous savez peut-être que notre banque est l'un des principaux actionnaires de Gelsenberg.

Gelsenberg est pratiquement la seule compagnie pétrolière d'Allemagne fédérale.

— Oui, dis-je. Pourquoi ?

— Il est en train de se passer quelque chose de très curieux avec cette société. Depuis la semaine dernière, elle a des difficultés pour ses approvisionnements en pétrole brut.

— Par exemple ! dis-je en jouant la surprise.

— Vous seriez sans doute en mesure de nous fournir une explication à ce phénomène, affirma-t-il.

— J'ai peur...

— Je vais vous dire, poursuivit-il sans m'écouter, pourquoi vous serez sans doute capable de nous aider à résoudre ce problème l'Allemagne a toujours volontiers coopéré avec vos compagnies pétrolières. Ce sont elles qui contrôlent notre marché, et nous ne nous en sommes jamais plaints. Il n'est sûrement pas dans l'intérêt de qui que ce soit de laisser ces excellentes relations se détériorer.

– Mais, je...

– Vous avez sûrement entendu parler de la visite du Colonel Khadafi à Bonn, reprit-il. Il a réussi à convaincre de nombreuses personnalités de notre gouvernement qu'il était dans les intérêts de l'Allemagne de nouer des relations privilégiées avec la Lybie, le même genre de relations privilégiées que les Etats-Unis viennent de conclure avec l'Arabie Saoudite. Personnellement, voyez-vous, je pense que ce serait malsain. Economiquement, politiquement et... militairement, ajouta-t-il avec une hésitation.

– Je ne vois...

– Tout nous porte à croire, continua-t-il avec l'irrésistibilité du Rhin en crue, que les compagnies pétrolières sont en train de faire pression sur Gelsenberg. Et je vois une corrélation entre ce phénomène et l'absorption de l'ENI par l'Arabie Saoudite.

– Voyons, protestai-je, ce ne sont pas les Saoudiens qui ont absorbé l'ENI. C'est un consortium bancaire américano-suisse.

Je me rendis compte trop tard que j'avais fait une gaffe. Reichenberger me jeta un regard sévère et, pour une fois, justifié.

– Je sais que ce sont les Saoudiens, se borna-t-il à me dire sans exploiter mon idiotie. Souvenez-vous, notre pool...

– Soit, admis-je assez gêné. Alors, où voulez-vous en venir ?

– Arrêtez l'asphyxie de Gelsenberg. C'est une manoeuvre idiote.

– Que voulez-vous que j'y fasse, Herman ? protestai-je. Je vous l'ai déjà dit, je ne suis qu'un exécutant dans tout ça.

– Alors, parlez-en à quelqu'un qui décide ! Et croyez-moi, il est grand temps d'arrêter les frais avant que les choses n'arrivent au point de non-retour, déclara-t-il avec fermeté.

– Je vais voir ce que je peux faire, promis-je.

Une heure plus tard, je rapportai cette conversation à Yamani. Il éclata d'une colère comme je ne lui en avais encore jamais vue.

– Non ! s'écria-t-il. S'ils veulent jouer au plus malin avec Khadafi, qu'ils y aillent donc ! On verra, à la fin, qui va gagner.

Et les pressions sur Gelsenberg furent accrues au lieu d'être relâchées. Ce qui me prouva, une bonne fois pour toutes, qu'il ne faut jamais se laisser aller à ses bons sentiments.

L'enthousiasme de Wall Street ne faiblissait pas, au contraire. La presse entretenait l'euphorie, à l'exception de certains périodiques « sérieux », comme *Barron's*, qui en profita pour ressortir son éditorial bi-annuel intitulé : OU DONC VA NOUS ENTRAINER CETTE VAGUE DE FOLIE ? et prouver pour la dixième fois que la prospérité n'était qu'un leurre, et que le monde courait à la catastrophe en s'adonnant à la spéculation de manière aussi indécente. Bercé par les flots du succès, et ayant déjà oublié Herman Reichenberger, je quittai New York le 1er mars pour le Texas.

Je devais aller faire une conférence au Houston Club, sous les auspices du président de Ling-Temco-Vought – qui voulait sans doute me manifester ainsi sa gratitude pour les quelques milliards de matériel électronique qu'il était en train de fournir à l'Arabie. Le thème de ma causerie était « La nouvelle alliance énergétique » et le texte était de la propagande pro-saoudienne à l'état pur. Mais j'étais sûr de trouver un auditoire enthousiaste. Houston est une ville où l'industrie des armements n'est dépassée que par le pétrole. Pour ajouter une touche de couleur locale à mes propos patriotiques, j'étais accompagné du Cheik Abdul-Aziz – qui profitait de l'occasion pour jeter un coup d'oeil sur l'état d'avancement de ses commandes sur les chaînes de L.T.V. – et du Général Falk, toutes médailles au vent – qui profitait de l'occasion, lui, pour voir si une des firmes de matériel militaire du secteur ne sauterait pas sur l'occasion de s'attacher les services d'un spécialiste près de l'âge de la retraite.

Tout se passa le mieux du monde, les applaudissements furent nourris à souhait. Ensuite, car il faisait beau, nous décidâmes tous les trois de rentrer à pied du Houston Club jusqu'à notre hôtel, le Hyatt Regency dont le jardin intérieur, fraîchement inauguré, avait paru digne de personnalités de notre calibre. Je ne me souviens que trop bien de la scène. Tout en marchant, je faisais admirer au Cheik l'architecture du centre de la ville.

– Voyez-vous, lui dis-je avec un geste large, c'est une des villes les plus intéressantes des Etats-Unis. Vous devriez y envoyer beaucoup de vos jeunes pour l'étudier.

– Pourquoi ? demanda-t-il.

– Parce que Houston est le modèle des villes de l'avenir, de vos villes en tout cas. Elle est bâtie dans un désert aussi brûlant et aride que celui d'Arabie. Et regardez ce qu'elle est devenue avec la climatisation : la cinquième ville des Etats-Unis, et sans doute la troisième dans quelques années à peine. Toute sa prospérité est fondée sur le pétrole et sur l'argent. Cela ne vous rappelle rien ?

Falk, qui écoutait pensivement, vit immédiatement l'ouverture par laquelle lancer une attaque-éclair :

– Vous avez raison, Hitchcock ! approuva-t-il bruyamment. On pourrait déjà démarrer quelque chose, créer une société de conseil avec un ou deux millions de frais de démarrage, lancer les études préliminaires... J'ai des amis dans le coin, je pourrais les contacter. Je pourrais même me laisser tenter par une retraite anticipée...

Nous pénétrions à ce moment-là dans l'atrium qui faisait l'orgueil de l'hôtel quand la belle envolée de Falk fut brutalement interrompue. Par rien moins qu'une longue rafale de mitraillette. Un enfant de salaud, embusqué sur le balcon du dixième étage, avait ouvert le feu sur nous, le canon de son arme appuyé sur la main courante. Heureusement, il était loin d'être un tireur d'élite car il n'atteignit qu'un flic qui passait innocemment sur le trottoir d'en face, et lui érafla un morceau de mollet. Mais cela suffit pour que ses confrères se déchaînent. En une fraction de seconde, les policiers sortaient de partout et prenaient le mitrailleur en chasse. Il n'eut d'autre moyen de leur échapper que d'enjamber son balcon et alla s'étaler avec sa mitraillette dans une mare de sang sur le carrelage dix étages plus bas. A en juger d'après les restes, l'enquête parvint à déterminer qu'il était probablement Arabe, mais on n'en sut jamais plus sur son compte.

Le brave Général Falk se conduisit en héros. Au premier cliquetis de la culasse qu'on armait, il sauta sur le Cheik, le coucha par terre et resta sur lui pour lui faire un rempart de son corps jusqu'à la fin de cet intermède imprévu. Quant à moi, comme j'eus tout le loisir d'y réfléchir un peu plus tard dans ma chambre, personne ne se soucia de mon sort. Bien sûr, maintenant que tout était fini, on m'avait mis deux agents à ma porte, et il y en avait une bonne centaine d'autres qui patrouillaient l'hôtel. Il n'empêche que ce genre de trucs vous serre plutôt les tripes et vous donne à penser sur la solitude essentielle – et existentielle, tant qu'on y est ! – de l'homme face au danger. Falk et Abdul Aziz, eux, ne passèrent pas la nuit avec moi pour me réconforter. Ils quittèrent Houston dans l'heure, à bord d'un avion de l'Air Force. Ce devait être la dernière fois que je les voyais de ma vie.

Aussi, je pris la décision inébranlable d'aller, moi aussi, me planquer quelque part et de disparaître pour quelque temps du devant de la scène. Ce n'est pas que je sois plus froussard qu'un autre, mais je ne tenais pas particulièrement à servir de cible à des terroristes arabes, d'où qu'ils viennent. D'ailleurs, je peux le dire : les Arabes ne m'ont jamais inspiré confiance.

Je passais le plus clair de cette nuit-là à essayer d'avoir Khorramshahr au téléphone, tout en réfléchissant comme je le résumais plus haut. A l'aube, j'eus enfin la communication, et elle était exécrable. Je parvins quand même à faire comprendre à Ursula que je voulais absolument qu'elle vienne me rejoindre à St-Moritz plus tôt que prévu. Je lui dis le 4 mars, elle me répondit le 5. Ainsi, nous devions nous retrouver le 5 mars à dix-sept heures à la gare de St. Moritz. Je m'endormis enfin à sept heures du matin.

A midi, la moitié des forces de police de Houston m'escorta à l'aéroport. Pendant le vol jusqu'à Los Angeles, je descendis quatre doubles dry-martinis ultra-secs, comme je les aime.

Ce voyage à Los Angeles avait officiellement pour but de régler sur place les détails de quelques gros virements sur les banques de la côte ouest. A ce moment-là, en effet, il y avait déjà eu trente-deux milliards des fonds saoudiens injectés dans le système bancaire américain, et je les faisais maintenant arriver au rythme réduit d'un milliard par semaine. Je pouvais donc commencer à les répartir un peu partout, en fonction des besoins du marché tout autant que des nôtres en fournitures de matériel de guerre. Officieusement, toutefois, j'avais été trop content de m'écarter un peu de New York et des gens qui l'habitent. Les New-Yorkais, surtout quand ils sont dans la finance, ont la fâcheuse habitude de me porter sur les nerfs assez facilement. Mais je suis un Californien bon teint, ce qui l'explique peut-être. Et ce contact avec mon État préféré tombait à pic après mes sueurs froides de Houston.

En débarquant à l'aéroport, j'allai directement m'installer au Beverly Hills Hôtel. A peine ma valise posée, je descendis au bar du Polo Lounge. J'avais toujours, comme vous le voyez, besoin de me remonter. Gus, le barman, m'accueillit avec ses plaisanteries et ses potins habituels. Je me sentais presque redevenir normal quand un coup d'oeil derrière moi me fit tressaillir.

– Gus, dis-je au barman en me penchant sur le bar. Les deux types, ceux qui viennent d'entrer...

– Qu'est-ce vous dites, Dr. Hitchcock ? claironna-t-il.

– Plus bas, andouille, chuchotai-je. Les deux Arabes, là, à la table derrière moi. Vous les connaissez ?

– Quels Arabes ? murmura Gus, soudain inquiet.

Il suivit mon mouvement de tête convulsif. A Beverly Hills, les Arabes sont une marchandise tellement rare qu'il se demandait déjà sans doute combien il pourrait tirer d'un tuyau aussi sensationnel, quand il vit ce que je lui indiquais. Alors, il éclata de rire.

– Vous devriez vous faire soigner, Docteur ! s'esclaffa-t-il. Celui à gauche, c'est M. Schwartz, le président du consistoire de la synagogue Beth-Zion. Et l'autre, c'est M. Kanzandjian, le marchand de tapis arménien. Ils viennent au moins deux fois par jour !

Je soupirai, mais ce n'était pas que du soulagement.

– O.K., Gus. Faites-moi un spécial.

Je l'avalai d'un trait. En remontant à ma chambre, je vis un type qui attendait devant l'ascenseur. Il avait beau être blond, je ne voulus pas prendre de risques, et montai par l'escalier. Il n'y avait que trois étages, ça me ferait du bien... Un message m'attendait. Quand je décrochai, j'entendis la voix de Falk. Il voulait savoir si tout allait bien. Ben voyons ! plastronnai-je. Je n'y avais même plus pensé depuis que j'étais arrivé à Houston !

N'empêche que je ne sortis plus de ma chambre pour le restant de la soirée. Le lendemain matin, je réglai mes affaires en trois coups de téléphone et repartis directement vers l'aéroport, pour San Francisco.

Ce n'est qu'en arrivant à mon ranch de Sonoma que je commençai à respirer. Mon ranch est une petite propriété d'à peine quelques milliers d'hectares, avec deux ou trois mille têtes de bétail, des chevaux, un bel étang plein de truites et une maison dotée de tout le confort. Mais il faisait ce jour-là un temps de cochon, comme seul le nord de la Californie en a le secret. Pas question, par conséquent, de monter à cheval ni d'aller à la pêche. Je passai donc le reste de la journée avec Manuel, mon régisseur et ami, descendant de ces Mexicains qui possédaient la Californie bien avant que nous autres « gringos » viennent y planter le goût du lucre et de l'or. Nous parlâmes de tout et de rien, fîmes quelques parties de cartes, bûmes de la tequila.

A cinq heures, affolé, je repris le chemin de San Francisco. Manuel, mon vieil ami, me paraissait avoir à contre-jour un type arabe de plus en plus prononcé. J'allai me réfugier au Bohemian Club, où le seul Arabe qui y ait jamais mis les pieds était le Prince Al-Kuraishi le jour où Reggie nous avait présentés. Mes inquiétudes ne furent pas longues à se dissiper. Il fallut trois minutes pour que le bruit se répande que Hitchcock et ses milliards étaient au bar, et je fus bientôt entouré de tout ce qui compte dans le monde des affaires et de la finance, ce qui est d'autant plus regrettable que le Bohemian Club avait été fondé, vers la fin du XIXe siècle, à l'usage exclusif des artistes et des écrivains... Une heure plus tard, nous étions huit à nous asseoir pour dîner. Il y avait deux banquiers – Wells Fargo et moi – deux pétroliers – Socal et Texaco – deux ingénieurs de pipelines – tous deux de chez Bechtel – et deux avocats – dont un expert fiscal. Le seul artiste dans la pièce était le serveur mexicain, dont je savais qu'il peignait des femmes nues qu'il vendait dans une galerie de Los Angeles et à qui j'avais donné des conseils pour le placement de ses bénéfices. Qu'on le veuille ou non, le monde était bien en proie aux maléfices de l'argent.

Après le dîner, je demandais à Grayson de me rendre un service.

Socal, comme toutes les compagnies pétrolières, était dotée d'un système de communications à faire pâlir d'envie la NASA. Nous allâmes donc au siège de sa compagnie, où bourdonnaient les ordinateurs et les équipements les plus modernes, la plupart directement branchés sur des satellites. En trois minutes, j'étais en communication avec Yamani, car Fahad n'était pas disponible. Je lui annonçai que je comptais prendre une quinzaine de jours de vacances. Maintenant que tout était mis en route et se déroulait normalement, Al-Kuraishi n'avait plus qu'à superviser les opérations. Au cas où il aurait besoin de moi, je lui laissai mon numéro de téléphone et mon adresse à St. Moritz.

– C'est cette affaire de Houston qui vous a inquiété, Bill ? me demanda-t-il enfin avec sollicitude.

– Moi ? Pas du tout, voyons ! Je me sens seulement un peu surmené. Tout va bien à Ryad ?

– Pas trop mal pour l'instant, répondit-il.

Avant que j'ai pu m'enquérir de plus de détails, la communication fut coupée. Le satellite avait sans doute changé d'orbite.

Je quittai Grayson après un dernier verre dans son bureau. Le lendemain matin, après avoir dit au revoir à Manuel, je prenais le vol direct pour Londres par le pôle. A Londres, j'attrapais la correspondance Swissair pour Zurich, puis le train pour Chur. Et enfin la crémaillère pour St. Moritz.

Ce soir là, Ursula Hartmann était à Khorramshahr en train de finir ses valises. Elle attendait aussi un visiteur, qui venait pour la seconde fois depuis leur installation en Iran, le Professeur Uri Ben-Levi de l'université de Tel-Aviv. Son père était allé l'attendre à l'aéroport, avec son chauffeur habituel de la SAVAK.

Ils arrivèrent tous deux vers sept heures, dans une humeur extraordinaire, riant comme des gamins et se lançant des plaisanteries. Ursula n'avait pas souvent vu son père comme cela, surtout depuis qu'ils étaient arrivés dans ce pays qu'Ursula haïssait désormais avec fureur. Ben-Levi avait à peine passé le seuil qu'il prit Ursula dans ses bras et essaya en vain de l'embrasser.

– Toujours la même, à ce que je vois, lui dit-il avec un sourire à peine moins épanoui.

– Et j'entends bien le rester, lui répondit-elle sèchement.

– Ursula, lui dit son père, emmène donc notre ami au salon pendant que je vais chercher des papiers dans mon bureau. Offre lui à boire. Le pauvre a eu un voyage fatigant.

— Alors, dit Ben-Levi quand il eut son verre, vous voyez toujours votre ami le banquier, celui qui travaille pour les Arabes ?

— Oui, répondit-elle fermement.

— Ce n'est pas très heureux, que vous vous compromettiez ainsi avec lui, dit Ben-Levi.

— Ce n'est pas plus regrettable que quand mon père se compromet avec vous !

— Ursula ! s'écria le professeur qui revenait dans la pièce à ce moment précis, comment oses-tu dire des choses pareilles à notre ami ?

— « Notre » ami ? ricana Ursula. De qui est-il l'ami ? Pas le mien, en tout cas. Ses amis, ce sont quelques généraux ou quelques hommes politiques à Tel-Aviv. Ou le Shah d'Iran. Ce n'est pas nous, père, qui sommes ses vrais amis !

— Ursula !...

— Non, vous n'allez pas me faire taire cette fois-ci ! reprit-elle. Je sais ce que vous êtes venu faire ici. Et je sais aussi que c'est Uri Ben-Levi qui en est responsable et qui vous fait faire son sale travail !

— Assez, Ursula ! répliqua le professeur. Je suis ici parce que je le veux bien. Personne ne me force à faire quoi que ce soit contre mon gré. Et je ne reste qu'avec l'accord de notre gouverment.

— Et avec l'accord de votre conscience ? demanda Ursula.

— Qu'est-ce que tu veux dire ? demanda son père avec indignation.

— Vous fabriquez des bombes atomiques pour l'Iran, père. Cela fait des mois que je le sais. Cela fait aussi des mois que je vois de mes yeux ce qui se passe ici. Nous ne sommes plus en Suisse, père, vous en rendez-vous compte ? Le Shah n'a pas besoin de ces bombes pour se défendre, comme nous. Il va s'en servir pour attaquer, tuer, massacrer des hommes comme il les massacre et les torture ici même. Etes-vous aveugle ? Vous ne voyez donc pas que l'Iran est mille fois pire que l'Espagne sous Franco, presque aussi effroyable que l'Allemagne des nazis, que le Shah est comme ceux qui ont torturé ma mère ?

— C'est absurde ! intervint Ben-Levi. Vous devriez avoir honte, petite fille gâtée, de ne pas voir l'évidence. Quand en 1973 le monde entier nous a tourné le dos, il n'y a eu que trois pays pour oser nous soutenir. Les Etats-Unis, la Hollande et l'Iran. Oui, le Shah d'Iran !

— Et alors ? répliqua Ursula. Vous me rappelez ces Juifs amérains qui se fichaient éperdument de ce que Nixon faisait à leur pays tant qu'il prétendait soutenir Israël ! Cet homme était un fou, un voleur et un menteur, il a mené son pays, le leur, au bord de l'abîme. Et ils le soutenaient ! Combien de temps croyez-vous qu'il aurait continué à soutenir Israël, hein ? Il aurait préféré se partager le monde avec les Russes ! Et que croyez-vous qu'il est en train de préparer, votre maudit Shah ?

— Ma petite, reprit Hartmann avec douceur, il faut que tu comprennes. Nous donnons au Shah des armes qui pourront sauver Israël.

— Et pour sauver Israël, il faut massacrer des millions d'Arabes ? demanda Ursula dont l'indignation montait de plus en plus.

— Je n'ai jamais dit qu'il fallait les massacrer, répondit son père.

— Vous avez tort, mon ami, dit Ben-Levi. Je vous l'ai dit à maintes reprises, il faut les détruire tous, une bonne fois pour toutes.

— Vous entendez, père ! s'écria Ursula. C'est un fou dangereux ! Il faut le faire enfermer ! Et puis, pour qui vous prenez vous donc, tous les deux, pour décider ainsi du sort des hommes ? Quand ouvrirez-vous les yeux ? Que faut-il vous faire comprendre ? Regardez déjà les mouvements de troupes dans toute la région. Le Shah veut mettre la main sur tout le Moyen-Orient, Israël compris. Il s'en moque bien d'Israël !

— Ursula, dit son père, les dés sont jetés. Il n'est plus temps de reculer. Mais je puis t'assurer solennellement que mes bombes ne tueront personne. Si elles explosent, ce dont je doute, elles n'exploseront qu'au-dessus du désert Elles ne feront aucune victime, je te le promets.

— Alors, à quoi servent-elles ? ricana Ursula.

— A les priver tous de leurs puits de pétrole. Alors, les Arabes ne seront plus menaçants pour Israël.

— Je vous répète que vous avez tort, intervint Ben-Levi. Ils seront toujours une menace pour nous. Il faut les détruire, comme de la vermine, et vos bombes doivent être conçues dans ce sens !

— Je ne sais pas, lui cracha Ursula, si vous êtes plus bête que méchant ! En tout cas, je ne tolérerai plus de me trouver sous le même toit que vous ! Père, je m'en vais demain et je voudrais partir en paix avec vous. Je vais dans ma chambre. Quand cet homme sera parti, venez me parler.

Les deux hommes restèrent à parler au salon jusqu'à minuit. Ben-Levi quitta la maison pour aller passer la nuit à l'hôtel à Abadan. Un moment plus tard, le professeur Hartmann alla doucement à la porte d'Ursula. Elle se jeta dans les bras de son père.

– Pardonnez-moi d'avoir dit tout cela devant vous, lui dit-elle. Mais je ne regrette pas de l'avoir dit.

– Tu as tort, ma petite. Il est de notre devoir de détruire la puissance des Arabes.

– Pas pour la donner à un dictateur sans scrupules ! Père, vous ne vous êtes jamais mêlé de politique. En Suisse, ici, vous avez toujours vécu isolé du monde. Secouez-vous, je vous en conjure. Parlez à d'autres gens que des savants ou des militaires. D'autres vous diront mieux que moi que ce que vous faites est une folie !

– C'est trop tard, Ursula. Je ne peux plus reculer.

– Père, je pars demain. Promettez-moi de réfléchir à ce que je vous ai dit ce soir. Il doit y avoir une autre solution, une solution meilleure, même pour Israël. Je vais y penser de mon côté, en parler à des amis sûrs. Je vous téléphonerai.

– Tu vas voir ton ami Hitchcock ?

– Oui. Mais d'autres aussi. Je lirai, j'écouterai.

– C'est bien. Va te coucher, Ursula. Il est tard et tu as un long voyage devant toi.

Le père et la fille s'embrassèrent avec émotion. Ursula prit l'avion à sept heures le lendemain matin, et arriva à St. Moritz avant moi.

CHAPITRE 22

Le 5 mars 1979, mon train s'arrêta en gare de St. Moritz-Bad à dix-sept heures cinq, à la seconde près. Je dois avouer que ce trajet dans la crémaillère des skieurs est une chose capable de dissiper les soucis les plus profondément enracinés, même mes terreurs irraisonnées de rencontrer partout des tueurs arabes. Dans ce train, on trouve toujours un mélange extraordinaire de gens qui viennent du monde entier dans le seul but de s'amuser, et qui se mettent déjà dans l'ambiance en s'habillant en tenue de ski. Ajoutez-y les libations qui se déversent dans le wagon-restaurant – un vieux wagon aux panneaux de bois, pourvu d'un poële comme on n'en fait plus – et que les Suisses assaisonnent de solides coups de schnapps local, et vous aurez une idée de la mélancolie que cela engendre.

Je fus tout d'abord l'objet du mépris général. Ma tenue de banquier – complet bleu-marine, chemise blanche, cravate bleue et chaussures noires – excita d'emblée des commentaires de pitié désobligeante. Quand j'eus expliqué que j'allais aux obsèques d'un parent, décédé des suites fâcheuses d'une séance d'amour à trop haute altitude, on s'empressa de me plaindre et de vouloir à toute force faire passer ma douleur à coups de vin blanc du Canton de Vaud et de rouge du Valais, sans parler du schnapps que les bonnes âmes me versaient généreusement. Je vous laisse à penser, dans ces conditions, dans quel état d'euphorie je posai le pied sur le quai de la gare.

Ursula m'attendait, assise dignement à l'intérieur au milieu d'un véritable monceau de valises. Quand je m'approchai d'elle en suivant une trajectoire sinusoïdale, les premiers instants de nos retrouvailles furent un peu tendus.

– Bill, me dit-elle après que nous ayons expédié les premières aménités – et qu'elle se fût détournée ostensiblement de mon haleine vinicole – je ne comprends pas. Où descendons-nous ? J'ai vérifié tous les hôtels. Il n'y a pas une chambre de libre, ni aucune réservation à ton nom ni au mien.

Une Suisse, même amoureuse, ne perd jamais son sens pratique.

– Pas de panique, lui dis-je dans un hoquet et avec un sourire béat.

Sur ce, je déposai mon bagage, qui consistait en tout et pour tout en une assez petite valise et un porte-documents encore plus exigu. Elle y jeta un coup d'œil où la surprise le disputait à la réprobation et se rassit. Les minutes qui suivirent, dans un silence total, furent plutôt pénibles.

Alors, Hans arriva.

– Cruetzi, Herr Doktor ! me salua-t-il avec une bonhomie teintée de respect.

– Salü, Hans, répondis-je en rassemblant ma dignité. Isch alles bereit ? Est-ce que tout est prêt ?

Ursula me regarda, stupéfaite que j'aie pu m'exprimer dans cette langue mystérieuse, le Schwyzertütsch, qu'elle se croyait seule de nous deux à pratiquer, et sans avoir invoqué auparavant l'aide du Saint-Esprit.

– Gstaad, ma chère. Pensionnat, lui dis-je pour répondre explicitement à la question muette posée par ses yeux écarquillés.

Ce qui n'était que la pure vérité. J'avais perdu les plus belles années de mon adolescence, entre quatorze et dix-sept ans, dans un des meilleurs établissements scolaires de la Suisse. J'y avais au moins appris deux choses. L'une, importante, était le ski. L'autre, plus secondaire, était de maîtriser avec plus ou moins de bonheur le français et l'allemand. Plus, naturellement, le dialecte local.

– Hans, repris-je alors, est-ce que Gertrude est ici ?

– Jawohl, Herr Doktor ! me rassura Hans. Elle est impatiente de vous retrouver !

– Qui est Gertrude ? exigea de savoir Ursula.

– J'espère que cela ne t'ennuie pas, lui répondis-je, mais

Gertrude a toujours l'habitude de venir m'embrasser quand j'arrive ici.

Entre temps, Hans avait fait signe à des porteurs, et nous sortîmes de la gare. Gertrude m'attendait devant la porte, et se précipita pour fourrer son nez dans le col de mon manteau. Alors, Ursula éclata de rire et battit des mains, tout heureuse. Car Gertrude était une jument. Derrière elle, il y avait un traîneau rempli de couvertures et d'une grande peau d'ours pour nous protéger du froid.

Tandis que Hans finissait de charger les bagages, Ursula et moi nous glissâmes sous les couvertures. Cinq minutes plus tard, nous étions déjà en train de monter vers la ville. La soirée était de celles qui vous réconcilient avec le monde. Il faisait froid, sans une trace d'humidité. Dans le ciel immaculé, des myriades d'étoiles brillaient d'un éclat qu'aucun homme des villes ne peut jamais rêver de voir. Ajoutez à cela le tintement des cloches du traîneau, la chaleur d'Ursula serrée contre moi, la sensation exaltante de se sentir bien dans sa peau, d'être en vie... Voilà le St. Moritz que j'aimais, et que je n'oublierai jamais.

Avant d'arriver en ville, au coin de la Suvretta Haus, Hans et Gertrude quittèrent la grand-route d'un commun accord pour s'engager sur une piste tortueuse et raide.

– Où allons-nous ? demanda Ursula en voyant disparaître les dernières traces de civilisation.

– Tu verras, dis-je. En attendant, reste exactement comme tu es et laisse ta main là...

Je soulignai mon propos en déplaçant légèrement la mienne.

– Bill ! s'exclama-t-elle offusquée. Et Hans ?

– Si tu veux. Je préférerais quand même qu'il continue de s'occuper de Gertrude.

Elle ne trouva pas ma mauvaise plaisanterie de bon goût, je me demande bien pourquoi. En tous cas, Hans poursuivit son chemin imperturbablement et, une demi-heure plus tard, nous arrivions sur le plateau de Chantarella. On y trouve deux bâtiments : l'Hôtel Chantarella et un chalet, la Villa Chantarella, que je loue régulièrement à l'Hôtel, qui en est propriétaire, depuis 1968. Hans, qui en est concierge et factotum, y veille quand je n'y suis pas, ce qui est malheureusement le cas le plus fréquent, et prépare tout quand je le préviens de mon arrivée. Pour l'aider dans cette tâche et veiller sur ma garde-robe, il dispose de l'aide de Theresa, cuisinière digne de tous les éloges mais affligée des pires crises de fou rire qu'on puisse entendre résonner dans toute la chaîne des Alpes.

Theresa avait entendu les clochettes du traîneau et nous attendait devant la porte. En me voyant me tortiller pour me dépêtrer de la peau d'ours — et d'Ursula — elle eut son premier fou rire de la saison. Quand je la serrai dans mes bras pour lui donner le baiser de bienvenue traditionnel, non moins traditionnellement ponctué d'une bonne claque sur le postérieur, son fou rire redoubla de plus belle.

— Oh, Herr Doktor ! répéta-t-elle sur tous les tons pendant trois bonnes minutes.

— Theresa, lui dis-je quand elle se fut un peu calmée, je vous présente Fraulein Ursula Hartmann, ma fiancée.

Ce qu'entendant, Theresa reprit son sérieux, s'inclina devant Ursula avec une petite révérence, empoigna les deux plus grosses valises, et disparut tout en donnant à ce pauvre Hans un déluge d'ordres et de conseils d'une voix perçante. Car ni moi ni, surtout, Fraulein Ursula, ne devions lever le petit doigt.

A l'intérieur du chalet, tout était parfait, comme d'habitude. Il faisait bon, un grand feu brûlait dans la cheminée, les bougies étaient allumées, et le cognac était prêt sur un plateau. Ursula s'arrêta, regarda tout autour d'elle, l'air sérieux.

— Bill, dit-elle enfin, combien de filles as-tu amenées ici ?

Avant que j'aie pu répondre, elle eut le bon goût de venir vers moi, m'entoura le cou de ses bras et m'embrassa.

— Je préfère ne pas savoir, dit-elle. Promets-moi simplement que je serai la dernière.

— Je le jure, lui répondis-je du fond du cœur.

J'allai remplir deux verres de cognac, lui en tendis un :

— A nous !

— Zu uns zwei ! répondit-elle.

Et elle fondit en larmes.

— Non, me dit-elle entre deux sanglots, ne crois pas... C'est simplement que je suis heureuse... Je crois que je n'ai jamais été aussi heureuse de ma vie, Bill. Jamais !

A ce moment précis, Theresa revint dans la pièce, vit les larmes d'Ursula, et m'envoya un regard qui défiait toutes les descriptions. Mais la signification en était éloquente : si jamais j'osais causer le moindre chagrin à une Suisse, je subirais de ses mains un sort auprès duquel celui des soldats de Charles le Téméraire à Morat serait considéré comme une gâterie. Mais Ursula, qui avait senti la menace peser sur moi, intervint pour me sauver :

— Tout va bien, Theresa, dit-elle en lui prenant la main. Votre Dr Hitchcock est l'homme le plus merveilleux que je connaisse au monde.

Le « votre » était un trait de génie, et scella à jamais la fidélité de Theresa envers Ursula. Après un dernier regard chargé de menaces, pour bien me faire comprendre qu'il fallait maintenant me montrer digne de l'honneur incroyable que me faisait la Confédération éternelle de m'accepter en son sein, elle prit Ursula par la main, lui fit visiter le chalet, l'aida à défaire les valises, bref lui fit un charme d'une platitude répugnante tandis qu'on me laissait seul méditer sur les conséquences effroyables de mes péchés passés, présents et futurs.

Mais Theresa sut me manifester son affection au dîner. Elle fait la meilleure lasagna d'Europe, et Dieu sait que je l'adore. Ce soir-là, elle m'en fit une et se surpassa. Et le lendemain matin, en nous apportant le petit déjeuner au lit — où nous nous étions mis dès huit heures et demie la veille au soir, et pas seulement pour nous reposer des fatigues du voyage — elle avait l'air aussi heureuse que nous. Elle m'approuvait et, avec elle, la Suisse entière semblait m'accueillir parmi ses enfants.

Je ne connais pas de lieu ni de moment où il fasse aussi bon skier que St. Moritz au mois de mars. J'ai pourtant tout essayé, des Montagnes Rocheuses aux Alpes et même aux Andes, et nulle part je n'ai trouvé la même conjonction parfaite de neige juste assez poudreuse, de soleil et de beauté du paysage. Ce n'est pas snob comme Gstaad ni olympique comme Jackson Hole. C'est une parfaite combinaison des deux.

Ce matin-là, nous prîmes les remontées jusqu'au Piz Nair et Ursula prit la descente la première. Je la suivis, essayai de la rattraper, pris une buche monumentale au troisième virage et ralentis considérablement l'allure. Quand je la rejoignis, elle remarqua du blanc sur ma parka, sourit et leva un sourcil interrogateur.

— Ce sont mes nouvelles fixations, dis-je en bougonnant.

Ce qui était vrai, car je ne les avais que depuis trois ans. En tout cas, nous prîmes les descentes suivantes ensemble et elle fit un effort marqué pour ralentir son allure, ce qui est la moindre des choses quand on est avec quelqu'un qui n'a pas eu le temps de s'habituer à des fixations.... A la cinquième descente, je lui dis qu'il était grand temps de prendre un peu de repos. A mi-pente du Piz Nair, il y a un petit café restaurant avec une grande terrasse en plein soleil. C'est là que nous allâmes nous installer.

Nous commencions à peine à nous sentir bien que j'entendis une voix derrière moi.

— Docteur Hitchcock ! dit la voix. Quelle bonne surprise.

Sur le moment, je fus submergé par la terreur. La voix appartenait à un visage manifestement oriental que je ne reconnaissais pas. Une seconde de plus, et j'allais passer par-dessus la ballustrade pour échapper à la rafale.. Enfin, je reconnus le tueur : c'était un des deux assistants du Shah, ceux qui étaient restés muets pendant notre réunion, assis au bas bout des canapés. Je poussai un soupir de soulagement, et dis un mot poli.

— Sa Majesté parle souvent de vous, me dit l'homme. D'ailleurs, vous aurez peut-être l'honneur de le rencontrer, il arrive demain.

Comme moi, en effet, le Shah vient passer le mois de mars à St Moritz. Mais je dois dire que nos chemins ne s'y étaient encore jamais croisés.

— Allons, tant mieux répondis-je à l'Iranien. J'espère que Sa Majesté et vous-même passerez de bonnes vacances.

Ce n'était peut-être pas particulièrement intelligent, mais cela eut au moins le mérite de nous débarrasser de sa présence.

Cet après-midi-là, nous fîmes encore quatre ou cinq descentes, ce qui était plus qu'assez pour un premier jour — et des fixations neuves. Toujours à ski, nous retournâmes à Chantarella. Theresa nous attendait de pied ferme, avec une platée de « Bündnerfleisch » et du chocolat chaud, la boisson la plus hygiénique du monde d'après elle. On se sentait si bien qu'on ne sortit même pas pour le dîner, et Ursula parvint à convaincre Theresa de la laisser faire la cuisine. Pendant ce temps, je regardais le journal télévisé. Nous formions un parfait tableau du bonheur domestique.

Vers minuit, alors que nous étions étroitement serrés dans les bras l'un de l'autre, Ursula poussa un soupir de bonheur.

— Bill, me dit-elle, pourvu que rien ne change plus...

— Qu'est-ce que tu veux dire ?

— Toi. Moi. La vie que nous avons menée aujourd'hui Tout.

— Il n'y a pas de raison que ça change. Tu as peur de quelque chose ?

- Je ne sais pas. Il ne peut rien se passer de grave ?

— Tu veux dire avec l'économie ou une guerre ?

— Oui.

— Il y a quelques mois, j'aurais peut-être eu peur, affirmai-je. Mais maintenant, pas question. Le monde n'a jamais été dans une meilleure forme depuis des années. Tu n'as à t'inquiéter de rien. Crois-moi.

— Tu es sûr ?

— Absolument certain.

Ces paroles furent échangées pendant les premières minutes

du 7 mars 1979. Maintenant que j'y repense, je les trouve pour le moins incroyables...

Le matin du 7 mars, le téléphone sonna pour la première fois depuis notre arrivée. C'était l'Iranien de la veille, qui m'informait avec révérence que le Shah-in-Shah donnait le soir-même une petite réunion intime pour marquer son arrivée. Accepterais-je de figurer parmi les invités de Sa Majesté ? J'acceptais, lui dis-je avant de raccrocher.

— Ursula ! criai-je à travers la porte de la salle de bains. Mohamed nous invite ce soir à prendre un pot !

— Mohamed qui ? demanda-t-elle en passant la tête.

— Reza Pahlevi, précisai-je. Le patron de ton père.

— Je n'ai rien à me mettre, déclara-t-elle péremptoirement. Vas-y tout seul.

Il me fallut des arguments plus convaincants que de lui montrer les quatorze douzaines de robes qui pendaient dans l'armoire pour finalement la décider. Elle finit par accepter en maugréant. Sans faire plus attention à sa répugnance à aller voir le Shah, je la laissai retourner finir ses ablutions et décrochai le téléphone. Cela faisait trois jours que je n'avais pas donné signe de vie à Ryad, il ne fallait quand même pas pousser trop loin mon rôle de cadre surmené. Au bout de quelques cliquetis, j'obtins l'opératrice internationale de Berne.

— Fraulein, lui dis-je de ma voix la plus suave, je voudrais appeler Ryad en Arabie Saoudite. Le numéro...

— Désolé, Monsieur, interrompit-elle. Je ne peux pas prendre votre appel.

— Je connais les délais, la rassurai-je. Enregistrez ma demande et appelez-moi...

— Je ne peux enregistrer aucun appel pour l'Arabie Saoudite, insista-telle. Il n'y a pas de lignes disponibles...

Ce fut à mon tour de l'interrompre. Pour une fois que je pouvais le faire avec une standardiste, je n'allais pas me gêner !

— Mademoiselle, tout ce que je vous demande c'est de placer mon appel quand vous aurez une ligne. Veuillez noter le numéro...

— Monsieur, coupa-t-elle, vous m'avez mal comprise. Toutes les communications avec l'Arabie Saoudite sont coupées. Nous ne pouvons enregistrer aucun appel jusqu'à ce que les lignes soient rétablies.

— Ah bon, admis-je. Et depuis quand les lignes sont-elles coupées ?

– Depuis hier, Monsieur.
– Et pourquoi ?
– Nous n'en savons rien, Monsieur.
– Ah, bon, répétai-je car je ne voyais rien d'autre à dire. Et je raccrochai en me demandant pourquoi l'Amérique était le seul pays au monde où le téléphone fonctionne correctement. Ursula sortit de la salle de bains, et je n'y pensai plus.

Pendant l'après-midi, nous allâmes skier à la Diavolezza, qui a des pistes sensationnelles bien qu'un peu dures encore pour mes fixations. Tandis que nous étions dans le bus qui fait la correspondance avec Pontresina, la police fit dégager la route pour laisser paser un convoi de quatre Mercedes 600, tous rideaux tirés, escortées d'une dizaine de motards. Le Roi des Rois faisait son entrée dans sa bonne ville de St Moritz au milieu d'une indifférence de bon ton. On voit toutes sortes de gens en mars à St Moritz...

A sept heures et demie, après que nous ayons eu le temps de prendre un bon bain chaud, Hans et Gertrude arrivèrent ponctuellement – en Suisse, même les chevaux sont ponctuels – devant la porte du chalet pour nous emmener au Suvretta. Le Palace est peut-être plus connu, mais on n'y voit que les nouveaux riches. C'est au Suvretta que se retrouvent les célébrités discrètes, celles dont la fortune a au moins deux ou trois générations. Le Shah, seule exception à cette règle, y venait régulièrement depuis que Soraya lui avait fait découvrir le charme des Alpes. Vers 1968 ou 69, définitivement séduit par les pins, le sommet imposant du Piz Nair et la tranquillité de l'hôtel où l'on échappait à la promiscuité des touristes allemands, aux knapsacks pleins de « leberwurst » et de sandwiches, il avait acheté une villa dans le parc. Nous étions donc pratiquement voisins, ce qui ne fit aucun plaisir particulier à Ursula quand je le lui fis remarquer.

A l'occasion de la « réception intime », l'hôtel était illuminé et le parking rempli de limousines. Notre arrivée en traîneau ne causa pas la moindre sensation. Le Suvretta en avait vu d'autres. Dans le hall, les choses faillirent se gâter : des gardes soupçonneux me demandèrent mon invitation, ce que l'Iranien avait négligé de me dire au téléphone. Il fallut l'intervention du directeur, une vieille connaissance, qui alla chercher mon Persan confondu en excuses pour que nous puissions enfin pénétrer dans le saint des saints.

Quand le Shah-in-Shah fait les choses, il les fait grandement. La réception intime se déroulait dans la grande salle de bal où se pressaient au moins deux cents personnes. A peine y étions nous entrés qu'une grosse femme se rua sur Ursula :

– Ursula ! hurla-t-elle. Was machst du hier ?

Tout en lui actionnant la main comme un bras de pompe, elle se tourna vers la foule :

– Hanspeter ! brama-t-elle d'une voix de tonnerre. Hanspeter !

Médusée, Ursula ne disait rien. Quant à moi, je me félicitais de n'avoir jamais encore été invité par le Shah si les réceptions étaient peuplées de gens pareils.

Hanspeter arriva sur ces entrefaites, manifestement furieux.

– Chut ! imbécile, dit-il à la grosse. Quand donc auras-tu fini de me couvrir de honte !

Car Hanspeter n'était autre, comme j'allais le découvrir dans un instant, que le distingué Generaldirektor de Roche-Bollinger. Ses pires craintes, déjà ressenties le jour où Tibrizi lui laissait miroiter une invitation du Shah, étaient dépassées depuis le début de la soirée et lui gâchaient son plaisir. Après un regard meurtrier vers son épouse insortable, il se tourna vers Ursula et retrouva un sourire :

– Ma chère Ursula, quelle bonne surprise ! Votre cher père est-il avec vous ?

– Non, je suis venue seule pour de courtes vacances.

On procéda alors aux présentations, où je ne figurais que comme banquier américain, ce qui me convenait parfaitement. Mais la grosse Frau Suter ne s'était pas laissée démonter par l'algarade de son mari :

– Alors, Ursula, raconte ! murmura-t-elle d'une voix de stentor. L'as-tu rencontré ?

– Qui ?

– Lui. Sa Majesté, ajouta-t-elle d'un air gourmand.

Comme elle disait ces mots, le Roi des Rois fit son apparition.

– Chère Mademoiselle Hartmann ! s'écria-t-il. Quel plaisir inattendu de vous voir parmi nous ce soir !

Sur quoi, il se fit un devoir de prendre Ursula par les épaules et de lui donner un baiser sur les joues, d'une manière fort peu paternelle.

– L'on m'a dit que vos travaux archéologiques à Suse sont particulièrement intéressants, ajouta-t-il sans la lâcher. J'espère que nous aurons bientôt l'occasion d'en reparler tous les deux. En privé.

Je ne saurais dire qui était le plus surpris de ce déploiement d'intimité, de Hanspeter, de la grosse Frau Suter ou de moi. Finalement, ce devait être Ursula, car elle était rouge comme un coquelicot quand elle parvint enfin à se dégager de l'étreinte prolongée du futur empereur Sassanide.

Une fois libre de ses mains, le Shah se tourna vers moi.

— Très heureux de vous revoir, Dr Hitchcock. C'est très aimable à vous d'être venu ce soir, compte tenu des circonstances. Nous avons appris ce terrible attentat de Houston. Heureusement que ce fou n'a tué personne.

— Ce n'était pas grave, mentis-je.

Mais qu'avait-il bien voulu dire avec ses circonstances ?

— Quel attentat ? intervint alors Ursula.

— Il ne vous en a pas parlé ? répondit le Shah. Il y a eu une tentative d'assassinat contre le Dr. Hitchcock et quelques-uns de ses amis. Lui, au moins, est maintenant en sécurité ici. Je n'en dirai pas autant pour ses amis.

Qu'est-ce que ça venait faire, maintenant, me demandai-je de plus en plus perplexe. Mais déjà, le Shah reprenait son discours de charme.

— En tout cas, venez sans faute me voir ces jours-ci, cher Monsieur. Nous sommes presque voisins, paraît-il. Et ne manquez surtout pas d'amener votre délicieuse amie.

Il gratifia Ursula de son royal sourire, souligné d'un royal coup d'œil à son décolleté, et se tourna vers les Suter.

— Venez donc, dit-il en prenant la Frau par le bras. Je voudrais vous présenter quelqu'un...

— Je ne savais pas que tu étais aussi intime avec Mohamed, dis-je furieux quand ils se furent éloignés. Je n'aurais pas la mufflerie d'insister pour savoir les détails...

— Ne fais pas l'idiot, répondit Ursula. Allons-nous en, ajouta-t-elle, on étouffe ici.

— Pas du tout, répliquai-je. Nous n'avons même pas encore été au buffet.

Je l'attrapai par le bras et la tirai vers le buffet en fendant la foule avec détermination. Une fois là, le spectacle m'impressionna vivement : à perte de vue, on ne voyait que du caviar. Pour rompre la monotonie, toutefois, le noir alternait avec le rouge.

— Un peu de caviar ? proposai-je.

— Si tu veux vraiment continuer à te conduire comme un imbécile, répondit Ursula, tu peux rester. Le caviar, j'en ai assez vu comme ça. Je rentre.

— Docteur Hitchcock, dit alors une voix derrière mon dos, très heureux de voir que vous nous revenez !

Ce n'était pas un tueur à gages, ce n'était que le bon Werner

Meier, directeur de la succursale locale de la Compagnie Bancaire Helvétique.

– Ah, Herr Meier, lui dis-je avec effusion, permettez-moi de vous présenter une de vos compatriotes, Fraulein Ursula Hartmann. Elle est amie intime avec le Shah. Une excellente relation à vous faire, dans votre position.

Herr Werner Meier s'inclina sur un claquement de talons. Ursula me jeta un regard meurtrier. Meier resta quelques minutes, m'invitant avec insistance à venir le voir. Il avait entendu parler de mes récentes activités, et tenait à me présenter ses félicitations. Je l'en remerciai chaleureusement et l'assurai de ma prochaine visite.

– Bill, me dit Ursula quand nous fûmes seuls, je m'en vais J'en ai assez de tes réflexions idiotes.

– Allons, ne te vexe pas, lui dis-je Ce n'étaient que d'innocentes plaisanteries...

– Je ne me vexe pas, répliqua-t-elle.

J'avais compris, et nous nous dirigeâmes vers la sortie, sans même avoir goûté au caviar. Nous étions restés vingt longues minutes à la réception du Shah.

Le traîneau nous attendait dans le parking. Je donnai une tape joyeuse sur la croupe de Gertrude avant d'y remonter.

– Bill, me dit Ursula quand nous nous retrouvâmes dans la neige je voudrais te raconter exactement...

– Franchement, l'interrompis-je, ça m'est complètement égal.

– Mais pas à moi ! hurla-t-elle d'un ton qui fit sursauter Gertrude et déclencha une petite avalanche dans les branches des sapins au-dessus de nous. Je veux t'en parler parce que je t'aime, et parce que je hais cet homme. Il est diabolique et il est en train de détruire littéralement mon père !

Elle entreprit alors de me raconter ce qui s'était passé à Khorramshahr en janvier, la visite du Shah, le dessin qu'elle avait retrouvé sur la table de la salle à manger, sans oublier la visite de Ben-Levi la veille de son départ et leur conversation. Tout en parlant, elle s'était accrochée à moi comme du lierre.

– C'est pour ça que j'ai peur, Bill. Comprends-tu ? Peux-tu faire quelque chose ?

– Je ne vois pas quoi, dis-je en faisant preuve d'un bel esprit de décision. Qu'est-ce que je pourrais faire ?

– Je ne sais pas, répondit-elle. Mais il faut que tu le fasses. Ce qui était d'une logique féminine aveuglante.

– Bon, écoute, dis-je en essayant de trouver moi-même un sens à ce que j'allais dire. Il faut d'abord qu'on sache exactement ce qui se passe. Le Shah a fait une ou deux réflexions tout à l'heure qui étaient pour le moins surprenantes. Il doit en savoir plus que moi.

Je m'attendais à ce qu'elle m'écoute, ou à tout le moins qu'elle approuve ma mâle détermination. Pas du tout. Elle poussa un nouveau hurlement, et Gertrude en fit un nouvel écart

– Mon Dieu ! hurla-t-elle.

– Qu'est-ce qu'il y a encore ? demandai-je, prêt à m'énerver.

– Cet individu a dit qu'on avait essayé de te tuer !

– Oui. Et alors ? Ce n'était pas moi qui était visé plus particulièrement. Un Arabe quelconque a lâché une rafale de mitraillette sur le groupe où je me trouvais, c'est tout.

– Pourquoi tu ne m'en as rien dit ?

– Je ne voulais pas t'inquiéter.

– Bill, dit-elle d'un ton déterminé, ne nous faisons plus de cachotteries à partir de maintenant. Il faut que nous nous disions tout tu m'entends ? Sinon, nous sommes seuls au monde.

– Oui, répondis-je, faute de trouver une réponse mieux appropriée à cette déclaration solennelle.

Nous n'échangeâmes plus une parole jusqu'à ce que Hans nous dépose devant la porte. Ursula alla directement dans la chambre. Je lui dis que j'allais la rejoindre et que je préparais un dernier verre à la cuisine. Ce que je ne lui dis pas, c'est que je rappelais aussi la standardiste internationale de Berne. Les communications étaient toujours coupées avec Ryad.

Cette nuit-là, j'ai mal dormi.

Ursula n'avait sans doute pas mieux dormi que moi, car elle était déjà debout à sept heures du matin, tripotant des choses dans la maison bien avant l'arrivée de Theresa, et finissant par me tirer du lit à huit heures, ce qui ne s'était jamais vu. Avec un soupir à fendre l'âme, je me levai enfin. Mon premier geste fut de mettre la radio. Pas de nouvelles. Je bus mon café en me brûlant.

– Tu as l'air assez énervé, ce matin, observa Ursula.

– Pas du tout, affirmai-je. Au fait, si on changeait un peu de programme, aujourd'hui ? J'ai deux ou trois courses à faire en ville. Tu pourrais aller patiner. On se retrouvera pour déjeuner chez Hanselmann, d'accord ?

Avant de descendre à St Moritz, j'essayai Berne par acquit de conscience. Toujours pas de lignes pour Ryad, me dit la standardiste.

Je laissai Ursula au bord du lac gelé. L'air était pur, rempli de musique par des haut-parleurs dissimulés aux regards. Une foule déjà dense de patineurs évoluait sur la glace. Une fois certain qu'elle s'y était mêlée, j'allai directement à la succursale de la Compagnie Bancaire Helvétique.

En Suisse, les banques ouvrent à huit heures. A neuf heures et demie, quand j'arrivai, Herr Meier était déjà prêt pour sa pause café, et je le suivis dans son bureau. Il n'avait rien de somptueux, car les banquiers suisses ont toujours trouvé que le luxe est corrupteur. Mais si le mobilier était hors d'âge, l'équipement de télécommunications était digne d'un vaisseau spatial, et presque aussi impressionnant que celui des pétroliers. St Moritz l'hiver est fréquenté par une clientèle hautement internationale, qui a journellement le plus impérieux besoin de savoir ce qui se passe chez elle – le chez elle allant de Johannesbourg à Tokyo et de Londres à Brasilia. Aussi, la Compagnie Bancaire Helvétique ne pouvait faire moins que d'offrir à sa clientèle les services qu'elle était en droit d'attendre en toutes langues, devises et montants, même les plus modestes. Car la Confédération est une démocratie, ne l'oublions pas.

– Quelles nouvelles avez-vous sur le téléscripteur, demandai-je au digne banquier après avoir avalé une gorgée de café et quelques banalités sur la somptueuse réception de la veille.

– Ach ! Pas trop bonnes, dit-il avec regret en me tendant une pile de papiers.

Je trouvai rapidement les dernières dépêches. L'attention générale se concentrait sur l'Arabie Saoudite. Toutes les communications étaient coupées vers le pays mais, selon les rapports de certains correspondants, il en sortait encore quelques-unes. Des rumeurs non confirmées faisaient état de sérieuses escarmouches entre la Garde Royale et l'armée à Ryad et dans la périphérie. D'autres bruits officieux laissaient entendre que des factions anti-sionistes avaient pris le pouvoir. Aux Etats-Unis, trois Sénateurs avaient déjà fait une interpellation pour exiger qu'un embargo soit immédiatement déclaré sur toutes les livraisons de matériel militaire à destination de l'Arabie Saoudite, et que tous les conseillers militaires stationnés dans le pays soient rappelés séance tenante. La dépêche datait de la veille au soir, heure locale. Pour le moment, il était dix heures du matin en Suisse, ce qui faisait cinq heures du matin à New York et à Washington. A cette heure-là, tout le monde dormait encore, sénateurs, anti-sionistes, pro-sionistes, banquiers et journalistes. Dans ces conditions...

– Herr Meier, dis-je en relevant la tête, quels sont les cours des changes aujourd'hui ?

– Le dollar paraît perdre quelques points à l'ouverture.

– Tiens, tiens, fis-je innocemment. Et le marché au comptant ?

– Pas de grosses transactions, apparemment.

– Herr Meier, repris-je, pourriez-vous m'avancer un million de dollars pour vingt-quatre heures ?

Je m'attendais à le voir tomber en syncope. Il se contenta de lever les sourcils.

– Pas en liquide, m'empressai-je de le rassurer. Juste pour couvrir une petite opération en attendant que je vous fasse faire un virement.

– Mais bien sûr, Herr Doktor, me dit-il avec un soupir de soulagement. Pour vous n'est-ce pas...

Ce qui prouverait, une fois de plus, qu'on ne prête qu'aux riches quand ils n'en ont pas besoin.

Je fis donc avec lui une petite cuisine qui nécessitait la rédaction et la signature de plusieurs ordres d'achat de devises étrangères. Le bon Meier se réjouissait à vue d'œil en voyant le montant des commissions qui allaient lui revenir.

– Encore un peu de café ? alla-t-il jusqu'à m'offrir.

– Volontiers, dis-je. Sans lait. Au fait, ajoutai-je, quel est le cours de l'or ?

– Cent cinquante dollars vingt-cinq l'once, me répondit-il sans hésiter.

– Voudriez-vous avoir l'obligeance de faire vérifier le solde de mon compte à Genève ? demandai-je en admirant discrètement son efficacité toute suisse et toute bancaire.

Sur sa demande, je lui donnai le numéro de mon compte – mon numéro de téléphone moins deux – le nom de jeune fille de ma mère – j'avais donné Nixon, dans le fol espoir qu'un jour quelqu'un s'y trompe : alors là, je serais vraiment, mais vraiment devenu milliardaire ! – et il appela Genève. En raccrochant, il m'informa du montant du solde, ainsi que du fait que le cours de l'or venait de remonter légèrement à $ 152.35.

– Achetez, lui dis-je. Pour le tout.

– Et où désirez-vous faire livrer le métal ? demanda-t-il avec un euphémisme digne de la plus grande tradition.

Cet homme, me dis-je, mérite d'aller loin...

– Dans mon coffre, ici même. Numéro 1948.

C'était l'année où j'avais perdu mon pucelage. Le fisc devrait s'assurer les services d'un psychiatre freudien pour me coincer un jour.

Herr Meier sortit quelques instants pour porter les copies des télex. Quand il revint, il avait l'air de plus en plus heureux. Ses commissions sur l'or ajoutées à celles des devises lui faisaient un bon début de matinée. Il me tendit une nouvelle dépêche d'agence.

Le Zaïre, y annonçait-on, venait de déclarer un moratoire sur le remboursement de ses dettes étrangères. Or, le Zaïre devait sept milliards de dollars dont une moitié à la Banque Mondiale et l'autre aux banques d'affaires de la place de New York. Entre l'Arabie et l'Afrique, l'Amérique en prenait décidément un coup, ce jour-là !

– Herr Meier, dis-je au bout de quelques secondes de réflexion, puis-je encore me servir de votre télex ?

– Mais certainement, Herr Doktor. Pour Genève ?

– Non, New York.

Il ne put réprimer un haut le corps.

– Je vous réglerai la communication, ajoutai-je.

– Je vous en prie ! dit-il alors avec une magnanimité qui me fit faire, à moi, un haut le corps accompagné d'un hoquet de stupeur.

Une fois revenu de ma surprise, je rédigeai à l'intention de mon agent de change de New York l'ordre de vendre la totalité de mon portefeuille de valeurs boursières dès l'ouverture de la bourse. Meier le prit et alla le faire partir.

– Merci encore de votre obligeance, lui dis-je quand il revint. Pourrais-je passer dans l'après-midi chercher toutes les confirmations de ces ordres ?

– Bien sûr, Herr Doktor, me dit-il avec un sourire radieux. C'est en ce moment l'époque de la vérification annuelle des écritures. Il y a quelqu'un à la banque jusqu'à dix heures du soir. Vous n'avez qu'à sonner, je vous ouvrirai.

Je quittai le directeur de la Compagnie Bancaire Helvétique toujours aussi troublé par les événements internationaux, mais fort satisfait de moi-même. Car j'avais appliqué, avec une détermination digne des plus grands éloges, l'une des règles d'or de la survie financière : « Que celui qui ne profite pas sur-le-champ d'un tuyau de première main aille bouffer sa chemise sans respirer ». Non pas que j'aie eu, ce matin-là, un tuyau à proprement parler. Mais si j'en croyais les signes de ce qui se préparait, et que j'étais mieux placé que quiconque pour interpréter, il allait y avoir un grabuge monumental. Et personne ne me saurait jamais gré de faire du masochisme et de ne pas en tirer parti.

Dehors, il faisait un temps splendide comme St Moritz en a parfois le secret. Comme d'habitude, l'unique grande rue était pleine de voitures et de piétons, de skieurs et de chiens, chacun se frayant un chemin dans la foule sans perdre sa bonne humeur. Vu d'ici, le monde entier était un paradis de paix et de prospérité. En passant devant un kiosque, j'achetai une pile de journaux et de magazines, poursuivis mon chemin jusque chez Hanselmann où je me pris une table en plein soleil à la terrasse, et me mis à lire en attendant Ursula. Nous nous étions donné rendez-vous à midi. Au sixième coup, elle fit son apparition, les joues rougies par le grand air, ses cheveux noirs flottant autour de sa tête comme une auréole.

– Tiens, dit-elle en me tendant un petit paquet.

Curieux, j'ouvris le paquet. C'était une petite boîte contenant une paire de boutons de manchettes, faits de pièces de dix roubles en or avec l'effigie du Tsar.

— Ils sont superbes, dis-je tout ému. Pourquoi ?

— Pour rien, dit-elle en souriant. J'en avais envie, c'est tout.

C'était le premier cadeau « pour rien » qu'on me faisait depuis mon enfance. J'en fus bêtement bouleversé.

— Voyons, remets-toi, me dit Ursula en voyant mon trouble. Ce ne sont quand même que des boutons de manchettes.

— Tu as raison, dis-je en l'embrassant devant tout le monde. Comment ça s'est passé, ton patinage ?

Nous sommes restés au Hanselmann jusque vers trois heures, pour aller prendre un digestif à la Chesa Veglia. Vers cinq heures et demie, nous reprenions enfin le chemin du chalet. Depuis la route j'entendais le téléphone qui sonnait inlassablement. Sans trop me presser, j'allais le décrocher. C'était New York, la First National Bank of America. En fait, c'était même le président du conseil d'administration de cet important établissement de crédit, Randolph Aldrich en personne.

— Hitchcock, me dit-il d'entrée, vous êtes un fumier ! A quoi est-ce que vous vous amusez en ce moment ?

– Du calme, mon vieux, répondis-je.

— Foutez-moi la paix avec votre « mon vieux » ! Qu'est-ce que c'est que ces histoires de fou ?

— Arrêtez de faire des devinettes, Aldrich, et dites-moi plutôt ce dont il s'agit. Je n'y comprends rien.

— Ah, vous ne savez pas ? Ces fameux dépôts saoudiens, vous m'aviez promis qu'ils seraient automatiquement renouvelés tous les trente jours, oui ou non ?

— Oui. Et alors ?

— Alors ? Il y en avait quatre milliards, vous m'entendez,

quatre milliards qui venaient à échéance ce matin. Ils n'ont pas été renouvelés ! Vous trouvez ça drôle, vous ?

– Il n'y a pas de quoi s'affoler, dis-je en me frottant l'oreille tant il gueulait. Vous savez qu'il se passe quelque chose en ce moment à Ryad. Ce n'est sans doute pas grave, mais les communications sont coupées. Vous recevrez la confirmation sous quarante-huit heures...

– Ah oui ? Alors, pourquoi est-ce que notre succursale de Londres a-t-elle reçu des instructions précises pour virer ces fonds dans leur intégralité à la Leipziger Bank de Francfort ? Vous appelez ça des lignes coupées, vous ?

– Et qui a donné cet ordre ? demandai-je en commençant à sentir l'inquiétude m'envahir.

– C était signé du Prince Al-Kuraishi, directeur général du Fonds Monétaire d'Arabie Saoudite.

– Nom de Dieu de nom de Dieu !

– Et ce n'est pas tout, reprit Aldrich en ignorant mes blasphèmes. Il nous a également informés officiellement qu'il n'y aurait plus de renouvellements d'aucun dépôt, ni aujourd'hui, ni la semaine prochaine, ni dans un mois.

Sa voix était subitement devenue sourde de lassitude. Je restai sans rien dire un long moment.

– Ecoutez, Aldrich, dis-je enfin, je n'y suis absolument pour rien, je vous le jure. J'ai perdu tout contact avec Ryad depuis près de cinq jours, et je ne sais pas plus que vous ce qui s'y passe.

– Je vous crois, soupira Aldrich.

– Je vais faire l'impossible pour me renseigner. Les Saoudiens ne m'ont pas mis à la porte, que je sache. Si j'arrive à en avoir un au téléphone, je suis sûr qu'il m'écoutera. Ce n'est ni dans leur intérêt ni dans celui de personne d'aller faire une pagaille comme celle-là. Ça se sait, sur la place ?

– Pas encore. Mais vous savez comment ça se passe...

– Qu'est-ce qu'en dit la Banque Fédérale ?

– Ces imbéciles-là ne trouvent rien de mieux que de dire qu'ils nous avaient mis en garde, et que c'est bien fait pour nous. C'est pas croyable !

Avant de me quitter, il me donna son numéro personnel, ce qui montrait combien le malheureux était atteint... J'essayai tout de suite le standard international de Berne. Toujours pas de lignes pour Ryad. Swissair, que j'appelai ensuite, m'informa qu'il n'y avait aucun vol d'aucune compagnie à destination de l'Arabie Saoudite.

– Il faut que tu y ailles ? me demanda Ursula.

Depuis le début, elle me regardait sans rien dire, assise sagement sur le canapé, les mains croisées sur ses genoux.

— Il faudrait, et je ne peux pas partir, lui dis-je. C'est une histoire de fous.

— Qu'est-ce qui se passe en Arabie ?

— Pas la moindre idée, c'est ça le plus frustrant. De toute façon, ça n'a pas l'air bon. Et je ne peux absolument rien y faire... Allons donc dîner, ça nous changera les idées.

Une heure plus tard, nous étions redescendus en ville. En quittant la station du funiculaire pour aller au Palace, on se trouva pris dans une tempête de neige. Il faisait froid et le ciel était aussi noir que mes pensées.

— Ça ne t'ennuie pas que je m'arrête à la banque une minute ? demandai-je à Ursula en passant devant la Compagnie Bancaire Helvétique.

Herr Meier vint en personne nous ouvrir la porte. En voyant Ursula, il eut un bref mouvement de réprobation : en Suisse, les femmes ne doivent pas se mêler aux affaires sérieuses. Mais elle était intime avec le Shah et avec moi... Il fit une exception et la laissa entrer.

Une fois dans son bureau, il me tendit une pile de copies de télex. Les confirmations de mes ordres étaient bien arrivées. Meier me regardait avec un respect renouvelé : j'avais vendu pour treize millions de dollars mon portefeuille en bourse ce qui, même pour St Moritz, me plaçait parmi les VIP.

— Vous avez été très habile de vendre à l'ouverture, apprécia-t-il. Depuis les cours n'ont pas cessé de tomber.

Il me cita les cotes : ce n'était pas une chute, c'était une avalanche.

— Et l'or ? demandai-je.

— Cent soixante six dollars à la clôture.

— Le dollar ?

— Cinq points de baisse.

— Les dépêches d'agence ?

— D'après l'AFP, le roi Khaled et le Cheik Yamani sont morts.

Je lui demandai alors d'envoyer une nouvelle série de télex, sans qu'il ait le moindre mouvement de surprise : j'étais définitivement dans ses bonnes grâces. Je donnai l'ordre à mon agent de change de virer les treize millions à mon compte de la Bank of America à San Fransico, à cette dernière de virer un million de dollars au crédit de la Compagnie Helvétique, agence de St Moritz, et dix millions à l'ordre de mon agent immobilier. A ce dernier, j'ordonnai d'acheter immédiatement une terre — dont j'avais envie depuis des années – qui jouxtait la mienne à Sonoma pour le prix qu'en demandait le vendeur, et j'ajoutai que je lui envoyais par courrier une procuration pour signer dans les quarante-huit heures. Meier me regardait avec une déférence qui touchait à la dévotion.

– Herr Meier, lui dis-je quand j'eus terminé, puis-je vous offrir quelque chose à boire ?

– Avec plaisir, répondit-il.

Ce qui me causa une vive surprise, car j'espérais bien qu'il refuserait.

Une fois installés tous les trois au bar du Palace, et que le barman nous eut servi nos cocktails, il prit la parole de l'air de quelqu'un qui va dévoiler des secrets d'Etat.

– Herr Doktor, il faut que je vous avoue quelque chose. Notre siège social est au courant des transactions que vous avez opérées aujourd'hui par notre intermédiaire. Et on m'a demandé de vous communiquer quelques renseignements.

– Ah oui ? dis-je un peu surpris. De quoi s'agit-il ?

– Votre ambassadeur est venu aujourd'hui à St Moritz à midi. Il a rendu une visite d'une heure au Shah, puis est retourné à Berne. L'ambassadeur de l'Union Soviétique est ensuite venu pour environ trois quarts d'heure et en est reparti vers quatre heures. Le Chancelier d'Allemagne Fédérale, qui est actuellement en vacances à Pontresina, a également été rendre visite au Shah vers cinq heures. Enfin, d'après ce qu'on m'a dit, il y a une délégation française qui y serait encore en ce moment même.

– Et pourquoi me dites-vous tout cela ?

– Parce que notre direction de Zurich pense que vous seriez en mesure de nous aider à interpréter ces informations, du fait de votre connaissance approfondie du Moyen-Orient.

Ursula nous regardait toujours sans avoir ouvert la bouche, les lèvres serrées et les mains jointes sur son sac. Pour ma part, je commençais à ne pas apprécier du tout la situation.

– Je n'aime pas du tout, dis-je à Meier d'un ton rogue, que l'on me pose des questions pareilles ni qu'on espionne ma vie privée ou mes affaires personnelles. C'est ça, la liberté suisse ? ajoutai-je avec un ricanement méprisant.

Meier ne répondit rien.

– Bon, repris-je, qu'est-ce que vous voulez savoir ? Si cela peut nous mener à une guerre, à un désastre financier ? L'un ou l'autre, peut-être les deux. Ou peut-être encore rien du tout.

– C'est pourtant bien pour cela que vous avez vendu à la bourse de New York ? s'enhardit Meier.

– C'est possible, répondis-je évasivement.
– Croyez-vous que nous devions vendre ? insista-t-il.
– Si ça vous chante.
– On dit qu'Israël serait responsable en sous-main. Est-ce vrai, à votre avis ?
– A mon avis, vous vous fourrez le doigt dans l'œil. Israël n'a jamais été dans le coup.
– Et les Etats-Unis ?
– Ah, voilà la grande question, n'est-ce pas Herr Meier ? De quel côté Oncle Sam va-t-il jouer ses billes ?
– Et croyez-vous, demanda-t-il en affectant d'ignorer mon ironie pesante, que les Arabes retirent leurs fonds des Etats-Unis pour les placer en Europe ?

Ainsi, me dis-je, voilà enfin la question qu'il était chargé de me poser.

– Vous voulez savoir ce que je crois, Herr Meier ? demandai-je sans trop forcer la colère qui me prenait. Je crois que si vous autres, Suisses Allemands, Français, vous êtes assez bêtes pour encourager les Arabes dans leur folie, et le Shah d'Iran dans les siennes, alors oui, en effet vous allez récupérer tout l'argent que vous voudrez. Mais vous aurez aussi autre chose sur les bras. Vous allez vous retrouver avec les ennuis les plus sérieux que vous ayez jamais connus depuis 1939. Maintenant, allez-vous en.

Meier voulut s'excuser, mais je ne le regardais déjà plus. Il partit enfin, rouge de confusion.

– Ce n'est pas de sa faute tu sais, me dit Ursula.
– Je sais, je sais. Je lui présenterai mes excuses demain matin.
– Pensais-tu vraiment ce que tu lui as dit ?
– Oui répondis-je. En grande partie.
– Alors, qu'est-ce que nous allons faire ?
– Je n'en sais rien.
– Et mon père ?
– Ton père, Ursula, j'ai peur qu'il soit beaucoup trop tard pour l'aider en quoi que ce soit.
– S'il lui arrivait quelque chose, dit-elle alors avec des flammes dans le regard, il arrivera quelque chose à d'autres qu'à lui, tu peux me croire. Même et surtout au Shah d'Iran !

CHAPITRE 23

Rien, dans le comportement du Shah-in-Shah de l'antique empire Persan, ne pouvait révéler qu'il s'agissait d'un homme gouverné par le diable. Royalement ignorant de la vindicte d'Ursula Hartmann et de la malédiction qu'elle faisait peser sur lui, le Roi des Rois se conduisait, aux yeux de tous, comme le plus normal des hommes.

Il était arrivé discrètement à Zurich le 4 mars 1979 où, comme à l'accoutumée, il était descendu au Grand Hôtel Dolder, tout proche de la clinique où il se faisait faire son examen médical annuel. Il n'avait avec lui qu'une suite restreinte : l'Impératrice Farah Diba, leurs enfants, une dame d'honneur, un aide de camp et une vingtaine de gardes du corps. Personne ne fit attention à leur arrivée car, après tout, c'était le quinzième séjour hivernal que le Shah faisait en Suisse, et les Zurichois étaient blasés.

Le 7 mars, rassuré sur l'excellent état de son auguste santé, le Shah s'occupa brièvement des affaires de son Etat en recevant le Ministre des Affaires Etrangères de la Confédération, Enrico Rossi. Le ministre amenait dans son sac à dépêches le traité laborieusement conçu par lui-même concrétisant les accords irano-suisses amorcés par Tibrizi au mois de décembre précédent. Le Shah, en le lisant, ne put retenir un froncement de sourcils : là où il n'aurait dû y avoir que l'énoncé de principes généraux, le Suisse avait consciencieusement élaboré un marché commercial, bourré de pourcentages, de délais de livraison et de tonnages des navires. Le monarque s'amusa un moment à observer le petit Suisse se confondre en excuses et en explications de ce qui n'était qu'un malentendu bien involontaire, sans doute dû à la traduction. Quand il en eut assez, il fit un geste et un claquement de doigts, et son aide de camp apporta respectueusement deux stylos en or massif. Le Shah signa le traité avec Rossi, à qui il fit royalement cadeau des deux instruments. Ainsi, Mohamed Reza Pahlevi avait-il une fois de plus démontré qu'il était, lui, un homme de parole à qui la mesquinerie était inconnue, un monarque éclairé et le gardien de droit divin des plus précieuses ressources de l'humanité.

Peu après le déjeuner, il partit avec sa famille pour St. Moritz. Peu avant le décollage de son jet privé, deux hommes débarqués de Téhéran moins d'une heure auparavant vinrent se joindre à eux. La veille, la plupart des gardes du corps étaient partis pour St. Moritz par la route à bord de quatre Mercedes 600, et attendaient leur maître sur la piste avec l'escorte policière fournie par la Suisse.

C'est ainsi qu'Ursula et moi les avions vus traverser la ville au moment de leur arrivée, avant de renouer, ce soir-là, nos rapports mondains avec le Roi des Rois, ce qui allait amener les imprécations que la femme de ma vie proférerait le lendemain. Pourtant, le matin même et tandis que je réglais mes problèmes financiers personnels dans les bureaux de la Compagnie Bancaire Suisse, le Shah se comportait toujours de manière irréprochable.

Levé à huit heures, en dépit des fatigues de la réception de la veille, Pahlevi était déjà sur les pistes à neuf heures. Mais un roi ne skie pas seul. L'impératrice, les princes et princesses et une bonne douzaine de gardes du corps lui tenaient compagnie. En bon père de famille, le Shah avait insisté pour que les enfants passent la matinée sur les pistes d'entraînement du Suvretta, à moins de cent mètres de son chalet. La direction de l'Hôtel avait mis les remonte-pentes à la disposition exclusive de Sa Majesté et de sa suite, ainsi que deux moniteurs parmi les plus expérimentés du Canton. Mais les enfants ne voulaient rien savoir pour rester à perdre leur temps sur une montagne à vaches, il leur fallait les pentes du Piz Nair tout proche. Vers onze heures, satisfait de leur forme et rassuré sur leur sécurité, le Shah se rendit à leurs instances. Il embrassa son épouse, tapota les enfants sur la joue, leur donna sa royale permission d'aller skier où ils voulaient et retourna seul au chalet.

Le Shah-in-Shah était heureux. Une belle journée avait débuté de belle manière. Autour de lui, il y avait les montagnes immaculées et le ciel pur de la Suisse, la Suisse baignée dans sa paix, sa propreté, sa moralité et sa neutralité. On ne pouvait rêver mieux pour préparer une guerre.

Car tel était l'emploi que le Shah avait prévu pour son temps ce jour-là. Il avait fait le nécessaire pour que le chalet soit organisé en conséquence : l'aile sud en avait été interdite à la famille. Les deux passagers qui l'avaient rejoint à Zurich s'y étaient déjà installés. Il s'agissait du Général Mohamed Khatami, chef de l'armée de l'air impériale, et du Commodore Fereydoun Shahandeh, commandant des forces amphibies d'intervention du Golfe Persique. Comme les militaires ont souvent tendance à le faire quand ils prennent possession de leurs cantonnements, les deux hommes n'avaient rien eu de plus pressé, la veille au soir, que d'épingler aux murs les cartes du théâtre des opérations. Le territoire qu'elles couvraient était révélateur de leurs ambitions. Car il s'étendait de l'Inde, à l'est, à la Méditerranée à l'ouest, des provinces méridionales de la Russie au nord, jusqu'au Yémen et au Soudan vers le sud.

Quand le Shah vint les rejoindre à la fin de la matinée, les deux hommes avaient l'air heureux. Pourquoi, en effet, ne l'auraient-ils pas été ? Ils commandaient aux forces armées les plus fortes, les mieux entraînées et les mieux équipées de tout le Moyen-Orient, disposant d'une aviation considérable et dotée des appareils les plus modernes, et appuyée par une marine souple d'emploi et redoutable dans sa puissance. Comme si ce n'était pas assez, l'Iran possédait le parc le plus important au monde d'overcrafts amphibies pour des applications militaires, et un arsenal de missiles – du Hawk Américain au Crotale Français – dont peu de puissances pouvaient se vanter. Son armée de 460.000 hommes. entraînés par des instructeurs américains, donnait à l'Iran une puissance dont l'efficacité n'était qu'à peine surpassée par celle d'Israël.

– Avez-vous vérifié l'inventaire ? demanda le Shah à ses stratèges.

– Oui, Sire, répondit Khatami en le lui tendant.

Ensemble, les trois hommes vérifièrent une dernière fois l'état du matériel de guerre de l'Iran, mis à jour au 10 mars 1979. Entre autres joujoux, il comprenait 486 avions, 739 hélicoptères, 1 660 chars, dont 800 « Chieftains » britanniques équipés de canons de 120, 2 000 chenillettes transports de troupes blindées avec lance-roquettes. Des trente-neuf vaisseaux de la marine iranienne, il y avait deux porte-avions prêtés par les Etats-Unis, le « Kitty Hawk » et le « Constellation », ayant chacun une capacité de quatre-vingt dix chasseurs-bombardiers Phantom, sans parler des cinq destroyers ultra-modernes construits par Litton dans ses chantiers du Mississipi.

Quand le Shah fut satisfait de la lecture de cet impressionnant inventaire, il quitta ses deux fidèles serviteurs et alla se changer. Les vêtements de ski n'auraient pas convenu à ce qu'il comptait faire cet après-midi là.

A midi, une Cadillac grise pénétra dans le parc de Suvretta et se dirigea vers le chalet du Shah. Elle transportait l'honorable Stanton Sinclair, Ambassadeur des Etats-Unis en Suisse. Sinclair était un diplomate de carrière qui avait été le second de Richard Helms à Téhéran moins de dix ans auparavant. Depuis, il avait représenté son pays à Athènes, au Chili et en Turquie avant de se voir confier le poste de tout repos qu'il remplissait à Berne. En dépit de son affectation actuelle, Sinclair se considérait toujours avant tout comme un spécialiste du Moyen-Orient. Il y avait passé plus de sept ans et en connaissait encore fort bien la plupart des chefs d'Etat, surtout le Shah. C'est pourquoi, au courant de la mentalité de la région, il n'avait pas été offusqué de se faire convoquer sans préavis par le potentat de la Perse.

Les deux hommes se connaissant déjà, les salutations furent réduites au minimum. Le Shah prit un fauteuil près de la cheminée et en indiqua de la main un autre, à sa gauche, où l'ambassadeur alla s'asseoir.

– Monsieur l'Ambassadeur, commença le Shah, je suppose que votre gouvernement suit avec intérêt les événements qui se déroulent actuellement en Arabie Saoudite.

– Bien entendu, Sire, répondit Sinclair.

– Je suppose également que vous devez partager mes vives inquiétudes à ce sujet.

– Sire, dit l'ambassadeur, je ne puis m'exprimer au nom de mon gouvernement sur cette question.

– Naturellement, cher monsieur. Toutefois, vous connaissant et sachant combien vous êtes familier avec notre région, je suis convaincu que vous avez dû, de vous-même, tirer certaines conclusions sur des événements touchant de si près aux intérêts de votre pays.

– Quels sont donc ces événements, Sire ? demanda Sinclair.

– Selon mes sources – et croyez-moi, j'ai en Arabie Saoudite des sources de premier ordre avec qui je suis directement en communication – il est confirmé que vos amis ont été éliminés. Les principaux d'entre eux, les Cheiks Abdul Aziz et Yamani et le Prince Héritier Fahad, ont même été exécutés il y a deux jours par les partisans du Prince Abdullah.

– Et le roi Khaled ?

– Il est toujours en vie, mais ne gouverne plus. C'est le prince Abdullah qui dirige le pays.

– Etes-vous certain que ces informations soient fondées, Sire ? insista Sinclair.

– Croyez-vous, cher monsieur, que je vous aurais demandé de venir pour écouter des ragots ? répliqua le Shah avec une hauteur toute impériale.

– Vous désirez donc que je communique ces renseignements à mon gouvernement, dit Sinclair.

– Je le désire en effet, approuva le Shah.

– Vous m'avez également dit, Sire, que vous éprouvez de vives inquiétudes. Puis-je vous demander pourquoi ?

– Abdullah est soutenu par Khadafi, il en partage les opinions, il recherche les mêmes objectifs. Il est donc violemment anti-américain. Mais je sais aussi qu'il est extrêmement hostile à mon pays et à moi-même. Car Abdullah cherche à s'assurer le pouvoir que lui donnerait le pétrole. Etant le seul à me dresser devant ses ambitions, il me considère comme son principal ennemi.

– Selon Votre Majesté, l'Arabie Saoudite ne songerait plus à honorer les engagements qu'elle a pris récemment envers les Etats-Unis ?

– Voyons, cher monsieur, dit le Shah avec un rire de commisération, en doutez vous un instant ?

– Alors, que vont-ils faire de leur pétrole ?

– Ce qu'en fait Khadafi : s'asseoir dessus. Vous savez que la production pétrolière de la Libye n'est aujourd'hui que le sixième, et encore, de ce qu'elle aurait pu être si Khadifi n'avait pas chassé Occidental Petroleum et les autres compagnies. C'est de la folie, mais Khadafi est un fou. Abdullah l'est à peine moins.

– Ainsi, l'armée suit Abdullah ? demanda Sinclair.

Dans son trouble, le diplomate ne s'encombrait plus de « Sire » ni de « Votre Majesté », mais le Shah n'en avait cure. Il préférait le voir attentif à ses moindres mots.

– Bien entendu, c'est elle qui lui a permis de réussir. Maintenant, elle est prête à me menacer. Cela fait des années qu'ils meurent d'envie de m'attaquer. Abdullah leur offre le rêve de leur vie, et ils le feront, avec vos armes, permettez-moi de vous le rappeler.

– Voyons, Sire, répondit Sinclair qui retrouvait le sens de l'étiquette avec un scepticisme soudain ravivé, l'armée saoudienne est minuscule, vous le savez aussi bien que moi !

– Petite, sans doute. Mais fort bien équipée grâce à vous. Mais là n'est même pas la question. L'Arabie n'agira pas seule, elle n'en a d'ailleurs pas besoin. L'Irak brûle d'impatience de leur venir en aide. L'Irak peut lever une armée de 350 000 hommes, et les Irakiens sont nos ennemis jurés depuis des siècles. S'il est un homme qui devrait savoir cela, M. Sinclair, c'est précisément vous.

Sinclair hocha la tête. Il savait, en effet. Il savait aussi que si les Irakiens haïssaient le Shah, le Shah le leur rendait avec usure. Car l'Irak avait été le seul pays contre lequel le Shah avait entrepris une action militaire depuis le début de son règne, et le Shah avait été battu.

Il n'y avait pas eu de confrontation directe. Vers le début des années 70, le Shah avait voulu organiser une insurrection intérieure pour provoquer la chute du régime de Bagdad. Pour atteindre son but, il s'était servi des Kurdes, tribu frontalière qui avait toujours rejeté la domination irakienne. Le Shah les avait encouragés en sous-main, leur fournissait des armes et des subsides. Pendant des années, les Kurdes réussirent à tenir tête aux Irakiens. Mais en 1972, l'armée irakienne parvint à mettre les Kurdes en péril. Dans un effort désespéré pour redresser la situation, le Shah s'adressa à Nixon pour venir au secours des Kurdes. Nixon, sur les insistances pressantes de son ambassadeur à Téhéran, Richard Helms, donna son accord. Mais il y avait un problème de taille : si l'on voyait apparaître des armes américaines dans les mains des Kurdes, les Russes s'empresseraient d'intervenir aux côtés de leurs protégés, les Irakiens, ce qu'il fallait éviter à tout prix. On imagina donc une solution idéale, bien conforme à l'esprit retors d'hommes comme Nixon et le Shah. On allait fournir aux Kurdes des armes soviétiques.

Où les trouver ? Facile : en Israël. En 1967, les Israéliens avaient récupéré un gigantesque arsenal d'armes russes abandonnées par les Egyptiens. Aussi, quand les Américains vinrent leur demander d'en fournir un stock, il leur était difficile de repousser leur requête. L'Amérique assurait leur survie militaire en leur livrant leurs armes, et l'Iran leur survie économique en fournissant le pétrole. C'est ainsi qu'Israël livra ses armes soviétiques à Téhéran, sous la supervision de l'ambassadeur Helms et de son second, Sinclair.

Malheureusement pour les Kurdes, il était déjà trop tard. Leur défaite tourna à la déroute. Les survivants durent aller chercher refuge en Iran, et le Shah dut avaler la couleuvre sans montrer ses grimaces. Immédiatement après, ou presque, il signa un pacte d'amitié perpétuelle avec ses ennemis jurés de Bagdad, ce qu'avaient fait bien des dictateurs avant lui. Presque cinq ans après cette horrible humiliation, il voyait la revanche à sa portée. Les Irakiens aussi, sans doute, pensa Sinclair en se remémorant ces récents événements.

– Que va-t-il se passer, selon vous ? demanda l'ambassadeur.

– Ils vont nous attaquer, ensemble. Et très bientôt.

– En avez-vous la preuve ?

– Oui. Attendez un instant, je vous prie.

Le Shah quitta le salon, alla dans l'aile sud et en revint tout de suite. Il portait un jeu de photos aériennes.

– Voici, dit-il en prenant la première photo, la zone frontalière du Chott-el-Arab, dans le fond du Golfe. Vous connaissez la région n'est-ce pas ? Notez, je vous prie, l'extraordinaire concentration d'artillerie et de lance-missiles en face d'Abadan.

Sinclair prit la photo et regarda.

– Voici maintenant, reprit le Shah en exhibant sa deuxième pièce à conviction, le territoire situé juste au nord du précédent, la plaine étroite entre le Tigre et la frontière de l'Iran. Remarquez l'importance inusitée du nombre des blindés massés à cet endroit. Nous avons dénombré près de mille sept cents chars, dont je tiens le détail à votre disposition. Cela représente près de quatre-vingt-dix pour cent des forces blindées de l'Irak. Leur objectif est manifestement d'encercler Abadan et les gisements qui l'entourent. Depuis vingt ans qu'ils nous menacent sur notre flanc méridional, nous n'avions encore jamais vu un tel déploiement de forces.

– Vraiment ? interrompit Sinclair. Je me souviens pourtant très clairement que presque tous les ans depuis 1969, les Irakiens ont procédé à des concentrations très comparables pour leurs manœuvres, qui se déroulent précisément en mars. A chaque fois, ils ont envoyé quelques obus par-dessus la frontière, vous leur en avez renvoyé autant, et ça s'en tenait toujours là.

– En effet, dit le Shah. Ils n'ont encore jamais osé en faire davantage, car la faiblesse de l'Irak résidait dans son aviation. Ils ont beaucoup d'avions, mais ils sont démodés pour la plupart. Ce n'est plus le cas en ce moment. Ils sont en possession de soixante-quinze F-5, vingt-cinq Mirages 111 et trente F-15. Tous fin prêts, et stationnés juste au-dessus de Bagdad.

– Et où diable se seraient-ils procuré tout cela ? demanda Sinclair, incrédule.

– Chez votre noble alliée, l'Arabie Saoudite, répondit le Shah. En voici la preuve, ajouta-t-il en exhibant trois nouvelles photos d'avions au sol.

Sinclair regarda : il n'y avait aucun doute à avoir. Il s'agissait des modèles annoncés, tous marqués des symboles de l'Arabie Saoudite.

– Quand donc ces photos ont-elles été prises ? insista l'ambassadeur.

– Il y a deux jours.

– Et comment avez-vous pu les avoir si vite ?

– Deux de mes aides sont arrivés hier soir pour me les apporter.

– Mais les événements d'Arabie n'ont débuté qu'il y a trois ou quatre jours !

– C'est exact, dit le Shah. Et c'est ce qui prouve qu'ils avaient préparé leur coup ! Voyons, c'est aveuglant : la préparation graduelle de l'Irak, le coup d'Etat à Ryad, le transfert des avions à Bagdad. Khadafi et Abdullah, avec Boumédienne j'en jurerais, ont travaillé là-dessus depuis des mois, des années peut-être. Et vous voyez bien, s'écria le Roi des Rois en agitant les photos comme des épouvantails, ce que ces misérables veulent faire. Ils veulent faire main basse sur tout le Golfe Persique et s'approprier son pétrole !

Il affecta de dominer son indignation avant de poursuivre :

– Dans un sens, c'est compréhensible. Il fallait même s'y attendre, en voyant Fahad et Yamani se conduire d'une manière aussi absurde, à leur manière, que la clique de Khadafi. Quand je pense à Yamani se couchant devant les compagnies pétrolières, à Fahad vidant les coffres des banques européennes pour placer tous les fonds du pays en Amérique, et Abdul Aziz allant parader aux Etats-Unis avec des généraux du Pentagone ! C'était une provocation, ils ont tout fait pour créer la réaction qui vient d'éclater ! Maintenant, c'est mon pays, c'est moi qui dois en subir les conséquences ! Car ne vous y trompez pas, Sinclair. Les fanatiques arabes veulent vous chasser du Moyen-Orient, vous et vos amis. Il n'y a que moi, et moi seul, qui leur barre encore la route. Allez dire cela à votre gouvernement, conclut le Shah en se levant.

– Je rapporterai fidèlement les propos de Votre Majesté, répondit Sinclair.

L'ambassadeur était à peine assis dans sa Cadillac qu'il décrochait le radio-téléphone pour ordonner aux gens installés au sous-sol de l'ambassade de Berne qu'ils attendent son retour. Il donna également des instructions à sa secrétaire pour envoyer immédiatement à Washington l'avis qu'un courrier extrêmement important allait parvenir de Suisse. Il dit enfin à son chauffeur de se dépêcher sans les flanquer dans le décor.

Après le départ de l'Américain, le Shah déjeuna seul. Le chalet était silencieux. On n'entendait de temps à autre que le maître des lieux fredonner un air guilleret, dont on ne sut jamais exactement – ce qui est grand dommage pour la petite histoire – s'il s'agissait d'une chanson folklorique persane ou d'un air d'opérette. En tout cas, le Roi des Rois était content.

A deux heures, et non peu après trois heures comme m'en avait informé Werner Meier de manière erronée, les Russes arrivèrent à leur tour. Ils étaient trois : le chauffeur, qui occupait un grade élevé dans la hiérarchie du KGB, l'ambassadeur Youri Voronoff et son attaché militaire Andrei Andropov. Ces hauts dignitaires furent accueillis à la porte par le Général Khatami, qui connaissait Andropov depuis le temps où ce dernier avait occupé le même poste à Téhéran, à peu près à la même époque où l'Américain Sinclair y était aussi. Le monde, comme on le voit, est petit.

Le Shah attendait ses visiteurs devant la cheminée du salon. Il leur serra la main et leur fit signe de prendre place côte à côte sur un canapé, tandis qu'il allait lui-même s'asseoir en face d'eux sur un fauteuil. Khatami resta debout derrière le Roi des Rois. Il ne faut jamais perdre une occasion d'impressionner les représentants du prolétariat.

– Je vous ai demandé de venir, commença le Shah, pour vous parler des Arabes.

Il sut mettre, dans ce dernier mot, une nuance destinée à faire comprendre aux Russes qu'il méprisait autant qu'eux un peuple aussi ignorant, retardé et volatile, clairement perdu à jamais pour la cause de la civilisation.

– Ce n'est pas la première fois, reprit-il, que ces gens nous causent des ennuis. S'il n'y avait eu qu'eux seuls en cause, je ne vous aurais pas dérangés en vous faisant venir ici par ce froid. Bien que vous soyez habitués au froid, n'est-ce pas ?

Ne sachant s'il fallait répondre à une question aussi énigmatique, les deux Russes préférèrent garder un silence qui ne les compromettait pas et n'allait à l'encontre d'aucune directive du Comité central.

– Non, reprit le Shah, il n'y a pas que les Arabes. Car il y a maintenant... les Chinois !

Le Shah avait ménagé ses effets oratoires. Les Russes sursautèrent en entendant prononcer le mot exécré.

– De quoi s'agit-il ? exigea de savoir Andropov d'un ton rogue. Qu'est-ce que les Chinois ont à voir avec les Arabes ? Nous ne sommes pas venus jusqu'ici pour perdre notre temps !

Les Russes, après tout, se souvenaient d'avoir gardé le Shah en résidence surveillée dans son palais quand il était encore gamin, et ne se laissaient pas impressionner par sa pompe. Le Shah comprit qu'Andropov était mal disposé, et se résigna à faire preuve d'un peu de cette humilité qui parfois sied aux rois.

– Je puis vous assurer, Messieurs, que je n'ai nullement l'intention de vous faire perdre votre temps, que je sais être précieux. Je me considère l'un des plus sûrs amis de l'Union Soviétique. C'est à ce titre que je vous ai demandé de venir, comme un voisin amical menacé par les mêmes périls.

Les Russes se bornèrent à observer le silence sur leur canapé.

– Je vais donc vous expliquer ce dont il s'agit, poursuivit le Shah. Vous avez appris que la clique qui gouvernait l'Arabie Saoudite a été renversée. Vous savez certainement que c'est le prince Abdullah qui a pris le pouvoir.

– Naturellement, répondit Voronoff qui l'entendait pour la première fois.

– Ce que vous ne savez peut-être pas, par contre, c'est ce qui a permis à Abdullah de réussir.

– Nous avons entendu quelques rumeurs à ce sujet, intervint Andropov.

– Moi, Messieurs, répliqua alors le Shah en retrouvant toute sa majesté, je n'ai pas besoin de rumeurs. Je connais les faits.

– Ah oui ? dit Andropov qui, pour la première fois, paraissait intéressé.

– Et les faits, les voilà, reprit le Shah en ignorant l'attaché militaire. Ce sont les Yéménites. Ils sont plus d'un demi-million en Arabie Saoudite. C'étaient eux qui faisaient le travail des Saoudiens. Cette fois, ils ont fait le travail d'Abdullah.

– Cela me paraît difficile à croire, répondit Andropov qui avait repris son air renfrogné. Ils ne disposent d'aucune organisation, ils n'ont pas les fonds pour faire ce que vous dites.

– C'est exact, répondit le Shah. Ils n'ont rien. C'est pourquoi l'organisation et les fonds leur sont venus d'ailleurs. De Chine. Me croyez-vous, cette fois ?

Il était difficile aux Russes de ne pas accorder une certaine créance à cette théorie. En effet, le Sud-Yémen avait été infiltré par les Chinois dès 1970, et le régime yéménite était devenu l'un des plus radicalement maoïstes en dehors de la Chine elle-même. Les Russes n'avaient rien fait pour empêcher cette évolution, car le Yémen, tant par son caractère désertique que par sa position à l'extrême pointe de la péninsule arabique, ne présentait aucun intérêt en tant que base militaire. Mais si les Chinois avaient vraiment manipulé les Yéménites pour contrôler l'homme qui allait diriger l'Arabie Saoudite, la situation changeait du tout au tout. Car s'il y avait une chose dont les Russes n'avaient pas la moindre envie, c'était de voir se développer, sur leurs frontières méridionales, un monde arabe entre les mains des Chinois. Ils seraient encerclés, sans remède.

– Ce que vous dites est très grave, dit Andropov – car son ambassadeur n'était sans doute là que pour la figuration. Si c'est vrai, il s'agit d'une question touchant à la sécurité même de notre patrie, et susceptible de nous causer les soucis les plus sérieux. D'où tenez-vous ces renseignements ?

– De l'un des lieutenants du prince Abdullah. Il s'appelle Abdul Rahman Al-Khail, et est mon employé depuis plus de dix ans.

– Et que font les Américains ? Ils ont plusieurs milliers de conseillers militaires en Arabie. Pourquoi ne sont-ils pas intervenus ?

– Parce qu'ils ignoraient tout de ce qui se passait ! dit le Shah d'un air triomphant. C'est moi qui viens de leur apprendre, il y a une heure à peine. De toute façon, ils sont dans une position très délicate. S'ils interviennent, ils risquent de se mettre à dos tout le monde arabe. Ceci mis à part, il y a également le problème de l'Irak.

– Qu'y-a-t-il encore avec l'Irak ? demanda Andropov.

Le Shah avait, là encore, touché un nerf sensible. Depuis des années, l'Irak faisait marcher les Russes comme une putain qui négocie ses faveurs fait marcher un client.

– Ils ont manifestement l'intention de profiter des troubles qui se développent dans la région pour m'attaquer. Je les soupçonne également d'être mêlés aux événements d'Arabie Saoudite. Vous savez quelle confiance on peut faire aux Irakiens !

Andropov hocha la tête malgré lui. Les Irakiens, il connaissait ! Voronoff prit prétexte du bref silence pour intervenir dans une conversation qui lui échappait un peu trop.

– Avez-vous la preuve de la présence des Chinois à Ryad ? demanda-t-il au Shah.

– Evidemment. Mon homme en place là-bas me l'a fournie.

– Je veux dire, des preuves matérielles, des photographies, par exemple.

– Pas encore, admit le Shah. Mais j'ai les preuves matérielles de tout ce que je vous ai dit par ailleurs.

Il se tourna alors vers Khatami, qui n'avait pas dit un mot depuis le début, lui murmura quelques mots à l'oreille. Quelques instants plus tard, Khatami revint dans le salon, porteur des mêmes photos que le Shah avait fait voir à l'ambassadeur américain.

Le Shah donna alors, pour les Russes, une représentation rigoureusement identique à celle qu'il avait si brillamment interprétée une heure plus tôt. Mais les conclusions qu'il présenta à ses visiteurs en furent sensiblement différentes.

– Que va-t-il se passer maintenant ? demanda-t-il une fois que Khatami eût remporté les photographies. Je vais vous le dire. Abdullah, avec la bénédiction de ses amis au Yémen et à Pékin, et avec la coopération active des autres fous dangereux du monde arabe, les Irakiens, Khadafi, Boumedienne, Abdullah donc va s'efforcer de mettre la main sur tout le Golfe Persique. Cela veut dire que nos deux pays, oui j'insiste, l'Union soviétique autant que l'Iran, vont se trouver face à un monde arabe violemment radicalisé, pourvu d'une puissance énorme, et téléguidé de Pékin. Ils sont là, à notre porte. Et ce n'est pas encore le pire. Car vous savez que celui qui dispose du pétrole du Golfe Persique contrôle la puissance la plus formidable du monde. Que diriez-vous si, un jour, par un coup de force habilement préparé, la Chine se trouvait en possession de cette puissance ?

Le Shah s'était surpassé, sa performance était digne des applaudissements les plus nourris. Car si les Russes prétendaient bien le connaître, il connaissait les Russes encore mieux. Plus intimement, plus profondément, sans doute, qu'aucun autre chef d'Etat. Aussi, il savait qu'il n'y a pas de limites à la terreur paranoïaque qu'éprouvaient les Soviétiques devant la Chine. Ils voyaient déjà, en Asie, un Chinois se cachant derrière chaque arbrisseau, chaque buisson, chaque pousse de riz. Il ne leur manquait plus que d'en voir un derrière chaque puits de pétrole !

– Mais c'est inadmissible ! s'exclama Andropov en bafouillant d'émotion.

– C'est bien mon avis, répondit le Shah avec une froide détermination. Et j'entends faire le nécessaire pour que cela n'arrive jamais.

– Comment ? demandèrent les deux Russes en chœur.

– Au prix d'un lourd sacrifice, indispensable à nos deux pays, je suis résolu à faire une attaque préventive. Je détruirai d'abord les agresseurs irakiens. Simultanément, je neutraliserai le Koweit et les émirats – Bahrein, Quatar, Abou Dabi, Dubai et le nord d'Oman. Les Saoudiens seront encerclés avant d'avoir compris. Alors, si Abdullah et ses complices ne se décident pas d'eux-mêmes à abandonner leur entreprise criminelle et à restaurer la légitimité du pouvoir dans leur pays, je les détruirai eux aussi.

– Ensuite ? demanda Andropov avec une nuance de respect.

– J'y ai longuement réfléchi, répondit le Shah. Et je crois avoir trouvé la solution. Car je suis réaliste, voyez-vous. Je sais qu'on ne viole pas impunément les lois des forces géo-politiques. Aussi, je vous pose à mon tour la question : quelles sont les grandes puissances ayant intérêt à maintenir la paix et la stabilité au Moyen-Orient ? Elles sont trois : l'Iran, l'Union soviétique et les Etats-Unis. Je proposerai alors un accord tripartite pour régler définitivement la pacification des territoires qui entourent le Golfe Persique. C'est ce que vous avez fait chez moi en 1942, messieurs, et vous pouvez juger vous-mêmes des résultats. Tout le monde y a trouvé son compte, comme notre réunion d'aujourd'hui vous en donne la preuve.

– Et que voulez-vous de nous ? demanda Andropov.

– Rien, dit le Shah. Je vous demande seulement de ne pas intervenir.

– Et si les Américains interviennent ?

– Ils n'interviendront pas, déclara sèchement le Shah.

– Quand voulez-vous notre réponse ?

– Sous trois jours.

Deux minutes plus tard, les Russes reprenaient la route.

La première vague des Français fit son arrivée une heure plus tard. Contrairement aux conversations précédentes, cette réunion avait été prévue de longue date, et portait sur des négociations dont les effets auraient, pour les deux pays, une importance à court terme et à long terme.

Ce premier groupe était formé de gens de chez Bréguet-Dassault. Depuis plusieurs mois, ils négociaient avec l'Iran la vente de cent vingt Mirages F-1, sans compter un assortiment volumineux de deux mille missiles Matra, y compris le tout dernier modèle à guidage laser. Le prix : plus de cinq milliards de dollars, payables moitié à la signature du marché moitié à la livraison.

Depuis plusieurs générations, les Français ont l'habitude de négociations orientales. Aussi, s'ils s'étaient munis de tous les documents écrits nécessaires, car ça ne fait pas de mal d'avoir quelque chose par écrit pour engager les conversations, ils étaient parfaitement décontractés et n'attendaient pas de miracles. Ils s'assirent donc confortablement dans leurs fauteuils tandis que le Shah et ses deux assistants parcouraient des yeux leur propositions avec une sage lenteur.

Enfin au bout d'un long moment, les Iraniens refermèrent les dossiers. Le Shah fixa un regard pénétrant sur le chef de la délégation Dassault :

– Nous acceptons vos propositions, dit-il.

Ce à quoi l'homme de Dassault ne s'empressa pas de répondre car il attendait la suite. Il avait eu raison, car le Shah reprenait déjà la parole avec les mots inévitables :

– A la condition que vous acceptiez certains aménagements, et que vous soyez prêts à modifier légèrement le financement.

– Certainement, approuva le Français. Votre Majesté sait que nous avons toujours fait preuve de souplesse à son égard.

Ce qui était parfaitement exact, car c'était ainsi que la France avait peu à peu rattrapé – et espérait dépasser - les Etats-Unis sur le marché des armements.

– Bien, approuva le Shah. Parlons tout d'abord des conditions de livraison. Nous voulons cinquante Mirages F-1 et mille missiles Matra livrés à Téhéran sous trois jours.

– Ceci, dit Dassault sans se démonter, est rigoureusement impossible.

– C'est parfaitement possible au contraire, répliqua le Shah. Votre armée de l'air est abondamment pourvue de ces deux types d'équipement. Il lui suffit de nous les envoyer sur ses stocks.

– Ceci, reprit l'homme de Dassault toujours sans se laisser démonter -- ce qui était bien la moindre des choses pour un ingénieur – est une décision qui relève de notre gouvernement. Les appareils en question ne nous appartiennent plus.

– Je le sais, reprit le Shah. Mais vous êtes d'accord pour faire ce que votre gouvernement vous instruira de faire, n'est-ce pas ?

– Naturellement, approuva le Français.

- C'est tout ce que je voulais vous entendre dire. Quant au prix, il est parfaitement acceptable.

En entendant cela, les Français sursautèrent tous avec un ensemble parfait. Là, il devait vraiment y avoir quelque chose qui clochait.

– Je crois, dit le Shah sans paraître remarquer leur stupeur, que certains de vos compatriotes ne vont pas tarder à arriver. Voulez-vous avoir l'obligeance d'aller attendre à l'hôtel pendant que je vais les recevoir ?

Toujours muets de surprise, les hommes de Dassault quittèrent le chalet.

Moins d'un quart d'heure plus tard, un cortège de Citroën s'arrêta devant le perron. Contrairement à l'arrivée précédente, deux des trois voitures étaient occupées par des gardes du corps. Contrairement aussi à la réunion interrompue comme nous venons de le voir, celle-ci avait été organisée avec un très bref préavis. Comme les Américains et les Russes, les officiels français avaient obtempéré aux désirs du Shah. Toutefois, ce n'était pas un simple ambassadeur qui s'était déplacé pour la circonstance, mais bien le Premier Ministre en personne, accompagné de son ministre des Finances.

Le Shah accueillit les ministres avec les marques de la plus grande déférence, ce qu'ils lui rendirent bien. Le tout se passait dans un excellent français, le Shah ne ratant pas une occasion de faire étalage de sa connaissance parfaite de la langue de Montesquieu et des manières du Roi Soleil, dont il avait toujours rêvé d'égaler la grandeur.

– Permettez-moi tout d'abord, dit le Shah au Premier Ministre après que les politesses d'usage furent expédiées, d'aborder une question qui intéresse nos deux pays. Nous parlerons ensuite de la très grave crise internationale à laquelle le monde doit faire face.

– Faites, approuva le Premier Ministre.

– Je suis prêt à signer aujourd'hui même un marché avec la société Bréguet-Dassault. Cela ne doit pas vous surprendre, ajouta-t-il en remarquant le sourcil levé de son interlocuteur, car je ne veux pas que de misérables marchandages commerciaux puissent ainsi s'éterniser entre nos deux pays.

Les deux ministres de la République hochèrent la tête.

– Toutefois, j'y mettrai deux conditions. La première est que vous soyez d'accord pour livrer immédiatement cinquante avions et mille missiles, avec le personnel nécessaire.

– Mais pourquoi cette hâte ? demanda le Premier Ministre.

– Je n'ai pas fini, reprit le Shah. La deuxième est que le paiement de l'acompte initial de cinquante pour cent soit effectué par vos banques, sous forme d'un emprunt garanti par mon gouvernement. Je vous propose également que le paiement du solde soit fait par la fourniture de pétrole brut iranien, que nous sommes disposés à vous livrer au prix de douze dollars le baril. En fait, nous sommes également disposés à entamer des négociations avec vous pour la fourniture de quantités beaucoup plus importantes pour les trois prochaines années, au même prix que celui que je viens de vous indiquer. Enfin, conclut le Shah, nous serions aussi disposés à engager des conversations du même ordre avec d'autres membres du Marché commun, particulièrement l'Allemagne et l'Italie. Je vous remercie de bien vouloir les en informer à votre convenance.

Le Premier Ministre et le grand argentier restèrent muets quelques minutes.

– C'est fort inattendu... commença le Premier Ministre.

– En effet, dit le Shah. Etes-vous disposés à accepter mes conditions ?

– Oui, Sire, sans aucun doute.

– Ah, un dernier détail, reprit le Shah. Au cas où nous concluerions un accord à long terme sur les livraisons de pétrole, j'aimerais quelques paiements anticipés. De l'ordre d'une dizaine de milliards de dollars.

Le Premier Ministre se tourna vers le ministre des finances.

– C'est certainement réalisable, dit alors ce dernier. Comme vous le savez sans doute, nos banques disposent depuis peu de liquidités très importantes, provenant de transferts massifs des banques américaines.

– Je le sais en effet, dit le Shah avec un sourire magnanime Ainsi, messieurs, nous pouvons nous considérer d'accord sur tout ?

Les deux ministres exprimèrent leur assentiment.

– Venons-en maintenant, si vous le voulez bien, aux événements d'Arabie Saoudite. Vous savez peut-être déjà que la clique qui gouvernait le pays a été renversée. Fahad Yamani et Abdul Aziz ont été tués. Nous sommes tous, voyez-vous, exposés à ce genre de tragédie dans un monde de plus en plus ingouvernable, et nos responsabilités sont écrasantes.

Ce à quoi les deux représentants de Marianne marquèrent leur accord.

– Toutefois, reprit le Shah-in-Shah, il ne sert à rien de vouloir se le dissimuler. Notre plus grand problème, une fois de plus, se trouve avec les Américains. Il y a quelques heures à peine, j'ai reçu l'ambassadeur des Etats-Unis. Il m'a fait savoir que son pays est fort soucieux de la tournure que prennent les événements. Vous savez, en effet, que les Etats-Unis avaient récemment conclu des accords avec l'Arabie Saoudite, et que ces accords leur étaient extrêmement favorables. Vous avez déjà constaté que la première réaction des Saoudiens a été de fermer le robinet des dollars. Celui du pétrole ne saurait guère tarder.

– L'ambassadeur vous a-t-il laissé entendre qu'elle allait être la réaction américaine ? demanda le Premier Ministre.

– L'Amérique va intervenir militairement, comme on peut s'y attendre. La Septième flotte s'est déjà mise en route.

– Mais la Septième flotte n'est encore qu'au large de Formose. C'est fort loin !

– C'est bien cela qui m'inquiète, dit le Shah. Les Américains n'ont donc pas le choix. Il va falloir qu'ils fassent intervenir leurs forces de l'OTAN contre l'Arabie. Et cela va provoquer un affrontement avec tous les pays arabes, car je suis persuadé que ni Khadafi, ni Boumedienne, ni l'Irak, ni même la Syrie ne toléreront que les Américains occupent un pouce de sol arabe.

– Mais, alors... commença le Premier Ministre.

– Alors, oui, Monsieur le Ministre, vous avez devancé ma pensée. Vous pensez bien que si des troupes basées à Francfort, à Munich ou à Naples interviennent contre les Arabes, avec l'accord des pays d'où elles opèrent, c'est la fin de l'Europe. C'en est même la fin dans les deux cas. Si les Américains prennent possession du Golfe Persique, ils ne vont pas se gêner pour mettre l'Europe au pas. S'ils perdent, les Arabes sauront se venger de sa complaisance envers les aggresseurs.

– Que suggérez-vous donc ? demanda le ministre.

– Il faut que nous, je veux dire l'Europe et l'Iran, nous nous dissocions des machinations de l'Amérique. Il faut empêcher leur intervention à partir de bases européennes, il faut l'empêcher à tout prix. Souvenez-vous du prix que l'Europe a payé en 1973 après la guerre israélo-américaine contre les Arabes. En 1979, cela pourrait vous être fatal. Aussi, le salut pour nous tous ne peut-il résider que dans la neutralité la plus complète. Nos alliés naturels se trouvent en Europe, pas en Amérique. C'est pourquoi nous nous tournons tout naturellement vers la France et ses alliés pour y trouver ce que nous cherchons dans les domaines économique et militaire. Il est donc naturel que nous vous garantissions votre énergie.

– Et l'Irak ? demanda le Premier Ministre qui, sans en avoir l'air, connaissait son Moyen-Orient. Que comptez-vous faire si l'Irak profite de la situation pour vous attaquer ?

– Dans ce cas, et dans ce cas seulement, répondit le Shah, nous répondrons par une riposte militaire mesurée et limitée aux seuls besoins de notre défense. Nous vous aurions aussi une vive reconnaissance si vous pouviez nous aider à assurer la sécurité de nos gisements et de nos raffineries dans le sud du pays. Ces installations représenteront peut-être votre seule source d'énergie, tout comme la nôtre.

– Veuillez avoir la bonté de nous excuser quelques instants, dit alors le Premier Ministre.

– Mais certainement, dit le Shah.

Sur un geste de lui, ses deux assistants quittèrent le salon et il suivit le même chemin.

– Croyez-vous qu'il dise la vérité ? demanda le Premier Ministre à son ministre préféré.

– Nous ne pouvons juger que d'après ce que nous en voyons, répondit le ministre des Finances. Et tout ce que nous voyons depuis quarante-huit heures ne peut que le confirmer. Il y a déjà huit milliards de dollars qui ont été transféré des Etats-Unis, et ce sont tous des fonds saoudiens. Fahad et Yamani ont certainement été renversés.

– Oui, dit le Premier Ministre pensivement. Au fait, combien détenons-nous de créances sur le Trésor américain ?

– Environ quatre milliards de dollars en bons à vue.

– Si le scénario du Shah est le bon, et si nous réussissons à convaincre les Allemands et les Italiens d'empêcher les Américains de se servir de leurs bases, croyez-vous qu'il risque d'y avoir une nouvelle affaire de séquestre ?

– Si les Saoudiens continuent à retirer leurs fonds à cette cadence, avec les Américains dans l'état où ils sont, on peut s'attendre à tout.

– Vendez, Fouquet.

– Quoi ? sursauta le ministre des finances.

– Vendez. Ce soir même, confirma le Premier Ministre.

Le Surintendant des Finances au nom prédestiné quitta le chalet pour aller au petit trot à l'hôtel, où on lui prêta une chambre avec un téléphone. Une dizaine de minutes plus tard, il était de retour dans le salon du Shah, qui fit son apparition peu après, chargé de documents.

– Voici, dit-il en les disposant devant les deux Français, deux traités réglant nos accords pour la fourniture de pétrole et le financement de nos achats d'armements.

– Les termes nous en paraissent satisfaisants, dit le Premier Ministre après les avoir parcourus, à l'exception de quelques modifications mineures. Toutefois, ne pensez-vous pas qu'il serait plus logique de signer d'abord le marché d'achat du matériel Dassault ?

– Mais bien entendu, dit le Shah. Vous signerez en même temps l'avenant pour la première livraison à prendre sur les réserves de vos forces armées.

– Cela va de soi, approuva le ministre.

Le général Khatami alla chercher les gens de Dassault qui attendaient patiemment à l'hôtel – au bar, pour respecter la vérité historique. Alors, tout le monde s'assit devant une grande table. on lut, on relut, on corrigea, on amenda, on parapha et on signa. A neuf heures du soir, enfin, les Français quittèrent le Shah, créant à cette occasion le plus bel embouteillage de Citroën jamais vu à St. Moritz de mémoire de Valaisien.

Une fois de plus, malgré son exactitude dans les grandes lignes, la véracité des renseignements qui m'avaient été communiqués par la Compagnie Bancaire Helvétique était prise en défaut. Werner Meier avait dit que le Chancelier d'Allemagne Fédérale avait rejoint la délégation française tandis qu'elle se trouvait chez le Shah. Il n'en était rien. Le Chancelier était bien à St. Moritz à ce moment-là. Il y passait quelques jours de vacances en compagnie d'une masseuse japonaise de vingt-trois ans, avec qui il s'était retiré dans un chalet isolé à quelque distance de l'agglomération, non loin du Suvretta. Les malheureux étaient tous deux épuisés, non par le ski car ils n'avaient pas mis les pieds sur une piste depuis leur arrivée, mais plutôt par une pratique excessive d'autres exercices physiques. Ce soir là, par hasard, ils avaient simplement cherché une diversion à leurs absorbantes occupations en venant boire un verre en voisins au bar du Suvretta. C'est là qu'on les avait vus ensemble. Mais aucune des accusations qu'on jeta à la tête du Chancelier par la suite n'était fondée. Ce n'était pas le Shah qui avait manigancé de le compromettre pour en soutirer ensuite une faveur politique dont il n'avait nul besoin. Il ne s'agissait que d'une regrettable coïncidence. Car ce devait être le seul pouvoir de persuasion des Français qui allait convaincre le Chancelier d'emmerder les Américains comme il allait le faire. Et puisque nous en sommes à rétablir la vérité historique, n'hésitons pas non plus à affirmer bien haut que, à l'échelon gouvernemental du moins, le Japon n'avait jamais, ni de près ni de loin, trempé dans cette affaire.

A neuf heures et demie, tout était redevenu calme dans le parc du Suvretta Haus. Le chalet du Shah était à nouveau paisible. L'impératrice Farah avait tenté de se montrer au salon, mais son impérial époux l'en avait chassée d'un geste de la main. Il attendait Khatami et la bande magnétique où la conversation des deux ministres français avait été enregistrée pendant leur bref séjour solitaire dans le salon dûment équipé d'un micro.

Khatami disposa les bobines sur un Sony qui appartenait à un des enfants Les deux hommes écoutèrent

– Arrêtez, ordonna le Shah.

Khatami appuya sur un bouton.

– Revenez un peu en arrière, maintenant. Reprenez ce passage.

Khatami obéit. On entendit alors la voix du Premier Ministre :

– «... croyez-vous qu'il risque d'y avoir une nouvelle affaire de séquestre ? »

– «... on peut s'attendre à tout », avait répondu le ministre des finances.

– « Vendez, Fouquet ».

– Arrêtez, dit le Shah.

Docilement, le général arrêta le magnétophone.

– De quoi parlent-ils, Khatami ? demanda alors le Shah.

– D'argent, Sire, répondit le stratège.

– Je m'en doute, imbécile ! lui dit le Shah avec l'exquise urbanité dont il ne se départissait jamais envers ses sujets. Je vous demande si vous savez ce que veut dire cette « affaire de séquestre » !

Khatami avoua qu'il n'en avait pas la moindre idée, et qu'il ignorait même ce que voulait dire le mot. Pour sa punition, il fouilla dans tout le chalet, alla même jusqu'à l'hôtel pour chercher un dictionnaire. Il n'en trouva nulle part.

– Qu'est-ce que ce séquestre vient donc faire là-dedans ? se répétait le Shah pendant que le général s'agitait.

Mais Khatami, malgré tout le respect qu'il devait au Roi des Rois, avait autre chose en tête. Sa guerre était prête, et il lui manquait la dernière décision suprême. A la fin, il s'enhardit :

– Sire, vous savez que je dois retourner en Iran demain. Vous n'avez pas encore pris de décision sur... vous savez... les engins...

– Taisez-vous donc, imbécile ! tonna le Shah.

Car il connaissait trop les traîtrises des microphones pour jamais se permettre de parler de tels sujets sur un sol étranger.

– Il faut pourtant que je sache, Sire, insista Khatami avec héroïsme. Combien de Phantoms dois-je faire équiper ?

– Un seul, je vous l'ai déjà dit. Je ne ferai exploser qu'une seule bombe au-dessus du désert pour en faire la démonstration. Il ne nous faut donc qu'un seul avion avec une seule bombe.

– Cependant, Sire...

– Assez, Khatami !

Et le général, profondément déçu, se retira dans l'aile sud du chalet.

Le Shah resta seul dans le salon, devant la cheminée, retournant toujours dans sa tête le mystère du séquestre. Enfin, il décrocha le téléphone et appela un de ses assistants, logé à l'hôtel. Il s'agissait de Khamesi, celui-là même qui avait assisté sans rien dire à la conférence de Téhéran, que j'avais rencontré sur les pentes du Piz Nair et qui m'avait invité par téléphone à la réception du Shah.

– Votre Majesté me demande ? dit l'homme avec respect.

– Qu'est-ce que veut dire « séquestre » ? demanda le Shah.

– Cela a à voir avec la saisie de quelque chose...

– Vous êtes aussi bête que les autres ! le félicita son maître avec bienveillance. Vous avez toujours le numéro de téléphone de cet Américain, vous savez, le banquier ?

– Hitchcock, Sire ?

– Oui. Donnez-le moi.

Le Khamesi en question s'exécuta.

Après que nous ayons laissé l'infortuné Meier quitter piteusement le bar du Palace, Ursula et moi avions été dans la salle du restaurant, où nous avions l'intention de dîner. Mais nous avions tous deux l'appétit coupé. Malgré les regards désolés du maître d'hôtel, nous laissâmes nos assiettes repartir presque pleines. A neuf heures, nous étions de retour au chalet, où le téléphone sonnait encore. Cette fois, c'était Meier.

– Doktor Hitchcock, commença-t-il, je tiens à vous présenter encore une fois mes excuses. Je comprends très bien que ce que je vous ai demandé...

– C'est plutôt à moi de vous présenter les miennes, Meier coupai-je. Si vous le voulez, considérons que l'incident est clos.

– Merci, Herr Doktor, fit Meier avec une gratitude évidente. Au fait, il se passe quelque chose en ce moment que vous devriez savoir, je crois. La bourse de New York était sens dessus dessous à la clôture, il y a moins d'une heure.

– Qu'est-ce qui se passait ?

– On a commencé à vendre des quantités énormes de bons à vue sur le Trésor. Les cours sont tombés en flèche pendant les dernières heures, et le dollar a encore perdu deux points par rapport au franc français. Il faut aussi que je vous dise... Nous nous retirons, aussi.

– Qu'est-ce que ça veut dire, « nous nous retirons » ?

– Nous conseillons à nos clients de liquider leurs avoirs aux Etats-Unis, répondit le directeur de la Compagnie Bancaire Helvétique.

– Mais c'est complètement idiot ! hurlai-je. Vous savez que

c'est désastreux de liquider au milieu d'une panique boursière ! Les choses vont se tasser au Moyen-Orient et les cours vont remonter à leurs niveaux normaux !

— Peut-être, admit Meier. Mais nous craignons que des problèmes plus sérieux ne risquent de se poser à nous. Voyez-vous, Herr Doktor, reprit-il un peu gêné, il nous est difficile d'oublier ce que votre pays nous a fait en 1941.

J'accusai le coup, et restai un moment sans pouvoir répondre.

— Je vous comprends, dis-je enfin avec découragement. Merci quand même pour votre appel, Werner.

Ursula m'avait regardé, et voyait maintenant que j'étais plutôt secoué.

— Qu'est-ce qui ne va pas ? demanda-t-elle avec sollicitude.

— Les Suisses ont trop de mémoire, répondis-je. Et l'Amérique s'est flanquée elle-même dans une impasse, et il n'y a rien à faire. Rien.

— Il ne s'agit que d'argent ?

— Naturellement.

Elle eut l'air soulagée. Tant qu'il ne s'agissait pas de guerre et que son père ne risquait rien, elle considérait que cela n'avait aucune importance. Elle prit un livre, moi une bière, et je me replongeai dans des pensées plutôt sombres.

La situation me rappelait fâcheusement celle d'août 1914. Tout le monde était prêt à se ruer vers une catastrophe, sans que personne ne sache exactement pourquoi, ni sans que personne ne puisse se rappeler plus tard comment les choses avaient explosé.

Ce qui explosa, à dix heures, ce fut la sonnerie du téléphone. Ursula décrocha. Quelques secondes plus tard, elle me tendit le combiné sans un mot, le visage blanc comme plâtre.

— Dr. Hitchcock ? entendis-je. Ici Pahlevi. Je suis navré de vous déranger à une heure pareille, mais cela me ferait vraiment très grand plaisir que vous puissiez venir me voir quelques minutes au chalet, prendre un verre. Je voudrais vous demander quelque chose.

— Maintenant ? demandai-je, un peu secoué.

— Oui, tout de suite. Je me rends compte que ce n'est pas une heure pour déranger les gens, mais il y a quelque chose qui me tracasse, et je crois que vous êtes le seul à pouvoir me renseigner. Amenez Mademoiselle Hartmann, j'en serais très heureux. Si, si, j'insiste.

— Ça, alors... dis-je à Ursula après avoir raccroché.

Elle n'eut rien à répondre à ma spirituelle remarque.

Bon, poursuivis-je, autant aller voir sur place ce que veut notre aryen de service. Sors les bottes et les manteaux, il est trop tard pour prendre le traîneau.

– Ne compte pas sur moi, dit enfin Ursula.

– Voyons, Ursula, ne fais pas l'idiote. Ce n'est pas en te cachant la tête dans la neige que tu peux aider ton père. Allez, viens !

– Non, répéta-t-elle.

Mais elle vint quand même. Il y avait une demi-heure, à pied, pour descendre au chalet du Shah. La pleine lune brillait en faisant des ombres sur la neige, il faisait presque doux. Cela aurait été la nuit idéale pour faire une promenade d'amoureux dans les Alpes, mais les circonstances ne s'y prêtaient guère. Ursula s'était renfermée dans une coquille, et j'étais absorbé par mes pensées qui n'étaient guère plus frivoles. Le seul bruit que nous fîmes tout le long du chemin était le bruit de nos bottes dans la neige.

Les gardes avaient été informés de notre visite, car ils nous laissèrent tout de suite passer. Le Shah lui-même vint nous ouvrir. Il était manifestement seul dans la maison. Il nous accueillit avec de grandes démonstrations d'amitié, fit asseoir Ursula dans un grand fauteuil avec un rien trop d'égards et des amabilités à n'en plus finir. Elle ne disait pas un mot, les lèvres serrées, le visage fermé.

– Que voulez-vous boire ? nous demanda-t-il enfin.

– Je prendrais volontiers un grog chaud, dit Ursula qui s'était enfin décidée à bien se conduire.

– Moi aussi, approuvai-je.

– Les domestiques ne sont plus là, dit le Shah, mais je vais passer la commande à l'hôtel. Ce ne sera pas long.

Il décrocha le téléphone et prit soin de ses hôtes.

– Et maintenant, mon cher, reprit-il, dites-moi un peu. Qu'est-ce qui se passe en ce moment sur les marchés financiers ? J'ai entendu dire aujourd'hui qu'il y aurait des bouleversements spectaculaires ?

Je lui racontai ce que j'en savais . les retraits saoudiens, la baisse consécutive des cours de la bourse et du dollar.

– Et connaissez-vous les raisons de ce brutal changement d'attitude ? demanda-t-il. Je croyais que vous étiez leur conseiller financier ?

C'est ce que j'aurais appelé un coup bas, si j'avais fait de la boxe.

– Je l'étais, répondis-je. Mais ils ne m'ont pas consulté depuis au moins cinq jours. Vous savez certainement que les communications sont coupées avec Ryad.

– Oui, je sais. Cela doit être agréable pour vous. En tout cas' je peux vous dire ce qui s'y passe.

Et il entreprit de me raconter le renversement et l'exécution de Fahad, Yamani et Abdul Aziz par Abdullah.

– De toute façon, conclut-il avec un sourire, vous n'aviez guère besoin de ce job, si je ne me trompe.

Ce n'était plus de la boxe, c'était de la boucherie. Mais je n'avais qu'à me taire. Il avait raison. J'aurais mieux fait de rester sur mon ranch et de dépenser mes revenus.

– D'après ce qu'on m'a dit, reprit-il, il n'y a pas que les Saoudiens à se retirer massivement de la place de New York. Il paraitrait que d'autres en font autant.

– C'est normal, répondis-je. Dès qu'il y a un signe de panique, les moutons s'empressent de former un troupeau.

– En effet, dit-il. Les Français auraient déjà commencé, les Suisses aussi paraît-il.

Je dissimulai ma surprise. Le fumier en savait apparemment autant sinon plus que moi...

– Pourquoi, à votre avis, les Suisses feraient-ils une chose pareille ? reprit-il d'une voix suave. Ce sont des financiers avisés, ils devraient savoir qu'il ne faut jamais liquider dans des conditions pareilles.

– Les Suisses sont prudents, dis-je, très prudents. Dès qu'ils flairent le danger, ils ne font plus confiance à personne, pas même aux Américains.

– Est-ce que cela aurait quelque chose à voir avec... un séquestre ?

Là, j'en eus le souffle coupé. Que quelqu'un comme moi soit au courant de ce genre de choses, passe encore. Mais le Shah d'Iran ?

– C'est possible, en effet, admis-je. C'est très possible.

– Expliquez-moi donc un peu.

– Cela remonte, commençai-je, à 1941, au 14 juin 1941 pour être plus précis.

C'était mon tour de lui en mettre plein la vue. Car le grand séquestre de 1941 avait précisément été le sujet de ma thèse de doctorat. Il n'est jamais facile de trouver un sujet de thèse qui n'ait pas déjà été exploité jusqu'à la corde par tous les petits copains. J'avais cherché, fouillé, et j'étais tombé sur celui-là qui, à l'époque, n'avait intéressé personne.

– Le 14 juin 1941, donc, fut publié le décret 8785 qui s'appliquait non seulement à la Suisse mais à tous les pays d'Europe. Ce décret avait déjà été préparé en avril 1940, et n'avait été appliqué qu'aux avoirs des pays occupés par les nazis. Peut-être Roosevelt a-t-il eu, un an plus tard, la conviction que toute l'Europe allait y passer. En tout cas, le décret fut amendé pour englober la totalité des avoirs européens et remis en application. Huit jours plus tard, si vous vous en souvenez, l'Allemagne attaqua la Russie.

– Excusez-moi de vous interrompre, me dit le Shah, mais comment se fait-il que vous soyez tellement au courant de cette question ?

Je lui parlai de ma thèse, ce qui eut l'air de lui causer une joie dont je ne parvins pas à m'expliquer la cause.

– Excellent, dit-il, excellent. Reprenez, voulez-vous. Que se passa-t-il donc quand ce décret fut mis en application ?

– En gros, il se passa que les Etats-Unis mirent, à compter de cette date, la totalité des avoirs européens en Amérique sous séquestre. Sauf ceux de l'Angleterre, bien entendu.

– Vous voulez dire que ces avoirs ont été littéralement saisis ? Que les banques suisses, par exemple, ne pouvaient plus récupérer leur propre argent placé en Amérique ?

– Exactement. Ce qui ne veut pas dire, toutefois, qu'elles n'avaient plus le droit de vendre ou d'acheter des valeurs, par exemple. Mais le produit des ventes, les liquidités, les titres eux-mêmes, rien ne pouvait plus quitter le pays pour la durée de la guerre.

– La durée de la guerre ? s'exclama le Shah. Mais en juin 1941, les Etats-Unis n'étaient encore en guerre avec personne, que je sache ! Quel prétexte ont-ils donc invoqué pour faire une chose pareille ? Les belligérants, passe encore. Mais des neutres, comme les Suisses ?

– Voulez-vous que je vous en cite quelques articles ? Je les connais encore par cœur. « Prévenir la liquidation aux Etats-Unis de biens acquis par le pillage ou la contrainte... »Et plus loin : « Prévenir l'utilisation des structures financières des Etats-Unis à des fins pouvant léser la défense nationale et autres intérêts nationaux... » Et encore : « Décourager les activités subversives sur le territoire national... » Quand ou touche aux finances, les Américains font toujours preuve d'une haute moralité, vous voyez

– C'est incroyable ! s'exclama le Shah, indigné.

J'approuvai, car je ne pouvais pas dire le contraire.

– Mais enfin, reprit le Shah, nous savons tous que les banques suisses, pour ne pas parler des autres, ne font pas que placer l'argent des Suisses. Ils se chargent des intérêts de clients de toutes nationalités. Ainsi, les avoirs saisis par l'Amérique pouvaient également appartenir à des Mexicains ou des Brésiliens, neutres eux aussi. Ces avoirs là ont été saisis comme les autres ?

– Bien sûr, dis-je. Et le séquestre n'a été levé qu'en 1949 Huit ans plus tard.

— Je comprends, maintenant ! s'écria-t-il.

Je ne compris pas tout de suite ce qu'il avait compris, mais je n'eus pas longtemps à attendre.

— Supposons, reprit le Shah, qu'une guerre éclate au Moyen-Orient. Est-ce que les Etats-Unis pourraient, en vertu de ce décret, séquestrer les avoirs des pays du Moyen-Orient, même s'ils n'y sont pas mêlés ?

— C'est possible, répondis-je.

— Et les avoirs européens ?

— Ce serait aller un peu loin, mais ils l'ont bien fait en 1941. Il n'y a pas de raison pour qu'ils ne recommencent pas.

— Pourquoi demandez-vous cela ? intervint alors Ursula.

— Nous parlons affaires, ma chère, répondit le Shah.

— Je sais de quoi vous parlez ! explosa Ursula avec véhémence. Vous êtes en train de préparer la guerre ! Et vous avez peur pour tout votre argent volé, que vous croyiez avoir si bien caché dans les banques suisses, c'est bien ça ?

— Du calme, Ursula, dis-je sèchement.

— Non, je ne vais pas me calmer ! hurla-t-elle en dardant sur le Shah des yeux de tigresse. Vous avez entraîné mon père dans vos folies criminelles ! Maintenant que vous avez vos bombes atomiques.vous ne trouvez rien de mieux que de vous faire des soucis pour votre fric !

— Vous feriez mieux de partir, Dr. Hitchcock, dit le Shah. Emmenez cette Juivesse ! Quant à vous, reprit-il en se tournant vers Ursula, je vous connais vous et les vôtres ! Tous pareils, les Juifs ! Des exaltés, des fauteurs de troubles ! Mais ils n'en ont plus pour longtemps, je vous le promets !

— Vous êtes un fou, un fou dangereux ! poursuivit Ursula. Un paysan demeuré qui a eu la tête tournée, parce qu'on a été assez idiot pour prendre un paysan iranien analphabète et en faire un Shah !

— Dehors ! hurla le Shah, debout et le bras tendu.

— Et vous avez même peur de ce que vous dit une Juive ! Vous êtes pire qu'un rustre et un cinglé, vous êtes un lâche !

Là-dessus, et je jure que ce n'est que la pure vérité, elle lui cracha à la figure.

Nous sommes partis sans même avoir bu nos grogs.

Nous avions à peine refermé la porte derrière nous que le Shah fit quelque chose qui allait affecter notre destin à tous, celui d'Ursula peut-être un peu plus que les autres.

– Khatami ! gueula-t-il d'une voix de stentor. Khatami !

Le général bondit dans la pièce en pyjama, pistolet à la main.

– Rentrez ça, imbécile ! lui dit le Shah avec sa gentillesse coutumière. Demain, faites préparer toutes les bombes.

– Quoi, Votre Altesse ? bafouilla Khatami en se mélangeant dans les titres.

– Ecoutez quand je vous parle ! Je vous ai dit de faire équiper les six Phantoms pour le chargement des bombes, vous entendez ? Et je veux que ça soit fait immédiatement, je dis immédiatement, après notre retour. Nous rentrons tous demain. Allez prévenir l'impératrice. Et faites vos bagages. Nous partons à neuf heures. Rompez !

Il nous fallut presque une heure pour remonter jusqu'à notre chalet de Chantarella. Ursula ne desserra pas les dents. En rentrant, elle alla se mettre tout de suite au lit. Avant d'aller la rejoindre, je voulus d'abord passer quelques coups de téléphone.

Mon premier fut pour Aldrich. Je le mis au courant de ce qui se préparait, que l'exode des capitaux n'allait plus se limiter à ceux des Saoudiens mais englober la quasi-totalité des avoirs européens, plus de cent milliards de dollars. Au début, Alrich ne me crut pas et je dus lui expliquer que la panique du séquestre commençait à se répandre. Je lui conseillais même d'aller sans attendre à Washington et de faire fermer les bourses jusqu'à ce que les choses se calment au Moyen-Orient. Il poussa un soupir à fendre l'âme.

– On pourra raconter tout ce qu'on voudra, Hitchcock, personne ne nous croira plus. C'est nous qui les avons foutus dedans avec les Saoudiens, on ira encore nous accuser de je ne sais quoi. Allez vous coucher. On s'en sortira bien d'une manière ou d'une autre. On s'en est toujours sorti, jusqu'à présent.

Mais je n'allais pas me coucher comme il me le conseillait. Il avait beau être minuit passé, j'appelai l'ambassade à Berne et je réussis même à tirer Sinclair du lit. Nous ne nous connaissions pas, mais il savait qui j'étais. Cela ne l'avait pas mis de meilleure humeur pour autant.

– Monsieur l'ambassadeur, lui dis-je après m'être confondu en excuses, je ne vous aurais pas appelé à une heure pareille si je n'avais pas à vous communiquer des renseignements de la plus haute importance pour la sûreté de l'Etat. Je viens d'acquérir la conviction que l'Iran s'apprête à attaquer ses voisins du Golfe Persique.

– Ah oui ? dit-il en étouffant un baillement. Et qu'est-ce qui vous fait dire ça ?

— Je viens d'avoir une conversation avec le Shah.

— Vous n'êtes pas le seul, aujourd'hui surtout.

— Mais je sais également que le Shah possède des armes atomiques et a l'intention de s'en servir. Je le tiens d'une source absolument sûre.

— Je croyais que vous étiez banquier, M. Hitchcock, dit Sinclair avec un rire de commisération. Je ne savais pas que vous faisiez dans l'espionnage !

— Mais enfin, dis-je en me fâchant, si je vous le dis, c'est parce que je le sais ! J'en suis certain. Je sais qui les a fabriquées, où, comment. Je sais tout sur la question !

— Et d'ou tenez-vous ces renseignements ?

— De la propre fille du savant suisse qui les a mises au point pour le Shah !

— Suisse ? Allons M. Hitchcock, si c'est une plaisanterie, elle est d'un goût douteux ! De toute façon, cette conversation n'a déjà que trop duré. Si vous avez quelque chose à me dire, écrivez-le et mettez-le sous enveloppe. J'enverrai un de mes hommes pour s'en occuper. Bonsoir.

Ursula s'était levée pendant que je parlais. Debout près de la porte, elle me regardait contempler, l'air idiot, le combiné devenu muet.

— Tu as fait tout ce que tu as pu, Bill, dit-elle d'un air las. Viens te coucher, maintenant. Tu as l'air crevé.

— Et toi ?

— Je n'arrive pas à m'endormir.

— Ecoute, Ursula, dis-toi bien une chose. Si ça n'avait été ton père, à la demande expresse de la Suisse, ne l'oublie pas, ç'aurait été quelqu'un d'autre. Un autre Suisse, un Français, mais le Shah aurait quand même eu ses bombes. Nous n'y pouvons plus rien, ni l'un ni l'autre. Il faut s'y résigner, voilà tout.

— Je sais, Bill. Va te coucher.

— D'accord, j'y vais. Mais une dernière chose, Ursula. Ce n'est peut-être pas une grande consolation, mais tu peux te dire que l'énergumène au pied de la montagne va avoir, lui aussi, du mal à s'endormir, après la scène que tu lui as faite !

Il devait être aux environs de deux heures du matin quand je me réveillai en entendant la voix d'Ursula. Elle était au téléphone, et je compris qu'elle parlait à son père en Iran.

— ... et il m'a traitée de sale Juive. Et c'est après cela qu'il m'a dit : « Vous êtes tous les mêmes, des fauteurs de troubles. Mais plus pour longemps ». Vous comprenez, père ?

Elle fit une pause.

– Avez-vous repensé à ce que je vous ai dit la veille de mon départ ?

Une pause, un peu plus longue cette fois.

– Et vous avez trouvé une autre solution ? Bien. Et vous me promettez ? Vraiment ?

Une pause. Il avait dû répondre oui.

– Tant mieux. Père, je vous aime. Il faut que vous vous sauviez Essayez, au moins, je vous en supplie...

Je ne pouvais pas en entendre davantage. Je me cachai la tête sous l'oreiller, me bouchai les oreilles. Je n'entendis plus la voix d'Ursula parlant à son père.

Dix minutes plus tard, elle vint se glisser doucement à côté de moi. Je continuai à feindre le sommeil. Car je ne pouvais vraiment plus rien faire pour elle. Au moins, elle avait pu lui parler avant que les communications soient, à leur tour, coupées avec l'Iran.

A neuf heures, le lendemain matin, le Shah, son épouse bien aimée Farah Diba et leurs chers enfants quittèrent St Moritz pour Téhéran. Ursula et moi avions décidé d'aller skier de bonne heure et de nous étourdir pour tenter d'oublier tout cela. C'est ainsi que nous vîmes, une fois de plus, passer le cortège de Mercedes.

Nous ne fîmes aucun commentaire sur cette rencontre. De toute façon, nous ni personne ne pouvait plus rien faire que d'espérer un miracle qui renverserait le cours des événements. Ce devait être, j'imagine, l'état d'esprit de la plupart des gens en août 1914, en octobre 1929 ou en septembre 1939, quand ils se rendirent compte que le monde commençait à s'écrouler autour d'eux. La seule différence était que nous étions en mars 1979, et que nous avions réussi à nous convaincre que ce genre de choses ne pouvait plus jamais, arriver.

Cela allait pourtant arriver.

Trois jours plus tard, le 19 mars 1979, le Shah d'Iran déclencha son attaque.

CHAPITRE 24

Les hostilités de la « Guerre des quatre jours », comme on allait l'appeler par la suite, commencèrent à six heures trente précises, le matin du lundi 19 mars. Les astrologues du Shah avaient approuvé le choix de la date, et les historiographes de la cour avaient donné leur assentiment. Se basant sur l'ancien calendrier persan, ils avaient calculé que c'était exactement à la même date, en l'an 226 de notre ère, que l'un des prédécesseurs du Shah avait déclaré l'établissement de l'Empire Sassanide. Cet empire, qui englobait toutes les terres bordant le Golfe Persique, avait duré plus de quatre siècles. Or, le but du Shah en l'an 1979 était précisément le rétablissement de la gloire passée de la Perse dans l'éclat d'une nouvelle grandeur. Car le Roi des Rois, cette année là, avait aussi cinquante-neuf ans, et le temps pressait.

La veille au soir, il était venu s'installer à son poste de commandement, aménagé dans une casemate de béton enterrée à sept mètres au-dessous de la base aérienne de Khorramshahr. C'est de cette base qu'allaient partir les premières attaques. On les aurait dites conçues par les Israéliens : cent Phantoms et cinquante Mirages F-1, tous équipés de missiles, firent une série de raids à basse altitude sur les huit principales bases irakiennes. Le soleil n'était pas levé que cent trente-trois des deux cent quatre-vingt-cinq appareils de combat de l'aviation irakienne étaient déjà détruits au sol, grâce à la remarquable précision des missiles –

Phœnix américains et Matra français – et à l'excellent entraînement donné aux pilotes iraniens par leurs instructeurs de l'US Air Force. Aucun avion saoudien ne fut détruit au cours de ces raids, pour la bonne raison qu'il n'y en avait aucun.

La seconde attaque aérienne ordonnée par le Shah fut lancée une heure plus tard. Son objectif : le port de Umm Qasr, situé juste à la frontière de l'Irak, où les Soviétiques avaient construit pour les Irakiens une base navale destinée à garder l'embouchure du Chott-el-Arab. Cent-vingt F-5 Northrop rasèrent la ville et ses installations portuaires et militaires en moins d'une heure. A huit heures et demie, un fort contingent héliporté d'infanterie iranienne vint occuper les lieux sans rencontrer la moindre résistance.

– Bon travail, Khatami ! apprécia le Shah quand il reçut confirmation du succès de l'opération.

Le bunker du Shah était une merveille de la technologie la plus moderne. Il avait été construit par la division Entreprise Générale de Bechtel-San Francisco, et équipé par Raytheon, Litton Industries, Westinghouse et Texas Instruments de ce que les applications militaires des télécommunications comportaient de plus futuriste et de plus raffiné. Rien, ni au Pentagone ni à la Maison-Blanche, ne pouvait s'y comparer. Mais le poste de commandement du Darius des temps modernes n'était pas seulement à la pointe du progrès : il était implanté à un emplacement stratégique de grande valeur, à quinze kilomètres de la frontière irakienne et à vingt kilomètres des rives du Golfe Persique. C'était peut-être un endroit dangereux pour un commandant en chef. Mais le Shah se peignait plus volontiers dans la grande lumière des premières lignes, à la place d'un Napoléon, que dans la sécurité obscure de l'arrière et la peau peu glorieuse d'un Eisenhower.

Aussi, ce fut lui-même qui déclencha la troisième attaque, à huit heures quarante-cinq.

Plus massif que les deux précédents, ce troisième raid aérien était dirigé contre les formations d'artillerie et de lance-missiles ayant pris position en face d'Abadan et de Khorramshahr, sur l'autre rive du Chott-el-Arab. En vagues ininterrompues, les Phantoms et les F-5 arrosèrent littéralement les troupes irakiennes de bombes et de napalm. Ce fut dévastateur.

Le Shah avait raison de se féliciter. Car l'aviation iranienne se révélait, ce jour-là, la meilleure de tout le Moyen-Orient et l'une des toutes premières au monde. Son efficacité, en termes de temps de rotation et de techniques opérationnelles, surpassait même celle dont les Israéliens avaient fait preuve en 1973 et que l'on croyait inégalable.

A onze heures du matin, une fois le succès total des trois attaques aériennes dûment confirmé, le Shah se prépara à entamer sa manœuvre la plus élégante et la plus inattendue.

– Shahandeh, dit-il au Commodore, à vous !

Quelques instants plus tard débuta ce que les historiens et les professeurs d'écoles militaires allaient baptiser par la suite : « Le rallye du Chott-el-Arab ». L'opération avait été conçue par celui-là même qui en surveillait l'exécution, le Commodore Fereydoun Shahandeh. Pour la première fois au monde, une opération militaire était entièrement fondée sur l'utilisation massive des véhicules à coussin d'air. La topographie s'y prêtait, il faut le dire, admirablement. Si vous vous en souvenez, le Shah avait exhibé des photographies de fortes concentrations de blindés irakiens dans l'étroit corridor entre le Tigre et la frontière iranienne. Derrière eux s'étendaient les vastes zones marécageuses du delta commun du Tigre et de l'Euphrate. Ces marécages étaient infranchissables par des véhicules ordinaires. Pour s'en sortir, les Irakiens auraient dû soit franchir la frontière de l'Iran, soit revenir par où ils étaient passés, c'est-à-dire par les étroites langues de terre ferme du nord ; il importait donc de les attaquer et de les éliminer avant qu'ils aient le temps de battre en retraite.

C'est là que les véhicules à coussin d'air, les overcrafts britanniques, prennent toute leur valeur. Car là où les chars, les camions, même les amphibies ne passent pas, les overcrafts passent à soixante kilomètres/heure à pleine charge, tant que la surface sur laquelle ils se déplacent – eau, sable, marais – est à peu près plate. C'est ce qu'avait prévu Shahandeh. Ces énormes machines transportaient dans leurs flancs la valeur d'une division blindée : des chars Chieftain britanniques, des transports de troupe blindés lance-roquettes soviétiques BTR-50 et BTR-60, sans compter les hommes groupés sur les ponts supérieurs. Mais pour que cette redoutable force d'intervention puisse entrer en action, il fallait auparavant réduire au silence la base navale d'Umm Qasr et l'artillerie du Chott-el-Arab. Ceci étant fait et confirmé, le Shah donna donc son ordre au Commodore à onze heures du matin.

Aucun des témoins ou des participants ne pourra jamais oublier le spectacle qu'ils virent alors prendre place sur les bords du Golfe Persique, juste à l'est d'Abadan. A onze heures cinq, l'air s'emplit tout à coup du hurlement simultané de centaines de moteurs, laissant échapper un véritable torrent de bruit insoutenable dans son intensité Lentement, majestueusement, les monstres mécaniques commencèrent à se soulever tandis que l'air s'accumulait sous leurs tabliers. Alors, en colonne par cinq, ils quittèrent le sable des plages pour s'engager sur les eaux profondes du Golfe, soulevant des nuages d'écume tourbillonnante à mesure qu'ils quittaient la terre ferme. Bientôt, on les distinguait à peine dans la brume se formant autour d'eux. On aurait dit que le diable en personne avait imaginé un tel spectacle. Et tandis que ces monstrueuses machines de guerre s'ébranlaient, en rangs ininterrompus, pour s'engouffrer dans les chenaux du Chott-el-Arab, on croyait assister à une invasion de Martiens.

Deux heures plus tard, ayant remonté le delta vers le nord-ouest. les overcrafts s'arrêtaient sur la terre ferme pour cracher leur cargaison à l'arrière des formations irakiennes. Au même moment le gros des « panzers » du Shah arrivait d'entre Dezful et Ahvaz et attaquait de front. Ce fut un véritable massacre. Il n'était pas trois heures de l'après-midi que le plus gros des troupes irakiennes, ou du moins ce qui en restait, avait préféré se rendre.

Dans le poste de commandement de Khorramshahr, on passa le reste de l'après-midi à faire le bilan de la journée, à regrouper les forces et à préparer les opérations du lendemain sur l'immense carte couvrant un mur entier. Le Shah et ses aides vérifièrent soigneusement leurs objectifs et les moyens à mettre en œuvre Koweït, Bahrein, Quatar, Abou-Dabi, Dubaï, Oman... Tout y était. A huit heures du soir, les préparatifs étaient terminés.

CHAPITRE 25

C'est sans doute vers la même heure, la fin de la matinée à New York, que l'on peut situer le véritable début du grand Krach de 79. Car c'est à midi, le 19 mars, que les patrons de la finance de Wall Street commencèrent à s'apercevoir qu'un phénomène irréversible était en train de prendre place : une panique financière.

Des analyses raisonnées, pondérées par le recul, ont prouvé depuis qu'il ne faut pas en chercher la cause dans la guerre du Moyen-Orient Aux premières heures du 19 mars, en effet, les communiqués de presse en faisaient à peine état, la traitant au pire comme un incident frontalier, comme il y en avait déjà eu tant, entre l'Iran et l'Irak. Bien sûr, il s'agissait cette fois de quelque chose d'un peu plus sérieux que les duels d'artillerie habituels ou les escarmouches entre patrouilles. Mais cela restait un engagement localisé. Il n'y avait aucun Américain qui y soit mêlé. Pas de Russes, pas de Chinois non plus. Même pas de Saoudiens ni d'Egyptiens ni même d'Israéliens. On peut donc dire que les débuts de la Guerre des Quatre Jours passèrent sinon inaperçus, du moins quasiment méprisés.

Mais ils servirent peut-être de prétexte, de catalyseur. Le seul parallèle historique qui vienne à l'esprit est celui de l'assassinat de l'Archiduc François-Ferdinand dans la capitale de la Bosnie, Sarajevo, en juillet 1914. Ce coup de pistolet isolé allait, à lui seul, allumer la gigantesque poudrière de la Première Guerre mondiale. Mais il n'avait pu l'embraser aussi vite et aussi complètement que parce que l'incendie avait été soigneusement préparé.

Comment peut-on comparer les deux événements ? De même que, pendant l'été de 1914, la situation politique de l'Europe avai atteint un point de déséquilibre préludant inéluctablement à une rupture violente, la situation financière du monde occidental au printemps de 1979 – et particulièrement celle de l'Amérique – était arrivée à un état de vulnérabilité sans précédent depuis la fin des années 20. Comme nous avons tenté de le montrer, la situation des banques représentait, à elle seule, une bombe à retardement. Dès 1976, les deux plus grandes banques de la place de New York, la First National City Bank et la Chase Manhattan, avaient été déclarées des « problèmes » par les autorités de tutelle. Elles avaient redressé la situation depuis, mais sans corriger la cause de leur instabilité. Chez elles, tout comme chez leurs sœurs moins prestigieuses, la folie criminelle de prêter à long terme pour emprunter à court terme, de déverser des milliards de bon argent frais pour boucher de mauvais trous et éviter de faire passer des pertes trop criantes en comptabilité, de donner à fonds perdus des sommes fabuleuses à des gouvernements « en voie de développement » incapables de jamais rembourser quoi que ce soit, d'investir dans des finances municipales au bord de la faillite pour garder la haute main sur les politiciens, toutes ces pratiques absurdes avaient ouvert la voie au seul péril mortel dont elles étaient menacées : le retrait massif des fonds qu'elles avaient en dépôt.

Mais les paniques et les retraits n'arrivent jamais dans une atmosphère générale de prospérité ou de confiance dans le système économique ou les institutions. Car un gouvernement fort, des institutions respectées peuvent toujours tout sauver, même les banques. Or, au début de l'année 1979, cette confiance était proche de zéro. Les villes, les Etats étaient virtuellement paralysés du fait de leurs dépenses extravagantes, leur crédit n'existait plus, les rentrées fiscales – du fait de la crise qui s'éternisait – ne pouvaient matériellement plus compenser l'assistance prodiguée aux citoyens.

Mais le pire se trouvait, comme on peut s'y attendre, dans l'état des finances du gouvernement fédéral. A la même époque, il était endetté de huit cent soixante-dix-neuf milliards de dollars, et devait continuer d'emprunter au moins trois milliards par semaine pour ne pas sauter ! Si l'on fait l'addition de la dette publique fédérale, régionale et municipale, on en arrive à des chiffres dépassant littéralement l'imagination, de plusieurs millions de milliards.

Alors, direz-vous ? Quelle importance ? Comme le professent de nombreux économistes, et non des moindres, l'endettement est un des moteurs essentiels du progrès social. De fait, sans cet encouragement vital, l'Amérique ne serait jamais devenue la plus grande puissance économique de l'univers, une puissance dont le taux de croissance annuel avait toujours largement dépassé son endettement. Sans doute. Mais cette puissance, cette centrale, cette usine de fabrication de richesses dépendait d'approvisionnements abondants en énergie pour pouvoir tourner, et cette énergie lui était fournie, depuis le début du siècle, essentiellement par le pétrole. Aussi, l'Amérique était-elle devenue aussi sensible à ses approvisionnements énergétiques que les banques à leurs flux de capitaux. En 1979, la soi-disant « Opération Indépendance » avait débouché sur un échec complet. La moitié des besoins énergétiques de l'Amérique devait provenir des importations, et cette proportion ne cessait de croître. Ainsi, la gigantesque usine à richesses ne pouvait fonctionner que grâce à des étrangers. Situation malsaine s'il en est.

Aussi, l'Amérique était-elle doublement vulnérable, doublement exposée aux intérêts, voire aux caprices, du reste du monde. C'était des étrangers qui contrôlaient ses ressources en énergie. C'était des étrangers qui détenaient la « minorité de contrôle » de ses réserves financières. Mais Il ne s'agissait pas d'une proportion assez écrasante pour faire retentir la sonnette d'alarme et provoquer une réaction de défense. Les avoirs étrangers ne dépassaient pas, au début de 1979, plus de cent milliards de dollars, en bons du Trésor, en valeurs boursières, en dépôt à court terme. C'était peu. C'était assez, plus qu'assez, pour provoquer un début de panique si ces avoirs s'enfuyaient massivement des places financières des Etats-Unis.

Et ce lundi 19 mars 1979, ils s'enfuyaient. Oh oui, ils s'envolaient littéralement ! Les Saoudiens, depuis quelques jours déjà, avaient commencé la course en retirant leurs fonds à la cadence de deux milliards par jour. Les Français les avaient rejoints en liquidant en bloc leurs bons du Trésor. Les Suisses, désormais, avaient rallié leurs rangs, et les Suisses contrôlaient à eux seuls plusieurs dizaines de milliards de dollars d'avoirs étrangers. Et quand ils s'y mirent, ils ne se contentèrent pas de vendre, ils liquidèrent, en masse. Par paquets. Les actions, les obligations, les bons du Trésor, les emprunts publics et privés. Ils retirèrent leurs dépôts des banques de New York et de leurs succursales de Londres, des banques de Chicago, des banques de Californie, sans oublier de leurs succursales internationales. Peu après les Suisses, les Allemands arrivèrent en force dans la débâcle. Et les Allemands étaient presque aussi dangereux que les Suisses, car à eux seuls ils détenaient autant de créances que les Saoudiens.

Pourquoi, pourquoi une liquidation aussi massive, aussi soudaine des avoirs aux Etats-Unis ? Parce que, depuis des années, la finance internationale se méfiait de plus en plus des structures financières américaines. Parce que le dollar n'inspirait plus confiance à personne. Parce qu'il ne fallait pas être grand clerc pour comprendre que ni les structures financières, ni la monnaie ne pourraient résister aux effets conjugués d'une politique fiscale irresponsable, d'une dette publique en accroissement continuel, d'une inflation incontrôlée et de méthodes bancaires aberrantes.

Il ne fallait plus qu'un prétexte, le plus futile, le moins rationnel. Ce prétexte, ce devait être la Guerre des Quatre Jours, la guerre du Shah. L'Europe savait que l'Amérique avait dangereusement chancelé lors de l'embargo pétrolier de 1973-74, alors qu'elle n'importait encore que quinze pour cent de son pétrole. Maintenant qu'elle dépendait du Moyen-Orient pour plus de cinquante pour cent de son énergie, ses gouvernements pouvaient paniquer, faire n'importe quoi jusque et y compris le genre de réaction que les Français et les Suisses, instruits par l'expérience, avaient été les premiers à redouter : le séquestre des avoirs étrangers Une explosion de la poudrière du Moyen-Orient pouvait déboucher sur une guerre économique mondiale. Alors, tous les coups seraient permis, nul ne serait plus à l'abri.

C'est pourquoi, tous, avec ensemble, ils s'enfuirent loin du danger. Le 19 mars 1979 à midi, l'on avait estimé que la fuite des capitaux étrangers atteignait le rythme de cinq milliards de dollars à l'heure !

La Banque Fédérale était totalement impuissante à prévenir ou même enrayer la fuite des capitaux étrangers à une telle cadence. Sans doute, son rôle consistait à stabiliser et contrôler le cours des changes, à gérer le dollar à l'échelle internationale. Mais, depuis Nixon, le gouvernement avait toujours voulu laisser flotter le dollar. Quiconque le voulait pouvait acheter ou vendre des dollars à son gré, et le cours de la monnaie était purement déterminé par les lois de l'offre et de la demande. C'était aussi à l'insistance du gouvernement des Etats-Unis que l'on avait procédé à une révision des règlements du Fond Monétaire International, et qu'aucun gouvernement étranger n'était plus sous l'obligation de venir en aide au dollar pour en soutenir les cours en cas de liquidations massives. Les gouvernements étrangers ne remuèrent donc pas le petit doigt.

Le 19 mars, à onze heures du matin, les Américains rejoignirent le flot des fuyards. Naturellement, les « gros », les professionnels de Wall Street et des autres places s'étaient déjà retirés à l'ouverture, voire la veille – comme je m'étais empressé de le faire moi-même quelques jours auparavant. Mais ce ne fut pas avant la fin de cette matinée que les autres, la vaste, l'énorme masse des autres commencèrent à comprendre qu'il y avait quelque chose qui sentait le brûlé.

Le premier foyer se déclencha à Fort Wayne, dans l'Indiana, au siège de la Hoosier National Bank dans Calhoun Street. A onze heures et quart, la file d'attente à la caisse des retraits remplissait déjà le hall de la banque et commençait à déborder sur le trottoir. Dans le Middle-West, en mars, il fait encore froid. Le 19 mars, sur le trottoir de Calhoun Street à Fort Wayne, il faisait bien moins cinq. Mais on est aguerri, dans les vastes plaines de l'Indiana, et il en fallait davantage pour décourager les solides fermiers qui. en colonne par trois, attendaient sans impatience que la file progresse.

Les conversations allaient bon train. Tous, ils commentaient les nouvelles du matin, ils parlaient avec leur indifférence méprisante des Arabes, des Français, des Suisses, avec à peine une pointe d'inquiétude des cours du dollar et de la bourse de New York. On n'avait pas peur, on était tout simplement prudent. A Fort Wayne, Indiana, on ne s'adonne pas comme cela à la panique ou à l'hystérie, comme les gens des villes. On a eu beau, pour la plupart, ne pas avoir mis les pieds dans une étable depuis une ou deux générations, on a beau avoir fait des études, être diplômé à l'occasion d'une université, on n'en est pas moins de solide descendance germanique et luthérienne. On a sa tête sur les épaules, bien plantée, et qui ne tourne pas comme une girouette. Pour la plupart, ces hommes et ces femmes n'étaient pas nés en octobre 1929, ou l'avaient presque oublié. Mais nul n'avait oublié les histoires de la Grande Dépression racontées inlassablement par leurs parents ou leurs grands-parents. « Si seulement, concluaient régulièrement les anciens, si seulement nous avions retiré nos économies à temps, on n'aurait pas eu de problèmes dans les années 30 ». Aussi, les braves gens de Fort Wayne avaient retenu la leçon. Ils ne voulaient pas avoir de problèmes pendant les années 80, et ils faisaient la queue sur le trottoir de Calhoun Street, devant la Hoosier National Bank.

Ce n'était pas une mauvaise banque, bien au contraire. C'était un établissement de crédit solide, géré avec rigueur. On ne faisait pas la folie de prêter de l'argent au Sri Lanka ou Dieu savait où. Les fonds déposés par les citoyens restaient aux mains des citoyens: la Zollner Corporation, fabricant de pistons et de paliers pour les grands de l'automobile de Detroit, les fermiers du canton qui modernisaient leurs tracteurs, les commerçants de Calhoun Street et des autres quartiers de Fort Wayne. Naturellement, la Hoosier National Bank avait beaucoup de bons du Trésor, mais pas plus que les autres. Et c'était un devoir patriotique : « Investissez dans l'Amérique », disaient les affiches. Si la Hoosier National Bank avait un problème, c'était le même que celui de toutes les banques, bonnes ou mauvaises dans le monde entier : il n'y avait jamais beaucoup de liquide dans les coffres. C'était surtout vrai depuis que la révolution des paiements, par chèque d'abord puis par cartes accréditives, avait bouleversé les habitudes. Pourquoi garder du liquide ? Tout se passe en jeux d'écritures.

Le Directeur de la Hoosier National Bank s'appelait Fred Willis. Fred Willis avait cinquante-cinq ans, ancien combattant de la guerre de Corée, trente ans de mariage sans la moindre entorse aux règles conjugales, bon père, assidu aux offices du Temple luthérien. Fred Willis était un homme pondéré, raisonnable, scrupuleusement honnête et sûrement pas un lâche. Pourtant, vers onze heures et demie, Fred Willis avait peur.

Depuis bientôt une heure, il arpentait de plus en plus nerveusement le parquet derrière les guichets, voyait l'argent s'évanouir de ses caisses. Alors, il rentra dans le bureau qu'il partageait avec son sous-directeur, Marty Kohler :

– Marty, lui dit-il, si ça continue à ce train-là, on va être à sec dans une heure. Appelez la First National of Indiana et demandez-leur de nous envoyer un million. En petites coupures, si possible.

Puis il retourna derrière les guichets, voir avec anxiété grossir la file d'attente. Une minute plus tard, Marty Kohler vint le rejoindre :

– Monsieur Willis, murmura le sous-directeur, ils ne peuvent rien nous envoyer. Ils commencent à être à court eux-mêmes.

– Restez ici, répondit Willis. Que tout le monde garde son calme. Je vais appeler la Fédérale.

La succursale de la Banque Fédérale la plus proche de Fort Wayne, celle dont dépendait l'Indiana, était à Chicago. Willis fut transféré d'un poste à un autre pendant cinq bonnes minutes, comme il convient à tout appel téléphonique adressé à une administration. Il obtint enfin le chef-caissier.

– Bonjour, Monsieur Rogers, dit Willis. On a un petit problème, à la Hoosier. Pourriez-vous nous dépanner avec un ou deux millions en petites coupures ? Il nous les faudrait tout de suite.

– Tout de suite ? demanda le caissier.

– Oui. Mettez-les nous par avion spécial, on vous réglera les frais.

– Mais c'est impossible, Willis ! s'indigna le caissier de la Fédérale

— Impossible ! s'exclama Willis qui commençait à s'énerver. C'est pourtant votre rôle, non ? On a tous nos déposants qui font des retraits depuis ce matin. Vous ne savez donc pas ce qui se passe à New York ?

— C'est pas une raison pour s'affoler, affirma le fonctionnaire. Allez donc parler à vos clients, calmez-les. Ces choses-là, ça prend du temps ! Deux millions en petites coupures ! Vous ne doutez de rien, vous ! Je vous envoie quelqu'un demain.

— Nom de Dieu ! s'écria Willis qui invoquait en vain le nom du Seigneur pour la première fois depuis une embuscade en 1950. Il me faut cet argent, et aujourd'hui même, vous entendez !

— Ne me parlez pas sur ce ton, Willis ! répliqua sèchement le caissier de la Fédérale. Je vous envoie quelqu'un demain.

Et Chicago raccrocha.

Sérieusement douché, Fred Willis retourna dans le grand hall de la banque et imposa le silence. Il fit alors un petit discours, annonçant que la Fédérale allait envoyer du liquide dès le lendemain, qu'il n'y avait aucune raison de s'affoler, que la Hoosier National Bank n'avait jamais donné, depuis plus de cinquante ans d'existence, aucune raison d'inquiétude à sa clientèle alors que d'autres, n'est-ce pas... Ces sages paroles n'eurent pas le moindre effet. A treize heures dix-sept, les coffres de la Hoosier National Bank furent complètement à sec. A treize heures vingt-deux, les deux gardes refermèrent les portes.

Dans l'heure, sept autres banques de l'Etat d'Indiana en firent autant. Elles étaient toutes de bonnes banques régionales, estimablement connues, sagement et honnêtement gérées. Mais elles n'avaient pas assez de liquide pour couvrir leurs dépôts. Et la Banque Fédérale leur opposa, à toutes, le même mépris hautain.

Pour des raisons encore aujourd'hui mystérieuses, l'Indiana constitua une exception notable aux Etats-Unis ce jour-là. Il y en eut quelques autres exemples, mais isolés, et tous dans des Etats réputés raisonnables et plutôt conservateurs : l'Utah, le Montana, l'Iowa. New York, le Texas et la Californie, les Etats « fous », fermèrent aux heures habituelles, leurs réserves intactes.

A cinq heures, l'après-midi de ce même jour, le chaos le plus complet régnait à la Maison-Blanche. Il n'y avait pas un patron d'agence, un sous-secrétaire de quelque chose, un ministre qui ne fasse antichambre et insiste pour voir le Président. Quatre seulement parvinrent à forcer les barrages et à pénétrer dans le Bureau Ovale : le Secrétaire d'Etat, le Secrétaire à la Défense, le Secrétaire au Trésor et le Président de la Banque Fédérale.

Mais il n'était toujours pas question de guerre. Seulement d'argent.

Le Président de la Banque Fédérale venait de terminer son exposé de ce qui s'était passé dans l'Indiana, et le Président avait demandé au Secrétaire au Trésor ce qu'il en pensait.

– Ce n'est pas notre faute, répondit le grand argentier comme si on l'avait accusé. Ce sont les banques qui ont tout provoqué, en acceptant tout ce maudit argent étranger...

– Dites donc, intervint le Secrétaire d'Etat, ne mettez pas tout sur le dos des banques. Ce serait trop facile. Vos services eux-mêmes ont vendu plus de quatre-vingt milliards de vos bons à vue à l'étranger.

– Et alors, il y avait moyen de faire autrement, à votre avis ? rétorqua l'homme du Trésor. Je voudrais vous y voir, vous, à essayer de financer le budget.

– Messieurs, ça suffit, intervint le Président. Qu'est-ce qui se passe avec les bons du Trésor ?

– Le marché est en train de s'effondrer, voilà tout. Tout le monde bazarde à tour de bras ! Jusqu'aux Allemands qui s'y sont mis... Je comprends la réaction de ces pauvres bougres de l'Indiana. Mettez-vous à leur place !

– C'est pas ça que je vous demande, nom d'une pipe ! répondit le Président. Qu'est-ce qu'il faut faire ?

– Nous n'avons pas le choix. La Fédérale doit racheter, tout, en bloc. Si les Français, les Suisses, les Allemands et le monde entier bradent nos bons du Trésor, il faut que nous les rachetions. Il n'y a que nous qui puissions le faire. Vous pouvez même être sûrs que dès demain, à l'ouverture, les banques vont commencer à les fourguer elles aussi. Si nous n'enrayons pas la chute des cours en rachetant aussi massivement qu'ils vendent, les cours ne vont plus seulement s'effondrer, ils vont disparaître, un point c'est tout.

– Cela ne serait pas pensable ! dit le Président.

– Une minute, Messieurs ! dit alors le Président de la Banque Fédérale. Est-ce que vous vous rendez compte de ce que vous venez de dire ?

– Je sais encore ce dont je parle, dit sèchement le Secrétaire du Trésor qui avait toujours considéré l'homme de la Fédérale comme un Néanderthal peu évolué.

– Je n'en ai pas l'impression ! contra ce dernier. Si nous nous mettons à racheter en bloc les bons du Trésor, comme vous le suggérez, nous allons tout simplement inonder le marché avec des espèces. Du liquide, précisa-t-il.

– Et alors ? C'est exactement ce dont nous avons besoin.

— Vous êtes inconscient, ou quoi ? s'indigna le Fédéral. Où allons-nous prendre ces espèces ? Ce n'est pas de l'argent qui provient de rentrées fiscales ni de l'emprunt. Vous nous demandez froidement d'imprimer des milliards et des milliards, et de mettre de la fausse monnaie, en quelque sorte, en circulation, comme ça !

— Exactement, approuva le Secrétaire au Trésor froidement.

— Et vous vous rendez compte des conséquences ? Vous souvenez-vous seulement de ce qui s'est passé en Allemagne, dans les années 20 ? L'inflation deviendrait aussi monstrueuse...

— Ah non, coupa le Président, épargnez-moi encore un de vos discours sur les dangers de l'inflation ! Faites marcher la planche à billets s'il le faut, mais il n'est plus temps de se lamenter. Il faut passer à l'action, et tout de suite. Je ne saurai accepter, en aucun cas, un effondrement des cours des bons du Trésor américain, un point c'est tout. Je n'accepterai jamais non plus une seule faillite d'une seule banque dans ce pays. Vous comprenez ce que je vous dis ?

Et le Président ponctuait son discours d'un index vengeur, si vengeur qu'il faillit le rentrer dans l'œil du malheureux banquier fédéral qui en avala presque sa pipe.

— Je... balbutia l'infortuné.

— Vous, vous vous taisez et vous allez faire ce que je vous dis, compris ? tonna le Président. Sinon, j'aurai votre peau, à moins que vous ne soyez lynché en premier lieu !

Le Président de la Fédérale soupira. Il ne servait à rien de heurter de front ces analphabètes fiduciaires. Mieux valait prétendre plier devant eux, quitte à ramener un peu de bon sens plus tard, quand la voix de la raison se ferait à nouveau entendre. Il émit néanmoins une dernière protestation pour la forme :

— Il va falloir au moins quinze milliards d'argent frais, j'allais dire de fausse monnaie, pour stabiliser le marché des obligations d'Etat, plus une dizaine au moins pour fournir des liquidités aux banques. Cela fait donc au bas mot vingt-cinq milliards de dollars à faire sortir d'un chapeau.

— Nous le savons aussi bien que vous, répondit le Secrétaire au Trésor. Mais si cela permet de redresser la tendance, tout le reste suivra, y compris la bourse de New York. Alors, nous n'aurons plus de problèmes, ni vous non plus.

— Il va nous falloir distribuer ces fonds par avion dès demain matin, dit timidement le banquier central.

— Mettez-lui des avions militaires à sa disposition, dit le Président au Secrétaire à la Défense. Maintenant, assez parlé, exécution ! ordonna-t-il en se retournant vers le Président de la Fédérale.

– Soit, dit ce dernier en se levant. Mais je veux affirmer une dernière fois officiellement que je désapprouve vivement les décisions qui viennent d'être prises.

– Ce sera inscrit à l'ordre du jour, dit le Président en le renvoyant d'un geste de la main. Et maintenant, reprit-il à l'adresse du Secrétaire au Trésor, que se passe-t-il avec le dollar ?

– Il tombe comme une pierre. Mais laissons-le tomber. Quand tout se calmera, dans quatre, cinq jours au plus, il remontera de lui-même. Ce serait aussi dangereux qu'inutile de vouloir le soutenir à toute force en empruntant des devises qu'il nous faudra rembourser ensuite. Quand la Fédérale aura exécuté sa manœuvre et que les cours remonteront ici, les Européens vont se calmer, vous verrez.

– Bon, dit le Président qui n'y connaissait de toute façon strictement rien dans les affaires de change. Et vous, dit-il au Secrétaire d'Etat, qu'avez-vous à me dire sur le Moyen-Orient ?

– C'est encore assez embrouillé. Nous savons que les Irakiens sont encore en train de se battre avec les Iraniens, et qu'il y a eu des raids aériens assez sérieux, je crois. D'après des renseignements récents communiqués par notre ambassadeur en Suisse, toute l'affaire paraît avoir été provoquée par l'Irak. Le Shah ne fait que riposter à leur attaque. On ne peut pas le lui reprocher.

– C'est donc une affaire strictement locale ? demanda le Président.

– Presque certainement, affirma le Secrétaire d'Etat. Ce qui est plus surprenant, c'est la situation en Arabie Saoudite.

– Qu'est-ce qu'en dit notre ambassade ? demanda le Président.

– Ils ne savent encore rien de plus que nous. L'ambassade est à Djeddah et le gouvernement est à Ryad. Or, Ryad est totalement coupée du reste du pays depuis plus de cinq jours. Il paraîtrait que le pouvoir est aux mains du prince Abdullah. Tout ce que nous savons de manière plus ou moins sûre, c'est qu'il semble y avoir des changements d'orientation radicaux dans leur politique économique envers les Etats-Unis...

– C'est en retirant leur argent aussi subitement qu'ils nous l'ont amené qu'ils ont créé cette pagaille ! ricana le Secrétaire au Trésor.

– ... Mais nous n'avons pas de preuve formelle d'hostilité ouverte envers nous, reprit le Secrétaire d'Etat en ignorant l'interruption de son collègue. Il y a moins d'une heure, les gens de l'Aramco me confirmaient que le pétrole est toujours pompé au même rythme dans leurs navires.

– Alors, qu'est-ce que vous suggérez ? demanda le Président.

– Attendre. Et voir venir, déclara sans hésiter le chef de la diplomatie américaine.

– J'ai fait mettre la Sixième et la Septième flottes en alerte, intervint alors le Secrétaire à la Défense, ainsi que la Troisième Armée stationnée en Allemagne.

– Le Shah nous a demandé de l'aide ? demanda le Président.

– Pas encore, dit le Secrétaire à la Défense. Mais s'il le fait, mon avis est que nous lui en donnions sans hésiter. Il est le seul partenaire stable que nous ayons dans toute la région.

– Ce que je n'arrive pas à comprendre, observa le Président, c'est ce qui a pu causer une pareille tempête. Qu'est-ce qui prend aux Européens de paniquer comme ils font ? Ils ne se rendent donc pas encore compte que nous sommes capables de contrôler toutes les crises, n'importe où ? Si les Russes y étaient mêlés, encore, je comprendrais. Mais ils n'ont pas l'air d'y être. Vous les avez appelés, pour savoir ce qu'ils disent ?

– J'ai essayé le Chancelier à Bonn et le Président à Paris, répondit le Secrétaire d'Etat. Je ne suis pas arrivé à les joindre.

– Et si j'essayais moi-même ? suggéra le Président.

– Avec la différence d'heure, fit observer le Secrétaire d'Etat, il y a peu de chances que vous les trouviez. Maintenant, ajouta-t-il en hésitant, il faudrait peut-être...

– Quoi ? demanda le Président.

– Si vous appeliez le Premier Ministre d'Israël et l'informiez de ce qui se passe... Après tout, Israël est notre seul allié sûr dans la région, à part le Shah...

– Ne me cassez plus les oreilles avec Israël, répliqua le Président. On a autre chose à faire que de leur passer la main dans le dos.

La question d'Israël ainsi réglée, le Président se recueillit un instant avant de dévoiler sa stratégie pour faire face à la crise.

– Bon, alors écoutez. Continuez à surveiller le Moyen-Orient en utilisant tous les moyens nécessaires : satellites, avions, tout. Retrouvons-nous ici demain matin à neuf heures pour faire le point de la situation. De toute façon, j'ai l'impression qu'à ce moment-là, l'affaire se sera résolue d'elle-même.

Jamais le Président, qui en avait beaucoup et souvent, n'avait eu une impression plus fausse que ce jour-là. Car le 20 mars à six heures du matin, heure de Téhéran – soit à vingt-deux heures le 19 mars, heure de Washington – l'Iran entamait les opérations de conquête du Koweit et des Emirats. Autrement dit, le deuxième stade de l'encerclement de l'Arabie Saoudite, la véritable proie convoitée par le Shah.

Au Koweit, les opérations furent simples. Les forces iraniennes occupaient déjà tout le sud-est de l'Irak, se contentèrent d'obliquer droit au sud. A midi, l'armée koweitienne forte de trois mille hommes se rendait après une défense symbolique. Bahrein tomba ensuite. Depuis des années, la forte minorité iranienne installée dans le pays demandait sans trêve un « Anschluss » avec la mère-patrie. Le 20 mars, les Iraniens – qui avaient entre temps constitué une force para-militaire remarquablement organisée et équipée – occupèrent le pays sans qu'il y soit tiré plus d'une centaine de coups de feu.

La prise de Quatar, d'Abou Dabi et de Dubai fut effectuée au moyen d'une combinaison imparable : une trahison de l'intérieur appuyée d'un débarquement. Tout comme en Arabie, où la main d'œuvre immigrée assurait le développement de l'industrie auquel les Arabes répugnent, les Emirats étaient peuplés d'une forte colonie iranienne, organisée et encadrée sur les mêmes principes que ceux appliqués à Bahrein. A l'aube, ces immigrants occupaient déjà les principaux points stratégiques. Quand les troupes iraniennes arrivèrent, il ne leur restait plus grand chose à faire.

Il n'y eut pas besoin d'envahir Oman. Depuis près de cinq ans déjà, le Shah avait généreusement fourni au gouvernement une aide militaire pour l'aider à combattre les rebelles du Dhofar. En 1979, l'Iran disposait sur place de près de cinq mille parachutistes et cent trente hélicoptères. Par ailleurs, l'armée omanienne était composée en très grande majorité de Balouchis, tribu originaire du sud de l'Iran. Au signal, les parachutistes et les Balouchis se réunirent en frères, et firent flotter le drapeau iranien sur le pays.

Tandis que ces promenades militaires se déroulaient au sol, le Shah redéployait extensivement ses forces navales et aériennes. Le plus gros fut envoyé aux deux principaux verrous du Golfe Persique. Bandar Abbas, tout d'abord, qui défend l'entrée du Golfe Persique proprement dit au détroit d'Hormuz, et est situé pratiquement en face des principaux objectifs stratégiques d'Arabie. Chah Bahar ensuite, sur la côte du Golfe d'Oman, presque à la frontière irano-pakistanaise. Chah Bahar était, de très loin, la plus forte base militaire de l'Océan Indien, et avait été construite par les Américains qui y avaient dépensé plus d'un milliard de dollars vers 1970.

Ainsi, le Shah avait scellé le Golfe et les Emirats, et en interdisait l'accès par la mer. Pour prévenir et décourager toute tentative d'intervention, il avait en plus envoyé ses deux porte-avions, le « *Kitty Hawk* » et le « *Constellation* » croiser dans l'Océan Indien, chacun avec sa pleine charge de quatre-vingt-dix Phantoms.

Sans doute, les Etats-Unis avaient fourni au Shah le plus gros de son appareil militaire, depuis les bases aériennes et navales jusqu'aux porte-avions et aux chasseurs-bombardiers. Mais c'était lui, seul avec ses généraux, qui avait eu le génie militaire qu'il fallait pour utiliser cet énorme potentiel. Les deux premiers jours de sa guerre-éclair avaient donné la preuve de ses brillantes capacités dans ce domaine. Selon son plan, il ne fallait plus qu'un jour pour que la guerre soit terminée victorieusement. Alors, le Shah-in-Shah deviendrait le maître absolu des territoires parmi les plus précieux de la terre.

A trois heures du matin, heure locale, le Secrétaire à la Défense appela le Président pour l'informer de l'extension de la guerre au Koweit. A quatre heures du matin, la Maison-Blanche était illuminée de la cave au grenier. A quatre heures et demie, les limousines commencèrent à arriver à la queue leu leu devant le perron, dégorgeant dans la nuit les Secrétaires à la Défense, au Trésor et d'Etat, le Chef d'Etat-Major Général des Armées et le Directeur de la CIA.

C'était lui qui avait les dernières nouvelles. Ce n'était pas seulement le Koweit, affirma-t-il, mais tous les Emirats qui étaient envahis par l'Iran. L'attaque était totalement injustifiée. D'après ses conclusions, l'Iran aurait terminé le bouclage du Golfe Persique dans quelques heures tout au plus. Pour une fois, en effet, la CIA voyait juste.

— Vous vous rendez compte, naturellement, de ce que ces manœuvres impliquent, conclut-il. En ce moment même, le Shah d'Iran a pris possession de la totalité des gisements pétroliers du Golfe Persique, sauf ceux de l'Arabie Saoudite. Et il n'y a pas le moindre doute, à mon avis, qu'il entend bien se les approprier.

— Allez chercher une carte, ordonna le Président à un assistant. Car il n'avait pas la moindre idée d'où pouvaient se trouver tous ces pays aux noms bizarres.

Quand il eut regardé la carte, il comprit. Le Shah avait en effet bouclé le Golfe, et enserrait l'Arabie dans un étau.

— Allez-y, dit-il alors au Chef d'Etat-Major, le Général Smith.

— Excusez-moi, Monsieur le Président, dit le Général, mais que voulez-vous dire par là ?

— Envoyez les Marines, l'aviation, la flotte, ce que vous voudrez, mais qu'on arrête le Shah. Il nous a complètement trompés. Arrêtez-le et faites-le reculer jusqu'à ses bases de départ. Tout de suite.

— C'est un peu difficile à exécuter tout de suite, Monsieur le

Président, dit le Général en se grattant la gorge, l'air gêné. Nous n'avons aucune troupe dans la région. La Sixième Flotte est en Méditerranée, et la Septième au large de Formose. Il leur faudra à l'une ou à l'autre au moins huit jours pour arriver sur les lieux. Et même à ce moment-là, je me demande si nous serons vraiment prêts à attaquer le Shah.

– Et pourquoi ça ? demanda le Président.

– Eh bien, voyez-vous reprit le général de plus en plus gêné, le Shah dispose d'une puissance de feu considérable à nous opposer. Il a d'abord ces deux porte-avions, vous savez, ceux que nous lui avons loués il y a deux ans. Il a près de deux cents avions à bord, vous vous rappelez, ces Phantoms que nous lui avions vendus. Et puis, il y a Chah Bahar. Il y a basé pas mal de F-14, davantage en fait que tous ceux que nous avons en Europe. Et puis, il y a les missiles dans cette petite île du Golfe. En supposant que nous puissions forcer les barrages et pénétrer dans le Golfe, ce qui n'est pas si sûr...

– Vous voulez dire, explosa le Président, que les forces armées des Etats-Unis ne sont pas capables de se battre contre le Shah d'Iran ?

– On pourrait, bien sûr, répondit le général qui n'était vraiment pas à son aise. Mais nos pertes seraient... astronomiques. Il y a aussi autre chose à ne pas perdre de vue. Si nous voulons débarquer dans le Golfe Persique, cela représente une opération de l'envergure du débarquement de Normandie en 1944. A la seule différence que nos bases de ravitaillement ne seront pas à vingt kilomètres de là, de l'autre côté de la Manche, mais à huit mille kilomètres du théâtre des opérations, en Europe. Je ne sais pas si je peux recommander de lancer une opération pareille...

– Pas si vite, intervint alors son patron, le Secrétaire à la Défense. Je crois que nous sommes en train de considérer la question sous un faux angle. Ne parlons pas de la Septième Flotte pour le moment. D'accord, on va lui donner l'ordre de rejoindre le Golfe Persique. Mais en attendant qu'elle arrive, nous avons oublié quelque chose d'important, de très important. Nous avons des hommes et une force militaire en Arabie Saoudite. Vous oubliez les trois mille réguliers, et les techniciens de l'aviation, et les types embauchés par cette société de Los Angeles pour la garde des gisements pétroliers. Sans oublier les gardes de l'Aramco. On a au moins huit mille Américains en Arabie. Et vous oubliez autre chose : tout le matériel que nous leur avons expédié depuis deux mois ! Tout ce que nous avons à faire, c'est d'envoyer des renforts d'Europe. Sous quarante-huit heures, on a vingt-cinq mille hommes là-bas et notre meilleur matériel militaire. La voilà, la solution !

— Du calme, dit le Secrétaire d'Etat. Vous oubliez un aspect encore plus important : les Saoudiens eux-mêmes ! On n'en est encore pas absolument sûrs, mais on a toutes les raisons de croire que votre ami Abdul Aziz a été tué, ainsi que tous les responsables pro-américains de Ryad. C'est Abdullah, dont les sympathies gauchistes sont connues, qui a pris le pouvoir.

— Et alors ? demanda le Secrétaire d'Etat. Qu'est-ce que ça change ?

— Exactement ! s'exclama le Président. S'ils se retrouvent avec le Shah sur les bras, les Saoudiens vont accepter de l'aide d'où qu'elle vienne, c'est évident !

— Et qu'est-ce que vous faites des Russes ? demanda le Secrétaire d'Etat.

— Ont-ils réagi, jusqu'à présent ? demanda le Président.

— Non

— Alors, faisons comme s'ils n'existaient pas : de toute façon, il est trop tard pour qu'ils interviennent maintenant.

— Bien, dit le Secrétaire à la Défense. Dans ces conditions, il ne reste plus qu'à organiser le pont aérien à partir de l'Allemagne.

— Est-ce que nous n'avons pas quelques formalités à remplir à ce sujet-là ? demanda le Président. Il faut prévenir le gouvernement allemand et l'OTAN, non ?

— Bien sûr, dit le Secrétaire d'Etat. Mais ce n'est qu'une simple formalité.

— Bon, alors débarrassons-nous en tout de suite, dit le Président.

A Bonn, il était déjà onze heures du matin. Aussi le Président eut la communication avec le Chancelier en moins de trois minutes. Il ne lui en fallut guère plus pour expliquer à son interlocuteur l'évolution de la situation, et lui demander pour la forme l'autorisation de se servir des installations à la disposition de la Troisième Armée pour l'envoyer en Arabie. Quand il eut terminé son bref exposé, il n'entendit qu'un long silence à l'autre bout du fil.

— Vous m'entendez, Monsieur le Chancelier ? reprit le Président.

— Oui, Monsieur le Président. Je réfléchissais. Je ne suis malheu reusement pas en mesure de vous donner une réponse immédiate.

— Quoi ? sursauta le Président.

— Ce que vous me demandez-là concerne, comme vous le savez, les intérêts de notre propre défense nationale. Il va falloir que je présente la question au conseil des ministres. En outre, le Bundestag est en vacances parlementaires.

– Mais ça ne peux pas attendre ! s'écria le Président.

– Je comprends parfaitement votre position, Monsieur le Président. J'espère que vous comprenez la mienne. Je vais faire tout mon possible pour convoquer le conseil des ministres le plus rapidement possible, et je vous rappelle dès que je pourrai. Au revoir, Monsieur le Président.

Là-dessus, le Chancelier raccrocha, laissant le Président des Etats-Unis regarder avec une stupeur incrédule le combiné du téléphone soudain devenu muet.

– C'est incroyable ! dit-il enfin en reposant l'écouteur Ce fumier de nazi est en train de nous envoyer paître !

Il y eut un silence général. La situation évoluait, en effet, de manière imprévisible.

– On aurait peut-être une autre possibilité, dit enfin le général Smith.

– Oui ? demanda le Président d'un air rogue.

– On a toujours des B-52 stationnés à Guam. Ils ont le rayon d'action nécessaire. On pourrait les envoyer bombarder...

– Ne dites pas de bêtises ! coupa le Président. Certes ils ont le rayon d'action, mais à condition qu'on les bourre de kérosène. Il ne resterait pas de place pour une charge utile efficace.

– Je ne voulais pas parler de bombes conventionnelles, insista le Chef d'Etat-Major.

– Nucléaires ? dit le Président.

– Oui. Mais laissez-moi d'abord vous expliquer mon idée. Je ne suggère pas qu'on les fasse exploser. Je me demandais simplement si on ne pouvait pas envoyer un ultimatum au Shah, en le menaçant d'un bombardement atomique. Dès qu'il verra les B-52 arriver, il battra en retraite.

– De toute façon, c'est absolument hors de question Vous croyez que le Congrès va laisser passer l'occasion ? je vais me retrouver destitué, comme Nixon !

– C'est effarant, la mentalité qui règne au Pentagone ! intervint alors le Secrétaire au Trésor avec une vertueuse indignation. Enfin, qu'est-ce que vous croyez ? Vous êtes complètement coupés des réalités vous autres !

– Sans doute, Fred, le réconforta son collègue du Département d'Etat. Mais l'hypothèse nucléaire, bien que choquante, n'est pas aussi absurde qu'elle en a l'air.

Tout le monde connaissait le Secrétaire d'Etat et son goût

immodéré pour les phrases sybillines. On attendit donc patiemment qu'il veuille préciser sa pensée.

— J'ai reçu il y a trois jours, reprit-il en s'éclaircissant la voix, un rapport de notre ambassadeur à Berne, Sinclair. Il avait reçu une communication d'un de nos compatriotes, un banquier qui s'appelle Hitchcock, je crois.

— Ah oui, dit le Président, je crois que je l'ai rencontré. C'était lui qui travaillait pour les Saoudiens, non ?

— C'est cela, dit le Secrétaire d'Etat. D'après le rapport de Sinclair, ce Hitchcock aurait annoncé, il y a déjà trois jours, que le Shah se préparait à attaquer ses voisins du Golfe Persique, ce qui s'est révélé être correct comme nous le savons maintenant. Sinclair n'en avait pas cru un mot, ni moi non plus d'ailleurs. Ce qui me paraît maintenant un peu troublant, c'est que Hitchcock annonçait également que le Shah disposait d'armes atomiques, et avait l'intention de s'en servir.

— Et d'où tenait-il ce renseignement ? demanda le Président.

— De sources suisses, paraît-il. Dignes de foi.

— Le Shah a peut-être quelques bombes, répondit le Président, et encore on n'en est pas sûr. Mais il n'osera jamais s'en servir. Tout comme nous, d'ailleurs. Je connais quand même bien le Shah. C'est peut-être un ambitieux, mais ce n'est pas un fou. Voici la solution que je préconise. On va lui envoyer un ultimatum en le menaçant d'intervenir s'il ne se retire pas immédiatement dans ses frontières. De toute façon, faisons venir la Septième Flotte. En attendant, espérons que les Saoudiens pourront tenir jusqu'à ce que nos hommes aient le temps d'arriver d'Allemagne. Compris ?

Le Secrétaire d'État fut chargé de rédiger le message et de l'expédier dans les deux heures. Tout le monde se leva pour partir, mais le Président retint le Secrétaire au Trésor pour un aparté.

— Fred, lui dit-il, qu'est-ce que ça va donner aujourd'hui ?

— A la bourse ?

— Oui, et dans les banques.

— Nous sommes prêts au pire, Monsieur le Président. Mais ne vous faites pas de soucis. Nous nous en sortirons.

Tout était calme sur le Golfe Persique. La nuit était tombée, les batailles gagnées. Mais un vent de démence soufflait sur tous les Etats-Unis. Les centres financiers n'étaient même plus des champs de bataille, ils étaient devenus des charniers.

Même avec le recul dont nous disposons aujourd'hui, il est

presque impossible de reconstituer des explications rationnelles de ce qui s'est passé ce jour-là. En gros, toutefois, on peut décrire le phénomène dans ses grandes lignes. Petit à petit, de manière erratique et anarchique mais inéluctable, les masses américaines comprenaient quelque chose et se décidaient à agir en conséquence. Ce qu'ils voyaient : des problèmes menaçants et inconnus se développer dans le monde, les étrangers perdre leur confiance dans l'Amérique et la quitter comme des rats quittent un navire. Pour se sauver eux aussi, les Américains devaient fuir. Ils devaient récupérer leur argent. Vendre, liquider tout le reste : valeurs boursières, comptes d'épargne, comptes courants, tout ce qui n'était pas des espèces liquides, tangibles. Le Fric.

Ce dont presque personne ne s'était encore jamais vraiment rendu compte jusqu'à ce jour-là, c'était le volume effarant de valeurs-papiers en circulation, susceptibles d'être converties à vue en argent liquide. Si l'on compte les valeurs boursières, les titres d'emprunts publics et privés, les bons du Trésor, les effets de commerce et le montant des dépôts à terme ou à vue dans les banques, on arrivait au total inimaginable de plus de quatre mille milliards de dollars. Et ce chiffre pouvait être immédiatement exigible, devait par sa nature même être converti en liquide à la demande du porteur.

Imaginons un instant ce qui se passerait si une fraction apparemment infime de ce montant, un pour cent disons, était liquidé en une seule journée. C'est exactement ce qui se passa le 20 mars 1979. Ce n'était plus la peine de faire un effort d'imagination, le fait se produisit. Et il n'y a qu'un seul mot qui puisse en dépeindre l'effet : le chaos. Le chaos total, absolu aux bourses de New York, de Chicago, de San Francisco. De véritables émeutes éclatèrent devant les banques. Mais le système tint bon. La banque Fédérale s'y était préparée, à contre cœur comme nous avons vu, mais elle s'était résolue à répartir environ vingt-cinq milliards de dollars en espèces sur les places financières. Cet appoint ajouté aux réserves des banques suffit, à peine dans certains cas, mais suffit quand même à honorer les exigences de tous ceux qui, ce jour-là, exigèrent de récupérer leur argent.

Même la Hoosier National Bank de Fort Wayne, Indiana, put rouvrir ses portes à neuf heures du matin, comme d'habitude. Fred Willis avait fait doubler les guichets et les caisses, la banque resta ouverte sans discontinuer pendant ses heures d'ouverture normales, et elle ferma le soir sans avoir refusé un sou à un client. Mais il ne lui restait plus que quatre mille trois cent trente cinq dollars et quelques cents dans ses caisses.

A dix-huit heures, heure locale de Washington, et une fois informé que les banques de la côte ouest avaient survécu à la ruée, le Président fit une allocution télévisée, radiodiffusée et relayée ou retransmise par la plupart des réseaux du monde occidental. Il expliqua, avec patience et clarté, que le conflit du Moyen-Orient était tout au plus une escarmouche locale, dans laquelle les grandes puissance n'étaient pas intervenues et ne seraient nullement mêlées. Il annonça que des pourparlers étaient d'ores et déjà engagés pour un cessez-le-feu. Il affirma ensuite solennellement que le peuple américain n'avait aucune raison de céder à la panique, que la preuve avait été abondamment donnée de la solidité de la monnaie et du système bancaire et que le gouvernement fédéral veillait à la maintenir et à la renforcer. Enfin, adjura-t-il ses concitoyens, il était grand temps de revenir à la raison.

Quand il eut fini, personne n'éteignit son poste de télévision, car les trois chaînes nationales diffusaient les premiers films de la guerre du Golfe. Ce métrage avait été filmé par une équipe de la télévision canadienne, la CBC, qui était en train de réaliser un documentaire à Abou Dabi, et avait réussi à s'échapper à la dernière minute à bord du Lear-Jet d'un Emir.

A huit heures du soir, les lignes et les centraux téléphoniques dans tous les Etats-Unis étaient irrémédiablement bloqués. Car, depuis plus d'une heure, des pères appelaient leurs fils, des filles leur mère, des clients leur agent de change, et des banquiers leurs confrères. Et ils se posaient tous la même question : « Qu'est-ce qu'on va faire demain ? »

Pendant ce temps, il y avait encore quatre vingt dix neuf pour cent des quatre mille milliards de valeurs liquides encore dans les coulisses prêts à entrer en scène.

Environ une heure plus tard, le silence qui s'était appesanti depuis une semaine sur la capitale de l'Arabie Saoudite fut enfin rompu. Dans un message qu'ils avaient conjointement rédigé et signé, le roi Khaled et le prince Abdullah annonçaient qu'ils avaient été attaqués deux heures plus tôt par le Shah d'Iran, et que les forces saoudiennes contenaient les assauts de l'armée iranienne. Le message se poursuivait par un appel pressant à tous les frères arabes pour aider à repousser les assauts des aryens venus du nord, et concluait par une demande aux Etats-Unis pour voler au secours de leurs alliés d'Arabie, avec une aide militaire directe.

Tout était enfin devenu clair et officiellement porté à la connaissance du monde. Le roi Khaled était toujours en vie et toujours, même si ce n'était plus que partiellement, à la tête de son royaume. L'Arabie Saoudite n'avait attaqué personne, c'était elle la victime d'une agression. Le Shah avait trompé le monde entier, et le monde entier en était informé.

Dans l'heure qui suivit, le Colonel Khadafi expédia cent vingt Mirages III à Ryad. L'Egypte avait déjà commencé son propre pont aérien, et ses bataillons de parachutistes d'élite débarquaient des avions-cargo soviétiques que l'Egypte possédait encore. 'Iussein de Jordanie annonça qu'il prenait lui-même la tête de ses divisions blindées qui faisaient déjà force de chenilles à travers le désert en direction de l'Arabie. La Syrie ne voulut pas être en reste, et envoya ses meilleures troupes stationnées au Golan et au Sud-Liban. Boumedienne expédia un message de solidarité. Le roi du Maroc téléphona à l'Elysée. Quant aux Etats-Unis, ils annoncèrent que la Septième Flotte était déjà en route, et que les négociations avec ses alliés de l'OTAN allaient bientôt permettre l'envoi de renforts stationnés en Europe.

Le Shah s'y était attendu. Il ne comptait peut-être pas sur une réaction aussi massive et aussi immédiate, mais il avait le sens des réalités. C'est pourquoi il avait établi sa stratégie sur sa capacité de gagner la guerre en trois jours, avant que les renforts extérieurs puissent intervenir. Si une contre-offensive se déclenchait, il aurait déjà pris possession des gisements pétroliers du Golfe Persique, et serait alors capable d'exercer un chantage d'une redoutable efficacité : arrière, dirait-il au monde, ou je fais tout sauter...

Et cette stratégie, le matin du troisième jour, s'appliquait point par point, comme prévu. Deux divisions blindées s'apprêtaient déjà à encercler les gisements de Ghawar, soutenues par plus de cinq cents avions. Aux deux cent cinquante mille soldats iraniens sur le terrain, l'Arabie ne pouvait opposer que sa pitoyable petite armée de soixante et un mille hommes, y compris la garde royale hâtivement réconciliée avec l'armée d'Abdullah face à l'ennemi commun. A quatre contre un, les armées de l'Iran n'avaient qu'à continuer leur promenade militaire.

Mais le Shah avait gravement sous-estimé l'importance du matériel expédié par les Etats-Unis, avec la hâte que l'on sait, au cours des premiers mois de 1979. Pour parer au plus pressé, ces livraisons avaient principalement porté sur les blindés et l'aviation.

Quand les mille huit cent instructeurs américains prirent leurs appareils en main, leur supériorité se fit jour instantanément. En fait, avant même que les forces iraniennes n'entrent directement en contact avec l'armée saoudienne, l'aviation américano-saoudienne avait réussi à mettre près d'un quart des blindés du Shah hors de combat.

Le Roi des Rois n'avait pas prévu une telle riposte. Il n'avait pas non plus prévu l'efficacité de la défense anti-aérienne que les Américains avaient mise en place, depuis près de quatre ans, au prix de plus de sept milliards de dollars, pour en faire une des meilleures au monde. Le réseau complet, exploité par du personnel américain, était devenu opérationnel le 1er janvier 1979. Au cours des quatre premières heures du combat, elle coûta plus de cent vingt appareils à l'aviation iranienne.

A deux heures de l'après-midi, l'avance foudroyante des forces iraniennes avait été stoppée. Peu après, les renforts libyens et égyptiens faisaient leur arrivée sur le théâtre des opérations. Les blindés jordaniens n'étaient plus qu'à quelques heures de là. Et la Septième Flotte doublait Singapour.

Aussi, quand la nuit vint faire cesser les combats, on ne pouvait s'empêcher d'évoquer un cliché biblique : une fois de plus, le nain saoudien David avait réussi à neutraliser le Goliath iranien.

Quand les heureuses nouvelles de cette évolution de la guerre atteignirent les Etats-Unis et l'Europe Occidentale, elles furent bientôt suivies d'autres informations tout aussi réjouissantes. Les autorités saoudiennes annoncèrent officiellement qu'elles cessaient leurs retraits de fonds des banques américaines. Les banques européennes, qui avaient récupéré près de trente cinq milliards de dollars de cette manière, arrêtèrent à leur tour de brader le dollar sur le marché des changes. Le volume des transactions à la bourse de New York redescendit à un niveau plus normal, passant en vingt-quatre heures de quatre-vingt millions de titres à moins de soixante. Les files d'attente aux guichets des banques ne disparurent pas comme par enchantement. Du moins, elles cessèrent de grossir d'heure en heure. Un mieux s'amorçait. Mais les choses n'étaient pas pour autant redevenues normales. L'équilibre restait précaire.

Tard dans la soirée, on apprit que les autorités de l'OTAN avaient officiellement approuvé l'utilisation des bases d'Allemagne fédérale pour l'intervention de la Troisième Armée Américaine au

Moyen-Orient. Chargés de troupes d'élite et de matériel dernier cri, les premiers avions-cargo Hercule avaient déjà décollé vers Ryad. L'Europe s'était donc désolidarisée du Shah. Car il apparaissait clairement désormais aux observateurs que ce serait les Américains qui, directement ou indirectement, allaient assurer le contrôle du Golfe Persique.

Quoi qu'il en soit, le monde pouvait respirer. Il avait glissé jusqu'au bord même d'un abîme. Mais il s'était retenu à temps.

CHAPITRE 26

Le 22 mars, à quatre heures du matin, le Shah, le général Khatami et le Commodore Fereydoun Shahandeh n'avaient pas fermé l'œil depuis quarante huit heures. Le visage mangé de barbe, les traits tirés, les yeux injectés de sang, ils paraissaient tous trois au bord de l'écroulement. Pourtant en dépit de l'heure, le bunker bourdonnait d'une activité fébrile. Les rapports arrivaient continuellement du front d'Arabie, les ordres partaient, les machines cliquetaient, les téléphones sonnaient.

Assis dans son fauteuil, à son poste de commandement, le Shah n'avait pas dit un mot depuis une demi-heure. Car c'était à ce moment-là qu'il avait été informé du départ du premier transport de troupes Hercules de la base américaine de Francfort.

– Sire, dit Khatami. Sire, insista-t-il devant le mutisme du Shah, je vous assure qu'il n'est pas trop tard pour les arrêter.

– Taisez-vous, Khatami ! Je réfléchis, dit le Shah.

– Sire, il faut que Votre Majesté appelle les Russes. Ils n'admettront pas de laisser les Américains envahir le Moyen-Orient.

– Les Russes ont dit qu'ils n'interviendraient pas. Ce n'est pas maintenant qu'ils vont lancer une attaque militaire contre l'ensemble du monde arabe. Arrêtez donc de dire des imbécillités, Khatami.

Et le Shah retomba dans le silence de la réflexion. Dans son uniforme de chef suprême des armées, il était assis dans son fauteuil comme sur un trône, raide, les yeux fermés.

Soudain, il aboya un ordre sans ouvrir les yeux :

– Allez chercher le Professeur ! Tout de suite.

Il ne rouvrit pas les yeux jusqu'à ce que Khatami revienne, une vingtaine de minutes plus tard, en compagnie du Professeur Hartmann. Les deux hommes s'approchèrent du Shah et restèrent debout devant lui, silencieux, attendant ses ordres.

– Professeur, dit-il enfin en fixant son regard sur le Suisse, je vous pose une dernière fois la question. Etes-vous absolument certain de ce que vous avancez ?

– Absolument, répondit Hartmann. Je vous l'ai déjà dit et je vous le répète. Elles fonctionneront comme prévu.

– Khatami, dit le Shah, sont-elles montées ?

– Oui, Sire. Toutes les six. Les appareils sont prêts les équipages en alerte.

– Bien. Faites-les armer.

Tandis que le général et le professeur se dirigeiaent vers l'ascenseur qui allait les ramener à la surface, où les Phantoms les attendaient, le Shah se tourna vers le Commodore.

– Shahandeh ! Ordonnez un repli immédiat. Tous les blindés, toutes les troupes. Et qu'ils se replient le plus loin et le plus rapidement possible.

– Bien, Sire, répondit le Commodore.

L'activité du bunker devint fiévreuse. Les ordres de retraite furent transmis à tous les commandants d'unités dans la région des gisements de Ghawar en Arabie. Une demi-heure plus tard, Khatami revint près du Shah avec le Professeur Hartmann.

– Elles sont armées, Sire, dit-il simplement.

– Bon. Allez me chercher du café, Khatami. Vous, professeur, venez vous asseoir ici, à côté de moi.

Le vieux savant obéit à l'injonction. Contrairement aux autres occupants du bunker, il ne trahissait pas la moindre trace de fatigue. De fait, son regard brillait d'une impatience qui pouvait passer pour de la joie.

Le Shah but à lentes gorgées le café que Khatami lui avait apporté.

– Maintenant, dit-il au général prenez note. Le communiqué que je vais vous dicter devra être transmis directement à Ryad, Washington et Le Caire. Vous êtes prêt, Khatami ?

– Oui, Sire.

– Voici donc le texte : « Moi, Mohamed Reza Pahlevi, Shah-in-Shah d'Iran, ordonne par les présentes au Roi d'Arabie Saoudite et ses alliés de me soumettre la reddition de toutes leurs troupes actuellement dans la région des gisements pétroliers de Ghawar. Ceux qui se retireront de cette zone auront la vie sauve. Je ferai exploser des engins atomiques dans ce périmètre dans deux heures. Quiconque y restera plus de douze heures après la détonation périra par les effets de la radio-activité. Nous exigeons que tout le matériel militaire soit abandonné sur place. Quiconque s'aviserait d'entreprendre une action militaire offensive de quelque nature que ce soit contre l'Iran serait immédiatement châtié par l'emploi d'armes atomiques. Je sais que la libération par nos soins des peuples opprimés du Golfe Persique, sera saluée comme il convient par les nations éprises de justice et de liberté, et que l'humanité entière saura se réjouir de voir la paix restaurée de façon permanente dans tout le Moyen-Orient. »

– C'est tout, Sire ? demanda Khatami.

– C'est tout. Transmettez-le. Et maintenant, Professeur, dit-il en se tournant vers Hartmann, combien devons-nous en faire exploser, à votre avis ?

– Trois, Sire. A une quinzaine de kilomètres à l'ouest des gisements. Il faudrait les espacer d'une quinzaine de kilomètres selon un axe nord-sud. Je les ai armées et réglées pour qu'elles explosent à environ mille cinq cents mètres d'altitude.

– Excellent, Professeur, apprécia le Shah. Je laisse les trois autres Phantoms en alerte pour le moment.

– Sire, dit Khatami qui était revenu, votre message a été envoyé.

– C'est bien, Khatami. Quelle est la durée de vol jusqu'à l'objectif ?

– Quarante deux minutes, Sire

– Vous donnerez l'ordre de décollage dans une heure exactement. Vous pouvez disposer.

– Bien, Sire.

– Maintenant, Professeur, reprit le Shah, ces bombes ont été dotées de magnésium en tant qu'agent contaminant ?

– Oui, Sire, conformément à vos instructions.

– Donc, mes troupes peuvent occuper la région sous huit jours ?

– Disons une dizaine de jours, au maximum, pour ne pas prendre de risques inutiles.

– Parfait. Ils auront donc juste le temps d'aller faire ces Arabes prisonniers et de les mettre dans les camps.

– Puis-je m'en aller maintenant ? demanda Hartmann.

– Non. Restez ici, lui dit le Shah.

Il se leva, et vacilla légèrement sur ses jambes.

– Je vais aller dormir un peu. Khatami ! appela-t-il, réveillez-moi dans une heure et quarante minutes exactement.

Et le Roi des Rois disparut dans la chambre qu'il s'était fait aménager à l'arrière du bunker.

A six heures trente très précises, le Shah revint à son poste de commandement, reposé, rasé de frais, et vêtu d'un uniforme propre, impeccablement repassé. Ses deux principaux aides de camp, Khatami et Shahandeh, étaient devant la console de communication. Le reste de la pièce était plongé dans un silence anxieux.

Alors, une voix retentit dans les haut-parleurs. C'était celle du pilote commandant la petite escadrille de Phantoms :

– Nous sommes à une minute de l'objectif. N'avons pas rencontré de problèmes.

A six heures trente-deux, le haut-parleur vibra à nouveau :

– Bombes lâchées.

Enfin, trente secondes plus tard :

– Les trois engins ont détonné normalement. Revenons à la base.

Le Shah se leva alors, et d'un geste imposa à nouveau le silence, dans le bunker où éclataient déjà des cris de joie.

– Avec l'aide d'Allah, déclara-t-il, nous avons gagné cette guerre glorieuse. Je déclare ici même, et devant vous tous, l'avénement du nouvel Empire Perse !

Il serait peu de dire que tous les assistants laissèrent éclater leur enthousiasme. Ce fut du véritable délire, de la folie hystérique. Pendant cinq bonnes minutes, le vacarme fut tel qu'on n'aurait pas entendu une bombe atomique exploser.

– Khatami, dit le Shah quand on put enfin s'entendre parler, je veux qu'on fasse immédiatement des photographies aériennes de l'objectif. Il faut que nos enfants jusqu'à la quatorzième génération puisse voir de leurs yeux ce que nous avons fait pour eux. Vous commandez personnellement cette mission. Allez !

– Oui, Sire, avec joie ! s'exclama Khatami qui se retira plié en deux et à reculons.

Le savant suisse était resté debout aux côtés du Shah. Il ne disait rien. Mais on pouvait lire, sur ses traits, un sentiment qui confinait à l'extase.

Ce jeudi 22 mars 1979, à six heures cinquante-sept, une escadrille de dix-sept Phantoms apparut au-dessus de Khorramshahr venant de l'est. Elle était menée par le Général Falk, attaché militaire près de l'Ambassade des Etats-Unis en Arabie Saoudite qui pilotait lui-même l'appareil de commandement, timbré aux armes du Royaume. Les appareils avaient traversé le Golfe Persique à basse altitude, au sud d'Abadan, et avaient opéré un large virage au-dessus du désert pour revenir vers la base aérienne en esquivant les radars.

Sept minutes plus tard, à sept heures quatre, l'attaque commença. A sept heures six, l'un des deux mille projectiles largués sur Khorramshahr atteignit l'un des trois Phantoms iraniens sur son aire de parking faisant exploser la bombe atomique armée dont l'appareil était chargé. La déflagration atomique détonna, quelques millisecondes plus tard, puis ce fut le tour des deux autres bombes dont étaient équipés les deux autres Phantoms.

La base aérienne de Khorramshahr fut instantanément rayée de la surface de la terre, dans sa totalité. Là où se dressait l'orgueil de la puissance aérienne du Shah, il n'y eut plus qu'un immense cratère de près de vingt-cinq mètres de profondeur. Le nuage radioactif engloutit, en quelques minutes, les installations pétrolières et la ville d'Abadan Poussé par le vent soufflant du nord, le nuage se déplaça lentement. A peine quelques heures plus tard, les retombées radioactives saupoudraient le Koweït et ses gisements pétroliers. La population de Khorramshahr avait été, naturellement, tuée sur le coup dans l'holocauste. Une partie de celle d'Abadan réussit à s'enfuir dans le désert. Celle du Koweït n'eut d'autre ressource que de se jeter dans les eaux du Golfe.

Le Roi des Rois avait bel et bien gagné son Empire. Mais il était désormais recouvert d'un nuage mortel chargé de radioactivité. Et ses sujets étaient morts, mourants, ou fuyaient devant le danger.

Et il n'allait pas pouvoir jouir lui-même des fruits de son amère victoire. Car il ne restait rien du Shah-in-Shah. Son bunker, avec tous ses occupants, avait été volatilisé.

Il était environ onze heures, la veille au soir, quand les services de presse reçurent les premières nouvelles du Golfe Persique à New York, à cause de la différence d'heure. Il était trop tard pour les derniers journaux télévisés. Toutefois, la CBS – dont le flair pour le sensationnel n'était jamais pris en défaut – informa ses téléspectateurs qu'il venait de se passer quelque chose d'énorme, que leurs salles de rédaction allaient rester ouvertes toute la nuit, et qu'ils passeraient une émission spéciale dès qu'ils le pourraient.

Dès vingt-trois heures trente, les premiers groupes commencèrent à se rassembler devant les banques. A minuit, on estimait déjà les files d'attente à une vingtaine de milliers de personnes. Tous ceux qui avaient espéré contre toute raison, qui avaient vu les événements se dérouler depuis une semaine sans oser croire à la catastrophe, ceux-là maintenant se laissaient aller à la panique comme les autres, et voulaient retirer leur mise tant qu'il en était encore temps.

A une heure du matin, le mercredi 22 mars, la Maison-Blanche publia un communiqué. Très brièvement, le communiqué déclarait que les armes atomiques avaient été utilisées dans le conflit du Moyen-Orient et que, bien qu'on ne soit pas sûr de qui en était responsable, les hostilités paraissaient avoir cessé. Les renforts américains débarquaient dans la capitale de l'Arabie Saoudite à la cadence de trois milles hommes à l'heure, et l'on pouvait affirmer qu'ils seraient capables de ramener la paix dans la région en quarante-huit heures.

A trois heures du matin, sur l'ordre personnellement donné par le Président, une équipe de savants atomistes décolla de Los Alamos pour les champs de bataille du Golfe Persique. Leur mission : déterminer la date à laquelle les hommes de la Troisième Armée pourraient occuper les gisements pétroliers en toute sécurité.

A quatre heures du matin, il fut décidé que les banques ouvriraient à l'heure prévue dans tous les Etats de l'Union. En décider autrement aurait provoqué une panique inutile, peut-être même des émeutes. A sept heures du matin, le Président s'adressa à la nation pour expliquer sa décision. Dans sa conclusion, il déclara notamment : « Par une chance dans laquelle je préfère voir l'action de la Providence, les Etats-Unis ont gagné cette lutte impitoyable qui s'était engagée pour la possession du pétrole du Moyen-Orient. Avec nos amis d'Arabie, nous garantirons désormais le libre accès à ces immenses réserves d'énergie, et assurerons que chacun puisse en bénéficier à jamais. Maintenant, mes amis, remercions Dieu, et retournons à nos tâches journalières. Car l'Amérique, les forces vives de ses industries et de ses banques, reprennent déjà, comme vous tous, le cours de leurs affaires et de leurs activités. Aujourd'hui, demain et pour toujours. »

Personne n'en crut le premier mot.

L'on peut estimer aujourd'hui qu'en ce nouveau jeudi noir, les Américains convertirent plus de cent milliards de dollars de valeurs mobilières en espèces liquides. Le lendemain, Vendredi, ils liquidèrent cent vingt-cinq milliards. Mais depuis une semaine, le volume total de la circulation fiduciaire avait été artificiellement accru de deux cent cinquante milliards de dollars, frais sortis des presses. Ainsi, bien que le nombre des dollars ait été gonflé hors de toutes proportions, aucune banque n'eut à renvoyer ses clients les mains vides. Avec le week-end qui s'amorçait, le temps de la réflexion viendrait. Les gens auraient le loisir de comprendre que le système avait tenu, cette fois-ci, et qu'ils avaient eu tort de s'alarmer. Le lundi, la tête basse, ils feraient leur devoir, et leur argent retournerait là où il devait être : dans les banques, et pas dans leurs poches.

Mais un phénomène nouveau, imprévu et imparable fit son apparition pendant ce même week-end. Le vendredi, le samedi et le dimanche, des flots d'argent furent transformés en biens et en marchandises. On achetait tout comptant : de l'épicerie, des vêtements, de l'essence, des chaussures des maisons, des chevaux, des meubles... Un volume d'espèces gonflé du double se mit à courir furieusement derrière un volume de marchandises resté inchangé depuis le début de cette folie collective. Dès le samedi, les prix dérapèrent, et l'on vit le phénomène de l'hyper-inflation instantanée voir le jour ailleurs que dans les manuels d'économie. Cette fois, ce ne furent plus les banques qui durent fermer leurs portes devant les hordes qui faisaient la queue à leurs portes. Ce furent les supermarchés, les marchands de meubles, les concessionnaires automobiles, les agents immobiliers et les promoteurs, les drugstores. Ils n'avaient littéralement plus rien à vendre, plus un clou, plus un tube de pâte de dentifrice en stock. Le dimanche après-midi, les « boîtes à hamburgers » – Mac Donald's en tête – fermèrent leurs stands du Pacifique à l'Atlantique. Ils avaient enfin compris ce que d'autres avaient saisi depuis la veille : le dollar n'avait plus la moindre valeur, pas même celle du papier sur lequel il était imprimé. En accumuler un seul de plus était de la folie, du suicide.

Le même phénomène était d'ailleurs vrai pour le mark, le yen, la livre ou le franc. Avec leur retrait massif du dollar et de tout ce qui s'y rapportait, ces monnaies étaient revenues chez elles en un flot énorme. Pour se protéger des « folies de l'Amérique », comme ils se plaisaient à le dire, les dirigeants de ces pays avaient dû inonder leurs propres marchés sous des torrents de devises qui ne correspondaient plus à rien. Dans le domaine de l'économie, ou dans celui plus simple de la circulation fiduciaire, les mêmes causes produisent généralement les mêmes effets. Partout, l'inflation flamba du jour au lendemain. Les monnaies avaient perdu toute valeur.

En Amérique, les banques n'ouvrirent pas leurs portes le lundi matin. En fait, la plupart d'entre elles n'allaient plus jamais rouvrir leurs portes. Depuis bien longtemps déjà, des années, elles avaient fait faillite. La panique n'avait fait que faire éclater au grand jour un fait depuis longtemps acquis.

Malgré tout, l'ordre fut maintenu. Dans tous les Etats de l'Union, la Garde Nationale fut mobilisée dès le dimanche et prit possession des villes. Elle ne put malgré tout empêcher que la foule en colère mette le feu à une douzaine de banques, et que plusieurs centaines de magasins soient pillés.

Ce même lundi, dans la sécurité de St Moritz et de la toujours pacifique Confédération Helvétique où régnait le plus grand ordre, Ursula et moi nous sommes mariés. Je peux avouer qu'il s'agissait, en partie au moins d'un mariage de convenance. Car la Suisse avait décidé d'expulser tous les ressortissants étrangers : elle ne pouvait plus, avaient déclaré les autorités, assurer leur subsistance compte tenu des nouvelles conditions économiques internationales. Toutefois tout étranger marié à un citoyen suisse était autorisé à rester. Ursula était citoyenne suisse, et nous voulions tous deux y rester, au moins jusqu'à ce que les choses se calment un peu. Je comptais, malgré tout, regagner un jour ou l'autre les Etats-Unis. Car je ne doutais pas un instant que le premier pays à émerger du désastre serait celui doté des plus grandes ressources naturelles et que l'Amérique serait alors le seul endroit au monde où l'on pourrait recommencer à vivre. Il faut dire aussi que j'y possédais quelques milliers d'hectares de bonne terre de Californie avec un cheptel considérable, des cultures et des vignes. A ce moment-là, quand l'Amérique en viendrait elle aussi à mettre en application des mesures de protectionnisme xénophobe, on ne pourrait faire autrement que d'y accepter l'épouse d'un citoyen américain. Et puis, il faut y ajouter une dernière considération : nous nous aimions.

Ce fut une simple petite cérémonie civile qui se déroula dans le bureau du maire. Werner Meier, Directeur de la succursale de la Compagnie Bancaire Helvétique – qui se retrouvait dorénavant avec beaucoup de loisirs, comme la plupart de ses confrères – nous servit de témoin. A trois heures et demie, tout était déjà fini

A quatre heures, nous allâmes chez Hanselmann pour prendre le thé. Ils acceptaient encore des pièces d'or en paiement, et j'avais pris la précaution d'en faire mettre par Meier dans mon coffre, comme on s'en souvient peut-être.

— Cela m'aurait fait plaisir que ton père ait pû être là aujourd'hui, dis-je.

— Oui, dit Ursula avec un soupir.

— Peut-être a-t-il préféré rester là-bas dis-je. Je crois maintenant comprendre ce qu'il a voulu faire. Les Arabes sont finis, en tant que puissance mondiale. S'il y a un véritable vainqueur dans toute cette histoire, c'est bien Israël. Maintenant, ils sont vraiment en sécurité.

— Oui, dit Ursula. Mais pour combien de temps ? Quelques années, tout au plus. C'est ce qui m'inquiète...

— T'inquiète ? Qu'est-ce qui t'inquiète ?

— Tu ne connaissais pas mon père répondit Ursula. Je ne sais pas s'il a vraiment pu accomplir la mission qu'il s'était imposée. C'était un homme méticuleux, qui avait un sens aigü de l'honneur. Et il m'avait fait une promesse..

Méticuleux ? Je ne relevai pas le propos, mais je n'en pensais pas moins. Quel genre de méticulosité faut-il pour faire exploser des bombes atomiques ? Et que pouvait être cette promesse faite à Ursula ?

Avec le reste du monde j'allais avoir la réponse à cette question avant la fin de la semaine. A l'équipe d'atomistes américains s'étaient jointes d'autres équipes venues d'Europe Occidentale. Les conclusions de leur reconnaissance sur les lieux furent unanimes. Dans une crise de folie incompréhensible, le Shah d'Iran avait chargé ses six bombes du même agent de contamination : le cobalt. Le cobalt est l'une des substances douées de la plus longue demi-durée de radioactivité connue à ce jour. Les gisements pétroliers d'Arabie Saoudite, du Koweït et de l'Iran allaient demeurer totalement inaccessibles pour au moins vingt-cinq ans !

Sans doute, les Arabes étaient dépouillés de leur puissance. Sans doute, à part quelques fanatiques isolés, ils ne représenteraient plus une menace envers Israël. Mais les puissances industrialisées de l'Occident étaient elles aussi finies. Blessées à mort.

Le professeur et sa fille avaient été méticuleux... Mais Israël avait été trop loin, avait vraiment outrepassé les bornes de la raison. Je me demande encore aujourd'hui, si cet enfant de salaud de Ben-Levi est toujours de ce monde, et s'amuse sans arrière-pensée de la bonne plaisanterie qu'il nous a jouée.